상담교사의 하루

상담교사의 하루

지은이 송인숙 이경희 이은지 김미연 임은미
그린이 박상영
발 행 2024년 1월 12일
펴낸이 한건희
펴낸곳 주식회사 부크크
출판사등록 2014.07.15.(제2014-16호)
주 소 서울특별시 금천구 가산디지털1로 119 SK트윈타워 A동 305호
전 화 1670-8316
이메일 info@bookk.co.kr

ISBN 979-11-410-6640-6

www.bookk.co.kr

이 책은 인천동부교육지원청의 학생, 교사 저자 책쓰기 프로젝트의 일환으로 제작되었습니다.

상담교사의 하루

송인숙 이경희 이은지 김미연 임은미

BOOKK

차례

책을 시작하며

이 책은 상담에 관한 이론서가 아닙니다. 많은 논문과 과학적 증거를 바탕으로 쓴 것이 아니라, 인천의 상담교사 5명이 각기 다른 학교에 재직하며 느끼고 경험한 것을 녹여 적은 내용입니다. 따라서 개인의 생각과 성향의 차이만큼 상담의 색깔도, 견해도 서로 다른 모습을 하고 있음을 고백합니다. 그래서 이 책이 읽히고 부디 많은 상담교사들에게 신선한 자극이 되기를 바랍니다. 잘한 것은 잘했다고, 부족한 것은 부족하다고 이야기되는 애정 어린 관심을 받고 싶습니다. 어느 사례에는 꼭 필요한 도움이 되었지만, 어느 사례에는 맞지 않는다고. 어느 지역에서는 적절한 지침이 되었지만, 또 어느 지역에서는 현실과는 맞지 않는 이야기라고. 이렇게 각자 자리에서 고군분투하고 있을 상담교사들에게 논쟁거리가 되어 오랫동안 사랑받고 싶고, 나아가 생명력이 있어 세상 변화에 맞게 개정판도 나왔으면 좋겠습니다.

학교 상담교사가 처음 우리나라에 자리 잡은 지 열여덟 해가 되었습니다. 정식 명칭으로는 전문상담교사이지만, 이 책에서는 편의상 '상담교사'라는 이름을 사용하였습니다. 교육청 발령으로, 순회 교사로 시작되어 지금은 초등학교까지 속속 상담교사가 배치되고 있습니다. 교과교사의 역사에 비하면 턱없이 짧은 시간이지만, 학교라는 공간에서 상담교사가 해내고 있는 일들과 이야기들을 함께 들어주셨으면 좋겠습니다.

그리고 이 책에 실린 다양한 상담사례들은 시기와 학교, 성별을 섞어 여러분이 짐작하는 사례가 절대 아니라는 것을 먼저 밝힙니다. 상담 과정에서 들었던 한 내담자의 이야기가 아니라, 자주 접하거나 인상적인 내용을 재해석하여 교차편집하였습니니다. 또한 일부라도 인용된 사례는 사전에 내담자의 허락을 구하여 싣도록 하였습니다.

우리는 주로 듣는 것이 업이지만, 학교 상담 현장에서 그동안 고민했던 내용들에 대해 작게나마 목소리를 모아 보았습니다. 인천광역시교육청에서 뜻깊은 취지로 공간과 기회를 제공해 주어 그간 나누었던 우리의 사적인 이야기들이 세상 밖으로 나올 수 있었습니다.

우리나라 최초로 아카데미에서 수상한 봉준호 감독이 "가장 개인적인 것이 가장 창의적인 것이다"라고 수상소감을 전했던 일이 떠오릅니다. 학교 상담교사로서 고민하고, 길을 만들어 갔던 과정이 가장 우리답게 첫 열매를 맺게 된 것을 진심으로 감사하게 생각합니다.

학교 업무와 여러 가지 위기 사안들을 접하면서 이 이야기를 준비한 지 3년째입니다. '언젠가는'이라고 생각하고 호기롭게 시작했다가, 각자의 삶을 살아내느라 컴퓨터 하드에 잠자고 있었던 것이 교육청에서 멍석을 깔아주어 묵은 먼지를 털고 나올 수 있었습니다.

이 책이 나오기까지 우리에게 자신의 고통과 희망의 이야기를 기꺼이 들려주었던 수많은 어린 내담자들에게, 함께 마음을 나누었던 동료 교사와 선후배들에게, 영감과 격려를 나누며 위로했던 다섯 명 서로에게, 그리고 성장할 수 있었던 모든 순간들에 진심으로 감사를 전합니다.

전문상담교사 김미연

임용시험 준비부터 발령까지

송인숙

임용시험은 어떻게 준비하지?

나는 정말 전문상담교사가 되고 싶은가?

대학 또는 교육대학원 합격의 기쁨도 잠시이고 어느새 졸업이 다가왔네요. 졸업을 앞둔 마지막 학기는 특히 여러 가지로 분주합니다.

교육실습, 이수과목 성적관리, 임용 준비를 감당해야 하죠. 학생으로만 있다가 예비 교사로서의 교육실습은 어색하고 걱정이 앞섭니다. 이 모든 과정을 통과했다면 이제 전문상담교사가 되기 위한 마지막 관문만 앞에 있어요. 교육실습을 통해 교사가 되겠다는 마음이 명확해졌다면 우리 앞에는 임용고시라는 거대한 산이 보이기 시작합니다.

저는 많은 시행착오를 거치며 시험에 합격했어요. 특히 마지막 학기에는 조급한 마음이 컸습니다. 산에 올라가고 나면 오던 길이 보인다더니, 오랜 과정을 통해 합격을 하고 보니 공부 방법, 시간 관리, 각 시기마다의 마음 다스리는 방법, 체력 관리 방법을 알 수 있었고, 나름의 노하우도 생겼습니다. 지금은 많은 예비 상담교사들의 임용고시 준비 멘토 역할을 하고 있고 그중에 합격하신 분들도 많이 생겼어요.

이제 이 글을 통해 여러분의 멘토가 되어보려고 합니다.

공부를 시작하기 전 선생님들께 묻고 싶어요. '전문상담교사가 되고 싶은 이유가 있나요?','정말 전문상담교사가 되고 싶은가요?' 전문상담교사가 되기 위한 동기와 확신은 굉장히 중요해요. 확실한 동기가 있다면 임용고시를 준비하는 동안 어려움이 생기더라도 포기하지 않고 노력을 지속할 수 있습니다.

전문상담교사가 되기 위한 동기는 매우 다양할 수 있어요. 나를 이끌어 주신 선생님처럼 학생을 이끌어 주고 싶은 마음, 더 전문적인 지식과 능력을 통해 학생들을 지원하고 싶은 욕망, 아이들을 사랑하는 마음, 안정적인 직업을 통해 삶의 안정을 찾고자 하는 욕구 등 다양한 이유일 것입니다.

저는 신학을 전공했고 교회에서 어린이 교육전도사로 일했던 경험이 있어요. 신앙을 통해 어린이와 함께하며 아이들의 성장을 지켜보는 것은 저에게 큰 기쁨이었어요. 하지만 다니던 교회가 있던 지역은 어려운 환경 속에 있는 아이들이 많은 곳이었어요. 신앙과 소명감만으로 아이들을 돕기에 한계가 있다는 생각이 들었어요.

그러던 중 TV에서 아동 청소년들의 자살 보도가 이어졌고, 교회에서의 사역과 아이들의 어려움에 대해 많은 생각을 하게 되었습니다. 그렇게 학교라는 공교육 기관에서 더 많은 아이들을 돕고 싶다는 생각에까지 미치게 되었습니다. 또한 경제적인 측면에서도 안정적인 직장이 필요했어요. 전문상담교사라는 안정된 직업을 통해, 제 두 자녀를 잘 양육하고 싶었어요. 그 결심으로 상담 분야로의 공부를 시작했고, 상담교사가 되기 위해 임용고시를 준비하게 되었습니다.

공부를 정말 열심히 했어요. 태어나서 그렇게 열심히 했던 적이 있었나 싶을 정도로 공부를 열심히 했습니다. 아는 만큼 보인다고 하잖아요. 공부하는 만큼 더 많이 도울 수 있지 않을까 하는 마음이었어요. 원석과 같은 아이들이 자기가 가지고 있는 그대로의 역량을 발휘하고 성장할 수 있도록 돕고 싶었습니다.

▪ 나는 정말 전문상담교사가 되고 싶은가요?

나의 학습 스타일 알기

다음은 저의 좌충우돌! 인간 승리! 공부했던 방법들을 소개해 볼게요.

결국 공부는 자기 주도적 학습이에요. 자신의 학습 스타일, 학습 동기, 행동 성향 등을 면밀히 점검하고 조화롭게 공부해야 합니다. 아래의 질문들을 활용하여 자신의 학습 스타일을 평가하고 개선할 수 있는 방향을 찾아보세요. 각 질문에 대한 답변을 통해 자신의 강점을 인식하고 개선점을 확인한다면 좀 더 효율적인 수험 생활을 해낼 수 있을 거예요.

자신의 공부 스타일에 체크해 보세요.	YES	NO
□ 나는 나만의 공부 목표를 미리 세운다.		
□ 나는 공부에 얼마만큼 시간과 노력을 투자할지를 계획한다.		
□ 나는 내가 공부하면서 생기는 문제점이 무엇인지 파악하려고 한다.		
□ 나는 상황에 따라 적절한 학습전략을 선택한다.		
□ 나는 공부를 해야 할 때는 놀고 싶은 유혹이 생겨도 참는다.		
□ 나는 내가 세운 공부 목표를 잘 달성했는지 스스로 평가해 본다.		
□ 나는 현재의 결과에 비추어 내 공부 목표와 계획을 조정한다.		
출처: 학업적 자기조절(Academi Self-Regulation), SMILES		

▪ 나의 학습 스타일 중 강점은 무엇인가요?

▪ 학습 스타일 중 아쉬운 부분은 어느 부분인가요?

자기 인식이 부족했던 나의 쓰라린 인강의 추억

저는 처음 공부할 때 열심히만 했던 고시생이었어요. 고시생 흉내 낸다고 운동복을 세벌이나 장만했던 어이없는 기억도 있습니다. 나만의 스타일로 혼자 나름 열심히 공부했으나 체계적으로 정리가 되지 않고 방향을 잃게 되었어요.

그 다음으로 꼼꼼히 체크하여 저에게 맞는다고 생각하는 인터넷 강의(이하 인강)를 접수하여 공부를 시작했습니다. 인터넷 강의의 장점은 잘 못 들은 부분을 다시 들을 수 있고, 배속을 빠르게 듣는다면 필요한 만큼 더 들을 수도 있다는 것이죠. 무엇보다 내가 원하는 시간에 들을 수 있어요. 더불어 직접 수강(이하 직강)보다 약간 경제적이기까지 해요.

그러나 꼼꼼히 비교 검토하여 결정한 인강이 생각과는 많이 달랐습니다. 오늘은 피곤해서, 갑작스러운 일이 생겨서, 스트레스로 머리가 아파서. 수강해야 하는 강의가 밀리기 시작했어요. 강의가 밀리자 압박감으로 공부에 대한 스트레스와 불안이 공부를 더 방해하는 악순환이 일어났어요. 두 번 아니라 2배속으로 들어도 다 못 듣는 일이 생겼고, 인강을 수강할 수 있는 기간이 종료돼 버리곤 했습니다.

저는 이 생활을 5년이나 했습니다. 5년이나 하고 알았어요. 저에게 인강이 맞지 않다는 것을 깨달았어요. 돈 버리고, 정신적 스트레스 얻고, 임용고시 불합격의 좌절감까지 악몽의 선물세트만 남은 기분이었습니다.

인강은 여러분 스스로 자기관리가 되고 계획한 것은 지킬 수 있는 분들에게만 추천드려요. 그리고 사람들 많은 곳보다 혼자 편안히 듣는 방법으로 공부가 잘되시는 분도 추천합니다. 그러나 여러분 중 혹시 저와 같은 스타일이라고 생각하신다면 고민해 보셔야 합니다. 내 성향과 직강, 인강, 독학의 장단점을 비교 검토 후 결정해 보세요. 뒷감당은 자신이 해야 하는 거 아시죠? 파이팅!

인강보다 장점이 적을 것 같은 직강으로 노선 변경

5년 인강으로 공부하다가 중간에 직장 다니면서 공부를 접었어요. 이번엔 정장 2벌을 구매했어요. 저만의 의식이랄까요. 공부 '임용 그까짓 것' 다 잊고 마음 편히 직장 생활이나 잘 하자라고 마음을 돌렸어요. 처음에는 공부의 압박감도 없고, 마음만은 진짜 편안하더라고요. 내가 공부를 왜 해야 하는지의 동기는 저 멀리 안드로메다로 갔어요.

혹시 임용병이 있다는 것을 들어보셨나요? 5월쯤 되니 내가 뭐 하고 있나? 공부해야 하는데...... . 교사가 되고 싶다는 욕구가 스멀스멀 올라왔습니다. 그런 고민을 3년 하다가 다시 공부를 시작했어요. 학생들을 돕고 싶다는 동기도 있었지만, 비정규직이 내 인생을 비정규직화하는 것 같아 마음이 힘들더라고요.

이게 매슬로의 안전 욕구였을까요? 자아실현보다 안전의 욕구가 더 힘이 강하더라고요. 그래서 다시 공부를 결심했어요.

인강의 장점은 많지만 '실행력이 부족하다'는 나의 최대 단점을 인정하고, 굳은 결심과 함께 3월에 노량진 학원 직접 강의(이하 직강)를 수강하기로 했습니다. 직강은 인강과 다르게 녹화된 내용을 다시 듣거나 미룰 수 없기 때문에 강의 당일에 놓치지 않고 수업에 참여해야 한다는 압박감이 있습니다. 그러기에 직강 수업일인 토요일에 맞춰 일주일의 공부 범위를 결정하고 실천하는데 기준점을 두었고, 직강 자체가 하드 트레이닝시키는 트레이너처럼 영향을 줬습니다.

학원에 가니 갓 졸업한 수험생, 대학원에 재학 중인 수험생, 저처럼 직장과 병행하는 수험생, 재수생들이 가득했어요. 학원 강사님이 질문하면 어찌나 다들 대답을 잘하는지 부러웠지만 전 기죽지 않았어요. 저는 처음이라 생각하고 임용 공부를 다시 시작했으니까요. 토요일에 수업을 듣고 월요일까지 복습을 마치고, 화요일부터는 1~2월에 못한 부분의 범위를 공부하며 진도를 따라갔어요. 그렇게 일주일을 열심히 공부하다 보면 목요일쯤 지치더라고요. 그러나 금요일이 되면 '내가 이러면 안되지. 내일이 수업일 인데.'하고 다시 한번 정신을 차렸어요.

이렇게 순간순간 마음을 다잡고 공부하다 보니 합격의 기쁨을 누릴 수 있었습니다.

인강이든 직강이든 결국 공부는 자기주도적 학습이에요. 합격이라는 목표지점까지 가기 위해 시간 관리와 공부 계획을 실천하는 것이 중요해요. 본인 스스로 인풋과 아웃풋이 나오도록 하는 작업들이 절대적으로 필요합니다. 아무리 훌륭한 강의를 듣고 공부한다 해도 내 것으로 소화해 내는 것이 더 중요해요. 그 시간이 없다면 합격은 내 가까이에 있지 않아요.

▪ 인풋과 아웃풋을 위한 방법과 시간은 적정한가요?

나의 마음과 몸아, 갈대였니? (토닥토닥!)

합격이라는 확실한 목표를 두고 공부하고 있기에 불안을 잘 다루는 것은 정말 중요합니다. 누군가 공부를 '하루에 10시간 이상, 책을 100번 보면 합격입니다' 라고 딱 정해주면 좋겠더라고요. 불확실한 미래를 향해 간다는 것은 쉽지 않아요. 시시때때로 찾아오는 불안과 번민들이 수험생들의 마음을 갈대처럼 이리저리 흔들리게 해요. 지금 내가 공부하는 방법은 맞는 것인가? 오늘 하루 공부를 많이 한 것 같은데 책을 덮는 순간 아는 것이 아무것도 없는 것 같은 불안감. 이대로 공부하면 합격할 수 있는 걸까? 하는 안갯속을 걷는 느낌. 공부를 해도 불안한데 놀면 더 불안해집니다. 평소에 즐거웠던 일들도 더 이상 즐겁지 않은 불안 상태가 되기도 합니다. 여기에 장기 수험생활로 이어진다면 마치 임용에 나의 인생을 점령당한 것 같은 감정이 들 수도 있어요.

임용 준비 하반기에는 모의고사를 보기 시작해요. 이때부터 노량진의 고시생들이 몇 명씩 안 보이기 시작합니다. 저마다의 사정은 다르겠지만 아마도 공부했던 것보다 성적이 훨씬 안 나오는 현실에 직면해서일까요? 이대로는 안 되겠다는 좌절감 때문일까요? 자신의 불안감이 회피나 철회하는 행동들로 이어지는 것 같아요.

이런 불안과 현실적인 고민을 마주하게 된다면 어떻게 해결하며 앞으로 나아가야 할지 나만의 방법을 소개해 볼게요.

임용모드 변신 완료

공부를 시작한다면 여러 가지 감정과 생각이 들 거예요. '될까?', '안되면 어떡하지?', '아냐, 열심히 하면 될 거야?'와 같은 여러 생각이 들 수 있어요. 여기서 필요한 것은 자신을 믿어야 합니다. 다른 사람들이 어떻게 말하든, 나는 합격한다고 믿으세요. 선생님의 간절한 희망과 확신은 합격으로 향하게 합니다. 공부는 내가 하는 것이고 그 누구도 대신할 수 없는 것입니다. 어떤 어려움에도 흔들리지 말고 합격을 향한 날들로 하루하루를 채워가세요.

저는 공부 계획을 전체 계획, 월별 계획, 주간 계획, 그리고 하루 일정까지 체계적으로 세우고, 모든 계획을 수시로 점검했어요. 직장 다니며 가족을 돌보고 공부까지 하려니 신경 써야 할 일들이 많았어요. 모든 걸 다 내려놓고 공부만 하고 싶다는 생각도 간절했지만 현실을 무시할 수는 없잖아요. 공부 시간이 부족하다는 것에 초점을 맞추는 대신 내가 어떻게 공부 시간을 확보할 수 있을까 고민하며 최대한 주어진 시간에 효율적으로 활용하려 노력했습니다.

시간 관리를 철저히 한 이유 중 하나는 다른 일을 하고 다시 공부에 집중하는 데는 예열시간이 걸리기 때문입니다. 하루의 일정을 확인하고 시간을 분 단위로 쪼개고 최대한 빠른 시간 안에 공부 모드로 전환하려 노력했어요. 공부가 우선순위라고

해서 일을 미뤄둔 채 공부하다 보면 공부하는 동안 자꾸 처리할 일들이 머릿속에 아른거려 집중에 방해가 됐습니다.

모든 순간을 임용을 위해 살아야 한다는 말이 맞을 거예요. 다른 사람들에게는 평소와 같은 일상적인 삶을 살아가는 것처럼 보일 수 있지만, 내 모든 생활에 마음과 행동의 우선순위가 임용을 위한 생활로 설정되었습니다.

그리고 임용고시 하루 전날, '합격하지 못해도 후회는 없다'라는 생각이 들었어요. 불합격을 대비해 합리화하는 생각과는 달랐어요. 이미 모든 순간을 최선을 다하며 보냈고, 추가적인 시간을 주더라도 더 이상의 공부는 불가능하다는 생각이 들었어요. '할 만큼 했다' 이젠 시험에만 최선을 다하자는 단호함이 생겼어요.

여러분도 임용 공부를 시작했다면 모든 일상을 임용 모드로 설정해 보세요. 그리고 단기간에 임용 공부를 끝내보도록 하세요. 임용 공부가 쉬운 공부는 아니어도 열심히 노력하면 합격이라는 열매를 준다는 것을 기억하세요.

좋은 것으로만 줄게

카페인, 졸리고 집중이 안 될 때마다 습관처럼 커피를 마시며 공부했습니다. 공부하는 나와 커피를 떼어놓을 수 있을까 싶을 정도였죠. 가끔은 '소금으로 배추 절이듯 내 몸을 커피로 절이고 있구나' 하는 생각도 들더라고요.

식사도 양질의 음식보다는 때우기식의 식사가 많았어요. 이렇게 쌓은 습관 때문인지, 9월 모의고사 준비를 시작할 때부터 불안함과 체력 부진이 합쳐져 신체화 증상1)으로 나타났죠. 글자를 보면 안압이 올라오고, 어떤 날은 눈을 제대로 뜨기도 어려웠어요. 9월이면 마지막 힘을 내서 시험까지 전진해야 하는데 책을 볼 수 없는 상태가 된 거예요. '다른 수험생들은 지금 마지막 열기를 내고 공부할 텐데……'라는 생각이 들면서 불안감은 더욱 커졌습니다.

빨리 회복하고 공부하려고 안과, 한의원, 내과를 돌아다녀 봤지만 모두가 "무조건 쉬세요"라고만 했어요. 병원에서 한결같이 체력의 용량이 80인데 130을 사용하고 있다고 말했어요. 한 달이 걸릴지 두 달이 걸릴지 모르고 그냥 괜찮아질 때까지 쉬어야 한다고요.

이렇게 불안에 휩싸인 상태에서는 당연히 공부에 집중할 수 없었습니다. 그때 제가 할 수 있는 것은 신체 건강 회복에 초점을 맞추는 것이었어요.

먼저 병원에서 처방받은 약과 한약을 복용하고, 건강한 신체를 위해 커피·밀가루·설탕이 많이 들어간 주스를 피하고, 영양 가득한 음식으로 대체했어요. 몸에 좋다는 것은 모두 했어요. 노력의 결과로 다행히 2주 만에 회복되기 시작했습니다.

여러분! 좋은 음식으로 몸을 채우세요. 소진도 되고 스트레스가 많은 상황일수록 건강하지 않은 당 높은 음식 등이 먹고 싶어집니다. 그러나 시간이 지나면 여러분이 쌓은 습관들이 좋게든 나쁘게 든 나타나요. 공부와 체력의 균형 유지가 정말 중요하다는 점을 강조하고 싶어요.

---

1) 신체화증상: 정신적 필요가 신체 증상으로 표현되는 과정

체력 강화로 집중력이 추가되었습니다

"공부는 엉덩이로 한다."라는 말이 있죠. 즉, 오랜 시간 공부에 집중할 수 있는 인내력과 체력이 중요하다는 것을 강조하는 말입니다.

걷기, 달리기, 자전거 타기, 수영, 홈트레이닝 등 자신에게 맞는 운동을 선택하여 실천해 보세요. 매일 30분 정도의 운동시간으로도 충분합니다. 건강한 신체와 뇌는 서로 연결되어 있습니다. 운동을 하면 신경망의 수초화[2]가 증가하고 신경전달 속도가 빨라져 집중력이 향상됩니다. 또한 혈액 내의 산소 공급을 증가시켜 인지 기능을 높여줍니다.

저는 신체화 증상 이후 운동을 시작했는데, 한 가지만 하면 재미없어 하는 스타일이라 걷기, 자전거 타기, 홈트레이닝을 번갈아가며 했어요. 매일의 운동 습관으로 공부의 시너지를 올려 보세요.

Here & Now

명상은 지금 여기(Here & Now) 순간에 집중하게 해요. 현재 감정이 유쾌하거나 불쾌하거나 상관없이 마음으로 '바로 이 순간의 마음'을 바라보는 것입니다.

공부를 하다 보면 '내 공부량이 부족한 건 아닐까?', '이 정도

2) 수초화: 신경 세포가 수초라는 덮개에 의해 마디를 이루면서 둘러싸이는 과정

로 하면 합격은 할 수 있을까?'하는 불안감에 시달리기도 합니다. 공부량 부족에 대한 걱정은 과거의 불완전함에서 비롯된 불안이고, 합격 여부에 대한 걱정은 미래에 대한 불확실성에서 비롯된 불안이죠.

명상으로 '지금 여기'에 집중하는 연습을 해보세요. 현재에 집중한다는 것은 지금의 나를 바라본다는 것이에요. 걱정과 불안의 반복은 공부를 마치는 날까지 습관적 패턴화가 될 수도 있어요. 명상을 통해 부정적 감정을 바라보고 오늘 내가 할 수 있는 것에만 집중하면서 머릿속으로 그려보세요. 이것이 선생님의 하루가 됩니다. 그 하루하루가 모이면 간절한 희망이었던 임용 합격의 꿈이 선생님의 것이 됩니다.

인터넷 영상에 5분 정도의 명상 가이드를 선택하고 시작해 보는 것을 추천합니다. 명상이 익숙해지면 가이드 없이도 명상을 할 수 있어요. 현재 떠오르는 생각, 오늘의 일정, 만날 사람들과의 관계를 머릿속에 그리며 하루를 시작해 보세요. 내가 선택하고 그린 하루로 시작하면 불안감을 다스리며 합격까지 나아갈 수 있습니다. 저는 지금도 꾸준히 명상으로 하루를 시작하고 있답니다.

시간관리, 체력관리, 명상시간의 루틴을 만들어 보세요. 당장 공부가 급한데 다른데 시간을 뺏긴다는 생각이 드나요? 숙련된 나무꾼은 쉬는 시간에 도끼날을 간다고 합니다. 여러분, 도끼날을 가는 시간을 아까워하지 마세요. 처음에는 공부 시간 확보가 더 중요해 보여도 1년의 잘 짜인 공부 루틴은 여러분의 페이스메이커 역할을 해줍니다. 여러분의 합격을 향해 함께 가는 페이스메이커 루틴으로 가속도를 올려보세요.

부릉, 부릉, 왕(~~~~~)!!

▪ 공부에 도움이 되는 하루 루틴은 무엇일까요?

임용고시 합격했어!
나 이제 뭐하지?

드디어 임용고시에 합격하셨군요. 정말 축하드립니다!

합격을 확인하는 순간 세상을 다 가진 듯한 행복감을 느끼며 환호성까지 지르게 됩니다. 그동안 공부를 방해하던 수많은 마시멜로가 정말 많았음에도 유혹을 참고 묵묵히 왔더니 합격의 순간까지 오네요. 값진 합격 소식에 스스로가 대견해지고 눈물마저 왈칵 쏟아지는 순간입니다. 부모님께 큰 효도한 것 같은 뿌듯함을 넘어 길 가는 사람들에게 나의 합격 소식을 전하고 싶을 만큼의 벅찬 감정들이 솟구칩니다. 행복한 순간이에요.

그러다 하필 이 시간에 알아차림이...... . 이제 어떻게 해야 할지 고민이 생깁니다. 새로운 시작은 항상 기대와 불안이 함께하는 법이죠. 당연한 감정이니 웃으며 받아들이세요.

그래도 제일 먼저 할 일은 충!분!히! 아주 많이 충분히! 합격의 기분을 즐기세요. 어려운 시간을 극복하고 목표를 달성한 결과에 대한 자부심을 만끽할 시간입니다.

학교에서 상담교사로서의 역할을 어떻게 시작해야 할지, 학생들에게 어떤 도움을 줄 수 있을지, 학부모들과는 어떻게 소통할지 등의 고민들이 생길 거예요. 우리는 상담교사도 아니고 '전문'상담교사잖아요. 학교 내에서 이미 경험과 전문성을 쌓은 분들이라면 좀 더 여유롭게 출근할 수 있겠지만, 대학이나 대학원 졸업과 동시에 합격한 경우라면 더더욱 불안할 수 있어요.

'학교에 출근하자마자 위클래스로 찾아오는 학생들에게 무슨 말부터 시작해야 할까?', '나에게 자신의 고민들을 편안히 털어놓을까?', '각 상담 사례별로 어떤 이론과 기법을 적용하지?', '바로 상담해 달라고 하면 어쩌지?', '내담자 학생에게 변화가 없으면 어떡하지?'' 하는 여러 불안들이 엄습할 수 있어요. 이건 선생님께 오는 아이들에게 최선을 다하고 싶은 선한 마음이에요. 그런 마음의 시작으로 더 나은 상담교사가 되기 위한 첫

걸음을 떼신 거예요.

자신을 믿고 당당하게 일단 시작해 보세요. 새로운 모험이자 성공적인 임용고시 합격자로서의 출발입니다. 사람은 적응력이 뛰어나서 부딪히면 다 하고 있더라고요.

자신을 믿고 당당히 가는 길에 합격한 선배로서 몇 가지 팁을 안내할게요.

나에게 주는 선물

그 동안의 노력과 힘들었던 시간을 보상받을 수 있는 순간이 왔어요. 가장 먼저 나에게 선물을 주는 것은 어떨까요?

시험공부를 하는 동안 '시험만 끝나봐!'하며 미뤄놓았던 것들을 해소하는 시간을 가져보세요. 이제 우리는 그 시간들을 마음껏 즐길 때가 온 거예요. 드디어! 마침내! 행복을 즐길 준비가 된 사람들이니까요.

카페에서 한가롭게 책 읽기, 친구들이랑 수다 떨며 맛있는 음료 마시기, 미뤄놨던 드라마 정주행 하기, 아무 생각 없이 버스 종점까지 가보기, 여행 일정 짜보기, 방학 때 가보고 싶은 여행지 찾아보기, 그리고 바로 지금 여행 떠나기를 하세요. 특별히 여행에 목적을 두기보다는 그냥 떠나는 것도 좋아요. 목적을 두고 가기에는 지금껏 너무 목표를 향해 달려왔잖아요. 나에게 주는 선물로써의 여행이기에 편한 마음으로 휴식하며 좋은 음식과 경치로 나를 이끌어 보아요.

경쟁하며 달려온 그 긴 시간에 대한 해방을 주세요. 여행 도중 자고 싶으면 자고, 커피가 당긴다면 마시고, 나 자신의 몸과 마음에 아름다운 선물을 곱게 포장해 주는 여정을 즐겨보세요. 꼭이요!

나에게 주는 따뜻한 위로

매일매일 합격을 향해 끝없이 노력하고 고생한 나에게 따뜻한 위로와 포옹을 해주세요. 합격까지의 긴 여정에 포기하지 않고 지금까지 온 나에게 무한한 존경과 감사의 말을 전해주세요.

스스로를 칭찬해 보세요. '고생했어', '수고했어', '잘했어', '기특해', '힘들었지', '참 장하다', '넌 자랑스러워', '해낼 줄 알았어'라는 따뜻한 말과 함께 자신을 크게 안아주세요.

우리의 삶에는 큰 도전들이 있고, 바로 지금 하나를 성공적으로 이뤄냈습니다. 이 순간은 너무나도 값지고 예쁘며 사랑스러워요. 자신을 자랑스럽게 생각하며 새로운 시작을 응원하고 축하해 주세요. 임용고시라는 과정도 성공적으로 수행하신 여러분은 그 힘으로 앞으로의 모든 과정을 잘 해낼 수 있습니다.

항상 자신을 믿고 사랑하세요. 선생님은 정말 대단한 사람이고 이 모든 노력과 헌신에 대한 축복을 받을 자격이 충분해요.

나의 수험생의 삶을 복기해 보기

바둑 기사들이 대국 뒤에 반드시 하는 것 중 하나가 바로 대국을 복기하는 것입니다. 바둑의 고수인 조훈현 씨는 자신의 저서 「고수의 생각법」에서 "세상에 해결할 수 없는 문제는 없다. 집중하며 생각하면 답을 찾을 수 있다"라고 말합니다. 이러한 복기는 바둑 실력 향상뿐만 아니라 인생에서의 깨달음을 얻게 합니다.

수험생의 삶을 돌이켜보며, 어떻게 합격을 이루어 낼 수 있었는지를 복기해 보는 것은 매우 의미 있는 작업입니다. 공부가 술술 잘 풀리던 때, 매번 틀리던 어려운 문제를 풀어내었을 때, 모의고사 점수가 대폭 상승한 때, 암기가 원활하게 되었을 때의 감정과 생각을 기억해 보세요. 또한, 어려울 때 책상을 박차고 뛰쳐나가고 싶었던 순간, 공부가 잘 안 풀려 취직을 고려해 본 순간 등 그때의 감정들도 되돌아봅니다. 그 시점에서 어떤 것이 나를 꿋꿋하게 버티게 하여 이 자리까지 올 수 있도록 해주었는지 생각해 보세요. 복기할 때 가장 중요한 것은 그때의 나의 감정에 집중하는 것입니다.

복기의 시간은 당신의 삶에 대한 깊은 통찰과 인내의 원동력을 찾는 데 도움을 줄 거예요. 더 나아가, 이러한 경험들은 선생님의 상담 업무에서도 큰 도움이 될 것입니다. 상담은 여러 학자들이 연구해 온 학문이지만 근본적으로 인간의 삶에 대한 학문이잖아요.

여러분의 지식과 경험치는 학생들에게 다양한 가치를 담은 살아있는 상담 교재가 되지 않을까요? 보세요! 선생님의 생생한 삶들이 꿈틀꿈틀 대잖아요!

신규 연수

합격 후에 신규 연수가 시작되면 합격 동기들을 만나게 됩니다. 동기들은 나에게 매우 소중한 지지자입니다. 새로운 학교에서 처음 시도하는 일들을 경험하면서, 우리는 서로 조언과 자문을 나누며 학교생활에 적응하고 성장할 수 있어요. 동기들과 네트워크를 형성해 보세요. 정말 소중한 인연입니다.

동기들과 함께 선배 교사나 멘토를 만나는 것도 큰 도움이 될 거예요. 신규 연수 때 만난 선배 교사나 친구도 알고 있는 선배 교사를 찾아서 학교 상황에 대한 이야기를 듣고, 유용한 사례를 공유하며 준비할 수 있어요.

신규 연수 이후 최대 관심사는 발령지겠죠. 임용고시 시험 접수 때부터 학교급(초등, 중등), 도서 지역(섬 등)을 선택하는 지역도 있고, 합격 이후 위센터를 포함하여 학교급을 선택하도록 하는 경우도 있어요. (사실 그때그때 달라요.)

선택의 기회가 있다면 자신에게 가장 맞는 학교가 초등, 중등 중 어느 곳인지 고민해 보세요. 현직 상담교사들에게 각 학교급별 장단점에 대한 자문을 구하는 것도 좋겠죠. 근무 환경과 분위기에 대해 조사해 보세요. 이러한 정보를 토대로 나의 성향과 업무의 성격을 고려하여 근무지를 선택해 보면 어떨까요?

발령 학교 첫인사부터 시작되는 업무분장

신규 연수를 마치고 며칠이 지나면 시도 교육청에서 신규 발령 통보를 받게 됩니다. 학교의 상황에 따라 교무부장 선생님이 연락을 주시기도 하지만 연락이 오지 않는 경우도 있을 수 있어요. 그런 상황에서는 다른 선생님들은 연락이 왔는데 자신은 오지 않는다고 걱정하지 마시고 먼저 연락을 해보세요. 새 학기가 시작되기 전에 학교는 바빠서 연락이 늦어질 수 있어요.

저는 발령 학교 교무부장 선생님으로부터 직접 전화를 받고 근무할 학교에 방문하여 교장 및 선배 교사들과 인사를 나누었어요. 물론 학교 방문의 핵심은 위클래스 상담선생님으로부터 인수인계를 받는 것이겠죠. 이 과정에서 위클래스의 전반적인 운영 방식을 알게 됩니다. 새로운 도전 앞에서의 떨림, 나만의 위클래스 운영에 대한 기대감, 업무에 대한 호기심, 잘 해내고 싶은 포부와 열정 등 수많은 감정이 들었어요.

2월에는 학교마다 다르겠지만 많은 학교들이 신학기 교육과정 운영을 위한 연수가 있어요. 새 학기를 준비하며 학교 공동의 교육철학, 교육목표, 비전 수립 및 실천을 위한 연수가 이루어져요. 전체 교사들이 모여 연수를 받고 각 교과별, 부서별 모임을 통해 한 해의 계획을 공유하고 아이디어를 나누는 자리입니다. 이때 전체 업무분장도 발표됩니다.

나의 업무는 무엇일지 궁금하겠지만 받아보면 알게 되니 미리 걱정하지는 마세요. 선생님의 능력과 열정으로 충분히 업무를 수행할 수 있어요. 우리는 임용고시를 합격한 사람들이에요.

무언가 해야 할 것 같다면?

나에게 주는 선물도 하고 휴식을 취하며 출근 준비를 하면서도 그래도 무언가 상담 업무에 도움이 될만한 의미 있는 활동을 하고 싶어 하는 분들도 있을 거예요. 계속 공부만 하던 분들이라 쉬는 것도 쉽지 않을 수 있어요. 저는 앞으로 일하면서 충분히 배울 수 있다고 주장하고 싶지만, 그게 어려운 분들을 위해 조금이라도 도움 될 수 있는 몇 가지 아이디어를 공유해 드릴게요. 강의, 영화, 책, 프로그램, 상담역량향상 연수 및 자격증 취득을 통해 학생 상담의 적용과 능력을 스스로 발전시킬 수 있어요.

온라인 강의

· 인천광역시교육청교육연수원 https://www.ieti.or.kr
· 한국교원연수원 https://www.hstudy.co.kr
· 아이스크림 원격교육연수원 https://teacher.i-scream.co.kr
· 하이컨텐츠 원격교육연수원 https://www.hicontents.net
· 티쳐빌 https://www.teacherville.co.kr
· 상담/심리전문원격교육카운피아 https://www.counpia.com

교육연수원은 각 시도별로 운영되고 있어요. 유료 원격연수 기관의 경우 신규교사 할인 이벤트도 있답니다. 특히 학교에서 일정 직무연수시간을 이수할 때 유용하게 활용될 수 있어요. 제가 소속한 학교에서는 직무연수시간 인정은 3월부터입니다. 학교별 정책에 따라 달라질 수 있으니 참고하세요.

영화

· 아웃사이더(프란시스 포드 포폴라,1983), 청소년들의 반항적 심리 이해
· 굿윌헌팅(구스 반 산트, 1997), 내면의 갈등과 자아정체성 탐색
· 소울(피트 닥터, 2020), 현실의 벽으로 하고 싶은 일을 못하는 삶에서 자신의 새로운 목표 찾기
· 꾸뻬씨의 행복여행(피터첼섬, 2014), 자기수용, 긍정적인 마인드셋
· 포레스트 검프(로버트 저 매키스, 1994), 공감과 이해를 통한 사회성 향상
· 제8요일(자코 반 도마엘, 1996), 다운증후군의 인식과 장애가족의 어려움 공감
· 이보다 더 좋을 순 없다(제임스 브룩스, 1998), 강박증의 한계를 극복하는 성장 스토리

도서

· 나는 사랑의 처형자가 되기 싫다(어빈 얄롬, 시그마프레스, 2006), 자기수용
· 당신이 옳다(정혜신, 해냄출판사, 2018), 공감과 경계의 적정심리학
· 죽음의 수용소에서(빅터 프랭클, 청아출판사, 2020), 삶의 의미
· 치료의 선물(얄롬, 시그마프레스, 2006), 자기인식
· 죽고 싶지만 떡볶이는 먹고 싶어(백세희, 출판 흔, 2018), 우울증의 경험과 감정, 치유

· 어떻게 말해줘야 할까?(오은영, 김영사, 2020), 부모-자녀 관계 개선
· 비폭력대화(마셜 B. 로젠버그, 한국NVC센터, 2017), 대화로 문제 해결
· 영화로 만나는 트라우마 심리학(김준기, 수오서재, 2021), 트라우마
· 멘붕 탈출법 십대를 위한 9가지 트라우마 회복스킬(배재현, 학지사, 2015), 트라우마를 벗어나는 다양한 방법

학회

한국상담심리학회 https://krcpa.or.kr
한국상담학회 https://counselors.or.kr/r

우리는 '전문'이라는 자격을 가진 전문상담교사로서, 상담을 어떻게 전문적으로 수행해 나갈 수 있을지 고민을 합니다. 첫 근무 날, 학생이 처음 상담실을 방문했을 때 갑자기 '내가 상담을 할 수 있을까?' 겁이 나더라고요. 얼른 상담 예약만 잡아주고 돌려보냈던 경험이 있어요. 이러면 안 되겠다는 마음으로 전문적인 상담 수련이 가능한 한국상담심리학회, 한국상담학회에 모두 가입하여 본격적인 상담 수련을 시작했어요.

상담사례를 작성하고 수퍼비전을 받으며 상담을 진행하다 보니 학생들의 성장과 저의 성장이 보이더라고요. 현재까지도 개인상담, 심리검사, 집단상담 등의 사례 경험을 쌓아가며 전문상담교사로서의 성장과 발전을 꾀하고 있답니다. 물론 아직도 부족한 부분이 많지만요.

수련과정을 통해 개인적인 노력과 위센터의 수퍼비전 프로그램(지역마다 차이는 있겠지요)을 활용했어요. 수퍼비전을 받으며 상담교사로서 더 나은 상담을 제공할 수 있도록 더 노력할 수 있었고 성장할 수 있었습니다.

위클래스에서 운영 가능한 프로그램들은 논문에서 아이디어를 얻을 수 있어요. 학교에서는 자아존중감 프로그램, 사회성 프로그램, 미디어 과몰입 예방 프로그램, 학습상담 프로그램,

감정 알기 프로그램 등을 진행할 때 제공된 매뉴얼로 활동하기도 하지만 직접 만들어 진행하기도 합니다.

또한 상담교사들은 보통 솔리언또래상담 동아리를 운영하게 됩니다. 어떤 동아리인지 솔리언또래상담 웹사이트를 미리 찾아보시는 것도 도움이 됩니다.

쉬기보다는 뭔가를 하고 싶은 선생님들을 위해 여러 가지를 이야기했지만, 제가 강조하고 싶은 것은 단 하나예요. 그냥 여유 있는 시간을 즐기세요. 위 내용은 선생님들이 다 놀고도 시간이 남아 주체할 수 없을 때, 뭔가를 하고 싶을 때만 추천드립니다.

다른 모든 것들은 부딪힐 때 하세요. 부딪히면 그 상황에 따라 대처할 수 있어요. 불안함은 3월 초에 학교에서 업무를 하면서 충분히 다룰 수 있어요. 지금은 아무리 준비한다고 해도 큰 도움이 되지 않을 거예요. 선생님들은 상담에 대해 이미 충분히 공부하고 준비하신 분들이기에 부딪히는 문제들을 모두 해결할 수 있는 능력이 있는 분들입니다. 선생님들이 스스로 합격을 믿었듯이 스스로를 믿으세요. 그래도 어려울 땐 주변에 도움을 줄 동료들과 선배들이 있으니 걱정 마시고요. 출근 전 매일매일의 순간들을 뭘로 채우면 더 재밌을까에 집중하세요. "Let's go!"

▪ 발령 전 여유 있는 시간을 어떻게 보낼까요?

발령이 다르다?

위(Wee)프로젝트

상담교사는 임용 선발고사 통과 후 학교에 발령받게 되면 위클래스에서 근무하게 됩니다. 주요 업무는 학생을 대상으로 하는 상담과 학생을 위해 필요한 학부모 상담을 하는 것입니다. 학교에서는 상담실이라는 말과 위클래스라는 말을 혼용해서 사용하는데, 상담실은 학교 자체 예산이나 교육청 지원 예산으로 만들어진 곳이고, 위클래스는 위프로젝트 사업비를 받아 상담실을 구축한 곳을 말해요. 대부분 학교 상담실은 위클래스예요. 이 책에서는 상담실과 위클래스를 혼용해서 썼어요. 위(Wee)에 대한 용어의 정의를 해볼게요. Wee는 Wee(우리들)+education(교육), Wee(우리들)+emotion(감성)의 합성어입니다. 위(Wee)라는 공통적 이름이 붙는 기관마다 하는 일이 조금씩 달라져요. 위프로젝트 매뉴얼에 기재된 내용을 따라 안내할게요.

위프로젝트는 사업관리·운영에 관한 규정(교육부훈령 제285호)에 법적 근거로 운영됩니다. 위프로젝트는 학생들에게 종합적이고 다중 안전망으로서 위기 상황에 노출된 학생에게 '심리평가-상담-치유' 서비스를 제공하기 위함이에요. 그리고 우리가 만나는 모든 학생들의 학교 적응을 돕고 건강하게 성장할 수 있도록 지원하는 데 목적이 있어요.

위클래스는 단위학교, 위센터는 교육지원청, 위스쿨은 시·도교육청 단위에 설치한 위탁교육 시설의 명칭을 사용하고 있어요.

위(Wee)라는 이름으로 여러 가지 기관이 있어요. 전문상담교사는 위클래스, 위센터, 위스쿨에 발령을 받아요. 주요업무는 학생상담이지만 각 기관은 업무 특성에 따라 약간의 차이가 있어요.

위클래스는 상담을 희망하는 학생과 학교 부적응 학생을 주로 상담하고 위기를 예방하며 학교생활 적응력을 조력하는 데 중점을 둡니다.

위센터는 3가지 유형이 있어요. 교육지원청 및 교육청에 설치된 위센터는 단위학교에서 의뢰한 위기학생과 상담 희망 학생을 대상으로 상담을 제공하며 주요 업무는 위기학생에 대한 심리평가, 상담, 치유 등의 One-Stop 서비스 지원을 합니다.

단기 기숙형 위탁기관인 가정형 위센터는 고위기 학생들이 기숙합니다. 청소년 중장기 쉼터와 유사한 역할을 해요.

병원형 위센터는 고위험 학생의 심리치료를 담당해요. 학생은 교육기관에 소속되어 있지만, 병원형 위센터에서 교육과정을 이수하며 학업을 이어가고 졸업은 본적교에서 이루어져요.

정리해 보면, 위프로젝트는 위클래스, 위센터, 위스쿨로 구축되어 있어요. 학생의 정서적 어려움과 심각성의 차이에 따라 위센터, 위스쿨로 연계하여 학생에게 적합하고 필요한 지원을 합니다. 선생님들은 위 기관 중 한 곳에 발령받게 됩니다.

위프로젝트 사업으로 인해 명칭이 상담실에서 위(Wee)로 바뀌었지만 상담교사 역할의 본질이 바뀐 것은 아닙니다.

위(Wee)클래스

위클래스는 초·중·고 각 단위학교에 배치되어 있어요. 위클래스에서는 학교마다 다르겠지만 대부분 상담교사 혼자 근무를 하게 됩니다. 처음 발령받은 학교의 위클래스는 낯설죠. 위클래스 책상에 앉아 컴퓨터는 켰으나 무엇부터 해야 할지 막막할 수 있어요.

다른 선생님들은 정해진 수업에다 학생 관리로 자신의 업무를 해나가고 있는데, 나만 어떻게 해야 할지 모르는 손님처럼 있는 느낌이죠. 이럴 때 멘토가 가이드라인을 제시해 주면 좋겠다 싶어요. 그럴 때 나의 네트워크 신규 동료들이나 선배 교사들에게 자문을 구하며 함께 상담실을 운영해 보세요. 상담실에는 혼자 있지만 상담 동료들은 이웃 학교에 포진되어 있답니다. 서로 의견을 나누고 도움을 받아 보세요.

그리고 학교 업무는 교육부나 시도교육청의 정해진 지침을 고려해야 하는 부분이 있어요. 업무포털 문서등록 대장에서 전임자 이름으로 검색하며 공문을 하나하나 살펴보는 것도 필요합니다. 생명존중교육시수, 학교폭력예방교육시수, 학생정서행동특성검사[3] 관심군 학생 지속 관리 상담 등과 같은 지침을 준수해야 합니다. 예를 들어 학생정서행동특성검사 결과 중 관심군(우선)은 월 1회 이상, 관심군(일반)은 분기별 1회 이상 상담을 진행하도록 되어 있어요. 이러한 부분은 학교의 안전과 학생들의 안전을 보장하기 위해 필요합니다. 개인상담, 집단상담, 예방 프로그램 등 상담교사로

---

3) 학생 정서 행동 특성 검사: 정신건강을 증진하고 원만하게 학교생활을 알 수 있도록 선별하는 검사. 검사결과는 크게 정상군, 관심군(일반), 관심군(우선)으로 선별.

서의 업무를 하나하나 수행하시면 됩니다.

우리가 상담 전공이나 임용 공부할 때 접수 면접, 초기, 중기, 말기 상담을 한다고 배웠죠. 그러나 학교 상담은 구조화가 되지 않는 경우가 많아요. 위클래스에는 상담을 받고 싶어서 오는 학생도 있지만, 기분을 풀려고, 갈 곳이 없어서, 보드게임 하려고, 간식 먹으러, 교실 들어가기 싫어서, 지각했는데 교실 들어가는 것이 불편해서, 다른 교사나 학부모에 의해 의뢰되는 비자발적인 경우 등 다양해요. 예약된 상담 시간에 안 오는 학생을 찾으러 상담교사는 이 교실 저 교실 다니기도 해요.

위클래스 운영가이드에 따르면 위클래스의 주된 기능은 '잠재적 위기 학생에 대한 학교생활 적응 조력'입니다.

학교에서 느낀 점은 위클래스는 마치 국가의 안전을 지키고 전쟁을 예방하는 최전방 역할을 하는 것 같아요. 위클래스는 학교 내의 심각한 위기 상황 발생 전 잠재적 위기 예측, 예방, 대응의 최전방 역할을 해요. 직접적으로 현장에서 아이들이 위험에 처하기 전에 예방을 중점적으로 하는 곳이죠. 그리고 여러 가지 어려움을 겪는 학생들을 찾아 상담하고, 필요한 경우 외부기관에 도움을 요청하는 역할을 합니다.

그러다 보니 업무가 정리되어 있기보다는 예측할 수 없는 상황에서 정신이 없이 돌아가는 때가 많아요. 가끔 정신을 차린다는 것은 사치인가 하는 생각이 들 때도 있어요.

그렇게 정신없이 지내다 보면 어느새 7월! 여름 방학을 맞이하게 됩니다. 학생들이 만드는 형형색색 돌발상황과 여러 업무처리로 소진된 교사들, 학업 스트레스와 또래 관계로 방전된 학생들 모두에게 방학은 충전의 시간입니다. 충전을 해야 다음 학기를 향해 갈 수 있거든요.

위(Wee)센터

위센터는 교육청·교육지원청에 배치되어 있어요. 가정형 위센터나 병원형 위센터는 대부분 위탁으로 운영되어 상담교사는 배치되지 않아요. 위센터의 위클래스와 다르게 선배 상담교사 그리고 함께 발령받은 상담교사가 팀을 이루어 근무를 하고 있어요. 특별히 학교와 다르게 사수가 있다는 것이 최대 장점 중 하나입니다.

위센터 운영가이드에 따르면 주 업무는 위기 학생에 대한 심리평가·상담·치유 One-Stop 서비스를 지원하는 것이에요. 즉 단위학교들이 학생들의 학업에 집중할 수 있도록 지원하는 역할을 합니다. 이런 성격에 맞게 위센터에서 다양한 사업이 이루어집니다. 위클래스가 최전방이라면 위센터는 후방에서 최전방의 위기 상황을 지원하는 느낌이랄까요? 학교에서 의뢰된 위기학생과 상담 희망 학생을 대상으로 종합적 심리평가와 상담, 자문의 특별상담 등이 진행됩니다.

위센터의 업무는 각 시도의 특성에 따라 다양합니다.

인천의 경우, 순회상담 및 개인상담, 종합심리평가, 정신과 자문의 특별상담, 집단상담(사회성·자존감 증진·놀이치료·미술치료 등), 집단교육(학급응집력, 생명존중교육, 학교폭력예방교육 등), 학교폭력 가해학생과 학부모대상 특별교육, 학업중단숙려제 상담, 학생정서행동특성검사 2차 기관의 상담 등이 진행됩니다. 그리고 각 단위학교 선생님들을 위한 수퍼비전, 전문성이 필요한 다양한 연수들이 진행되며, 상담교사의 소진 회복을 위한 프로그램도 진행합니다.

선생님이 위센터에 발령받았다면 먼저 업무분장을 받게 될 것입니다.
선생님이 맡은 업무는 무엇인가요? 업무의 목적은 무엇인지, 전체 계획을 언제 세워야 하는지, 진행 순서를 파악해 보세요. 그리고 다른 선생님들의 업무도 관심 가져보세요. 다음 연도에는 업무가 달라질 수도 있으니까요.

위센터에서는 업무 분장과는 별개로 전화 응대도 중요한 업무 중 하나입니다. 전화를 처음 받을 때는 자신의 소속을 밝히고 전화의 목적을 물어봅니다. “안녕하세요. 00센터 전문상담교사 000입니다. 어떤 일로 전화 주셨어요”라고 말한 뒤 문의 내용에 맞게 응대해 주세요.
만약 내가 모르는 분야라면 “메모 남겨주시면 해당 내용을 확인하고 나중에 연락드리겠습니다.”라고 전달하고 문의 내용에 맞는 답변이 준비되면 다시 연락드리면 됩니다. 관련 담당자가 없다면 “메모 남겨 주시면 담당자에게 전달하여 연락드릴 수 있도록 하겠습니다.”라고 응대하면 됩니다.

위센터는 학교에서 진행되는 업무의 큰 흐름을 볼 수 있는 곳이에요. 위센터는 교육청에서 결정된 계획을 기반으로 각 지역학교의 상황에 맞춰 조화롭게 사업계획이 수립되고 운영됩니다.
위센터에 근무한 후 학교로 발령받으면 업무의 흐름을 자연스럽게 이해하고 조화롭게 진행하는 데 큰 도움이 됩니다.

학교에서도 협업이 중요하지만, 제 경험상 위센터에서의 협업은 더욱 중요합니다. 협업은 서로 자주 소통하면서 집단의 잠재력을 이끌어 냅니다. 효율적인 업무가 이루어지기 위해서는 동료들 간 협력과 배려가 중요합니다. 그러나 서로 감정적으로 마음이 상하거나 협업이 어긋나면 업무 효율성과 상호관계 모두 영향을 받습니다. 서로를 존중하고 배려하며 협업해야 위센터의 일상이 즐거워집니다.

▪ **위센터에 전화를 받았다고 상상하고 한번 연습해 볼까요?**
"안녕하세요. OO센터 전문상담교사 OOO입니다. 어떤 일로 전화 주셨어요?"
"메모 남겨주시면 해당 내용을 확인하고 나중에 연락드리겠습니다."
"메모 남겨 주시면 담당자에게 전달하여 연락드릴 수 있도록 하겠습니다."

나만의 위(Wee)클래스 만들기

상담교사마다 자신마다의 색깔로 위클래스를 운영하고 있습니다. 제가 위클래스를 운영하면서 만족스러웠던 경험 사례들을 공유하려 합니다.

위(Wee)클래스를 Wee cafe로 운영

위클래스를 운영하면서 가장 큰 목표는 안전하고 편안한 환경의 상담 공간을 마련하는 것이었어요. 학교 내에서 위클래스를 카페처럼 운영하면, 학생들이 위클래스에 편하게 드나들면서 스트레스를 해소할 수 있고 상담에 대한 접근성도 좋아질 거라 생각했습니다.

카페는 혼자 갈 수도 있고, 친구들과 함께 갈 수 있는 곳입니다. 그곳에서 책을 보거나, 보드게임을 즐기며 이야기를 나누고 차를 마시며 쉽니다. 학생들이 위클래스를 카페처럼 자유롭게 이용할 수 있는 공간으로 만들어 보세요. 스트레스 해소, 상담에 대한 부정적 편견 감소 등 다양한 효과를 얻을 수 있어요. 어떤 학생에게 학교는 지겹고 다른 학생들이 가니 나도 가야만 하는 장소로만 느껴질 수 있어요. 이런 학생들에게 위클래스가 교내에서 유일하게 숨 쉴 수 있는 휴식 공간이자 거리낌 없이 도움을 요청할 수 있는 공간으로 다가갈 수 있다면 좋겠죠?

저는 한 학기에 한 번 정도는 'Wee 카페 브런치 데이' 프로그램을 운영했습니다. 이날은 교실 내에 조용히 있거나 정서적 소통이 적은 학생들에게 정서적 상호작용의 기회를 제공하는 날이기도 해요. 학생과 선생님이 브런치 예약을 하고 1교시 전까지 브런치를 즐길 수 있어요. 이 시간에 많은 이야기를 나눌 필요는 없지만, 눈을 마주치고 함께 브런치를 먹는 사제동행 시간으로, 학생과 선생님 모두에게 만족도가 높았어요. 더불어 위클래스 방문과 상담을 자연스럽게 연결시킬 수 있었습니다.

위카페 운영 매니저들로는 솔리언또래상담자 학생들이 활동했어요. 또래상담자들이 주도적으로 위카페를 운영하면서 스스로 자부심도 경험하고 결속력도 생기는 등 교육적 효과도 높아집니다.

자연스럽게 상담교사 업무 알리기

저는 학기 초와 학기 중간에 학년 회의에 참석합니다. 두 가지의 이유가 있어요. 학교의 어려운 문제를 의뢰된 것만 상담하기보다는 적극적으로 찾아 도움을 주려는 것과 상담교사의 역할을 은연중 알리고 일하는 것을 티 내기 위함입니다.

학년 회의에서 위클래스 프로그램 안내와 상담이 필요한 학생들과 학급별 문제를 파악하려 노력해요. 친구들과 잘 지내고 싶은 욕구는 있으나 사회성이 떨어지는 학생, 우울해 보이는 학생, 갑자기 부모님 중 한 분이 돌아가셔 위기 상황에 있는 학생, 친구들과 다툼이 잦은 학생, 사소한 문제로 감정이 폭발하는 학생 등 다양한 문제 상황을 알게 되고 상담을 의뢰받게 됩니다.

학급마다 응집력이 약한 반, 서로 분열을 조장하는 학생들, 수업과 관련 없는 말들로 수업 분위기를 흩트리는 학급, 장난으로 친구들을 비하하는 말을 일삼는 분위기 등 다양한 종류의 문제들이 발생하고 있음을 들을 수 있습니다. 학급의 문제에 맞게 프로그램을 기획하고 지원을 합니다.

이렇게 학년 회의를 통해 학생 상담을 의뢰받고 학급에 맞는 프로그램을 진행하는 것은 적극적 소통입니다. 그리고 실질적인 도움을 제공하면 상담교사의 중요성이 자연스럽게 드러나게 됩니다.

때로는 "상담교사가 교실 1칸 사용하면서 문 닫고 뭐 하는지 모르겠다"라고 하는 말이 들리곤 해요. 열심히 일하는 상담교사들에게 힘이 빠지는 소리이죠. 혼자 업무를 처리하고 다수의 아이들과 함께 하기보다는 한 명의 아이에게 집중하다 보니 일하는 모습이 드러나지 않아서 인 것 같아요. 학교 내의 회의에 참석하여 담임교사, 교과교사의 이야기에 귀를 기울이면서 상담교사 역시 다양한 상담프로그램을 운영하며 소통을 위한 다양한 활동을 진행하고 있음을 자연스럽게 알릴 수 있습니다.

이걸 저는 일하는 티라고 합니다.

상담실 밖에서도 학생의 적응을 돕는 나만의 상담 목표

상담 선생님은 대부분 수용적이고 친절하다 보니 상담실을 함부로 이용하는 학생들도 나타납니다. 상담교사와의 교류가 잦아지면 학생들은 교사에 대한 친밀함과 무례함을 혼동하는 것 같아요. 위클래스 이용 시 명확한 구조화를 통해 친절함 속에 단호함을 잃지 마세요. 상담실에 오면 서로 인사하고, 상담실 물건을 만질 때는 동의를 구하도록요.

어떤 아이들은 상담실 물건을 가리키며 "선생님 저 이거 주세요"라고 상담교사를 테스트할 때도 있어요. 자신의 말을 들어주나 안 들어주나 하는 마음인 것 같아요. 상담교사가 거절을 하면 자신을 거절한다고 생각하고 쌩한 표정으로 가기도 해요. 안되는 이유를 설명하고 상담실에 와서는 충분히 이용할 수 있음을 알려주세요. 상담실에서 가능한 것과 가능하지 않은 것을 명확히 해야 합니다. 그래야 아이들이 혼란스럽지 않아요.

상담실에서 보드게임을 한 후에는 게임도구, 의자 등 뒷정리까지 해야 한다는 것을 구조화해 주세요. 처음에는 수업종이 울리면 서로에게 미루는 일들이 있을 거예요. 한두 번 잘 이야기하면 스스로 정리하는 습관이 들어요. 한 테이블에서 잘 정리하면 옆 테이블도 정리하는 것이 자연스럽더라고요.

사람은 사소한 것에서 감정이 상하기도 하고 감사함을 느끼기도 합니다. 학생들이 서로 인사하기, 함께 정리하기, 간식 먹을 때 감사함을 표현하기 등의 예의를 지키도록 지도하여 상담실 안팎에서 적응력 있는 학생으로 성장할 수 있도록 돕는 것이 저만의 위클래스 운영 목표입니다.

▪ **선생님만의 위클래스 규칙을 만들어보세요.**

학교 적응 노하우

학교에서 상담교사는 보통 생활안전부, 인성상담부, 진로상담부 등에 소속됩니다. 부서에 소속은 되어 있지만 독립된 공간에서 독립적인 업무를 하죠. 혼자 업무를 한다는 것은 사수가 없음을 의미해요. 다른 교사들은 동학년 협의회, 교과협의회, 부서 협의를 통해 정보를 공유하고 피드백이 가능하지만요.

독립적인 공간에서 혼자 모든 업무 일정을 관리하는 것이 편하다고 생각할 수 있지만 가끔 외로움과 고립감을 느끼기도 합니다. 이럴 때 협업 기회를 찾거나 동료 교사와의 소통을 위한 노력이 업무의 효율성과 효과성, 그리고 좋은 관계망 형성과 유지에 도움이 됩니다.

자신의 고유한 업무 외 학교 업무에도 관심을 가져 보세요

학생들의 다양한 성향과 가정환경, 사회적 분위기에 따라 해마다 학생들의 모습이 달라지는 것을 느껴요. 이로 인해 학급담임교사, 부장교사, 각 부서 간의 협력이 더욱 필요합니다. 같은 교무실, 동학년 선생님들끼리는 자주 마주치다보니 서로 간의 협력이 자연스럽게 이루어져요.

이때 상담교사의 입장에서는 협력과 소통이 부족하게 느껴질 수 있어요. 특히 신규교사나 내향적인 상담교사라면 더욱 어려움이 클 텐데요. 이런 상황에서 어떻게 해야 할까요?

우선, 학교 상황에 관심을 가져보세요. 먼저 학교 메신저로 온 메시지를 주의 깊게 확인하고, 업무와 직접적인 관련이 없더라도 내용을 이해하려는 태도가 필요해요. 선생님들과 이야기하다 보면 분명 같은 학교에서 근무하는 데 모르는 이야기를 들을 때가 있거든요. 학교 상황에 관심을 가진다면 소통하고 이해하는 데 도움이 되겠죠.

그리고 정기적으로 나이스 업무포털의 문서 등록대장을 통해 공문을 확인하면서 학교에서 어떤 일들이 진행되는지 파악해 보세요. 이렇게 학교 업무를 이해하면 각 구성원들을 이해하게 되고, 사람에 대한 관심을 키울 수 있어요. 어느 선생님이 어떤 행사를 해서 바쁜지, 학교에 시기별로 어떤 업무들이 추진되는지 알면 구성원들을 이해하게 돼요. 일을 알면 사람이 보이고, 사람에 대한 관심은 사람을 이해하게 되죠. 지금 어떤 업무로 힘들어하고 학급의 어려움이 무엇인지 알게 되면 그 교사에게 공감하기 쉬워요. 그러다 보면 자연스럽게 친해지더라고요. 그리고 학교 행사에 적극적으로 참여하고 도움을 주는 것도 좋아요.

다른 교무실 선생님들과 친해져 보세요

새로운 학교에서 처음 만나는 동료들과 어색한 감정을 느끼실 수 있어요. 저는 사회 초년생일 때 업무의 유능성을 중요하게 생각했어요. 이로 인해 얼굴 표정이 경직되고 웃음보다 업무 처리에 더 집중하게 되었죠. 그 결과, 다른 교사와 교류가 한정적이었고, 상담 요청도 적었어요. 그러나 어느 순간, 내가 선생님들과의 소통을 위해서는 변해야겠다 생각이 들었어요. 환한 미소와 친절한 목소리로 상대방을 대하려 노력했고, 통화 시에도 웃는 목소리로 응대했어요. 이렇게 하니 동료 교사와의 대화가 훨씬 부드러워졌어요. 심지어 선생님들과 소통을 하기 위해서 바뀐 저의 태도로 인해 긍정적 사고와 하루 종일 기분 좋은 삶까지 덤으로 오더라고요.

상담 요청이 들어오면 최선을 다해 도와주고, 학교 업무 협조 요청에 적극적으로 협조했어요.

업무에 치이고 정서적으로 소진된 교사들에게 상담교사의 따뜻한 말과 협조적인 태도는 학교의 어려움을 함께 버틸 수 있게 하는 힘이 될 것입니다.

저의 관점의 변화로 위클래스 업무 협조가 원활해졌어요. 이러한 과정을 거치면서 '업무에서 가장 중요한 것은 인간관계'라는 저만의 철학이 생겼어요. 전문상담교사뿐만 아니라 모든 사람과의 관계 형성에도 적용되는 부분이죠. 학교는 결국 사람들이 사는 공동체잖아요.

주도권이 나에게 있는 위(Wee)클래스

상담실은 업무 결정과 우선순위를 스스로 정할 수 있죠. 그러다 보니 일이 종종 밀리기도 합니다. 상담일지 작성이나 나이스 시스템에 상담 내용을 기록하는 작업 등이 미뤄지곤 합니다. '내일 하면 되지', '한꺼번에 확 하면 되지', '지금은 바쁘잖아' 자기 합리화를 하면서요. 어떤 느낌이 떠오르지 않나요? 인강이 밀리는 느낌이요.

학습 분야와 마찬가지로 우리의 업무도 자기주도적인 습관화 노력이 필요합니다. 매일 미루지 않고 업무를 처리하고, 특히 작은 업무에도 루틴을 만들어 두면 업무 스트레스를 줄일 수 있어요. 현재에 집중하는 데 도움이 되죠. 여러분! 밀려오는 압박감은 인강으로 충분했어요. 더 이상 압박감을 키우지 말자고요.

이렇게 밀리는 것은 업무에만 국한되는 것이 아니에요. 전문성 향상에도 소홀해지기 쉽습니다.

키츠너(Kitchener)의 윤리 원칙 중 '선의'와 '무해성'의 원칙이 있습니다. 상담은 항상 내담자에게 이익을 가져다주어야 하며, 그들에게 해를 끼치지 않아야 합니다. 엄마들은 집안일을 해도 티가 안 난다 하죠. 마찬가지로 우리의 업무와 전문성 향상도 크게 드러나지 않을 수 있어요. 그러나 소홀하면 반드시 티가 나죠.

우리의 초심은 항상 학생들을 위하는 데 있어야 합니다. 혼자 있는 시간이 외로움처럼 느껴질 수 있겠지만, 이 시간을 자기주도적인 전문성 향상의 시간으로 활용해 보세요. 전문성의 향기가 나는 전문상담교사로 성장해 보세요.

학업성적이나 경쟁도 없고, 사수도 없지만 상담교사의 노력은 결국 성공적인 상담과 학생들의 적응력 향상으로 연결될 거라 확신합니다.

▪ 나는 학교에서 어떤 상담교사이고 싶은가요?

상담교사의 하루

위(Wee)클래스 상담교사의 하루

생명존중 주간입니다. 등굣길 생명존중 캠페인으로 시작합니다. 다른 날보다 조금 일찍 출근하고 하나둘씩 모여드는 솔리언 또래상담자 아이들과 함께 교문으로 향했어요. 일부 학생들은 생명존중 피켓을 들고 몇몇은 기념품을 나누어줬어요. 그중 목청 좋은 학생에게 구호를 선창하게 하고 나머지 학생들은 따라 하게 했어요. 선창자는 잘 뽑아야 해요. 자칫 쭈뼛거리며 흐지부지한 목소리로 구호를 외치면 안 하느니만 못할 수도 있으니까요. 안전생활부장님과 교장선생님, 교감선생님도 한 번씩 둘러보시고 아이들도 격려해 주셨어요. 등굣길 짧은 시간이지만 학생들을 맞이하는 밝은 미소와 활기찬 목소리들이 학생들과 교사들의 하루에 활기를 불어넣어 주는 것 같아요. 아침조회시간 울리는 종과 함께 캠페인도 마무리입니다. 미리 준비한 작은 간식을 나누면서요.

1교시에는 오늘 상담할 학생 일지와 업무 확인을 했어요. 2~3교시는 외부강사의 2학년 생명존중교육 방송수업 준비를 했어요. 개인적으로 교육의 효과성 측면이 낮아서 방송교육을 선호하지 않지만, 이번 교육은 수업방식이 휴대폰 게임 형식으로 진행되어 흥미, 참여도, 수업 집중도 면에서 만족도가 높았다는 선배 교사의 추천으로 신청하게 되었죠.

방송수업을 위해서는 각 파트의 업무 협조가 필요해요. 2학년 담임선생님들에게는 방송 교육 시 필요한 휴대폰, 와이파이 연결 상태 확인을 요청드려요. 해당 교시 교과 선생님들께는 임장[4] 지도 협조 메시지를 전송하고, 방송 담당 선생님께는 원활한 영상 송출을 부탁드리면서 사전 준비를 완료합니다. 모두

4) 임장: 어떤 일이나 문제가 일어난 현장에 나옴.

어찌나 척척 잘 도와주시는지 감사함으로 업무를 진행하게 되네요.

수업 30분 전에 생명존중 강사분들이 오셨어요. 차 한 잔 대접하고, 관리자분들께 인사를 갔어요. 그리고 2학년 부장님께 오늘 수업 관련하여 안내했어요. 방송실로 가서 수업을 준비하다보니 2교시 시작을 알리는 수업 종이 울리네요.

학생들이 퀴즈를 맞히며 호응하는 소리가 여기저기 들리네요. 수업을 기획한 저로서는 혼자 뿌듯합니다. 앗! 돌발상황이에요. 3층 한 학급에서 방송이 끊어졌어요. 정보부장님과 담당 선생님까지 모두 총출동해서 문제를 해결하기 시작했어요. 급하게 학년 부장님이 영어 교과실로 학생들을 이동해 수업을 이어갔어요. 이런 이번엔 아이들 핸드폰 배터리가 없네요. 옆 친구 핸드폰을 함께 보도록 했어요. 방송수업은 교실에서 수업하는 것보다 돌발상황이 더 많이 발생하는 것 같아요. 휴! 식은땀이... 수업을 이렇게 마쳤어요. 위클래스로 돌아와 협조해 주신 선생님들에게 감사 인사 메시지를 보냈어요. 사전에 준비를 한다 해도 예측불가한 일들이 순간순간 생기기도 합니다.

4교시, 맛있는 급식 시간이에요. 점심시간에는 위클래스를 학생들이 이용하기에 점심을 미리 먹어요. 식사하며 선생님들과 오늘 방송수업의 피드백도 받고, 학생들 이야기도 하고, 학교 급식이 너무 맛있다고 칭찬도 하며 즐겁게 식사합니다.

식사 후 나이스의 공문을 확인했어요. 교육지원청에서 중1 대상 학급 단위 응집력 프로그램 신청 공문이 왔네요. 1학년 담임교사들에게 프로그램 신청 안내 메시지를 보냈더니 바로 장애 학생이 있는 한 학급에서 신청이 왔네요. 신청서 공문을 처리해야죠.

종합심리평가를 신청할 학생이 있어 해당 학부모와 연락하여 일정을 조율하고 신청서 및 개인정보처리 동의서를 학생 편에 보내기로 했어요.

점심시간에 아이들이 몰려와요. 위클래스 방명록에 오늘 하고 싶은 말이나 기분을 한 줄씩 쓰도록 했어요. 한 아이가 "야구부 연습이 오늘 취소되게 해주세요."라고 썼네요. 야구 연습이 힘들고 수업 끝나고 집에 가는 아이들을 보면 자기도 집에 가고 싶대요. 옆에 있던 학생이 '너네 유니폼 입고 연습하는 거 보면 멋있다'라는 이야기를 건네네요. '너희는 꿈이 정해져서 부럽다'라고 말하는 녀석도 있어요. 방명록 한 줄에 자연스럽게 각자의 이야기 나누고 서로 격려해요. 물론 험한 말을 하는 친구도 있어요. "응? 이 뭔 소리지? 뭔 발?"이라고 하면 아이는 다시 말을 가다듬어요. 그 모습만으로도 어찌나 귀여운지요. 그렇게 서로에 대한 예의도 배우고 스트레스도 풀고 친구도 사귀면서 아이들은 성장해 나가요.

옆 테이블에서는 보드게임이 진행되며 활기찬 분위기로 시간을 보내네요. 젠가가 쓰러지는 소리에도 환호성을 쳐요. 학생들의 활기찬 목소리에 덩달아 활기를 느껴요.

5교시 수업 시작 전 예비종이 울리면 아이들이 상담실 정리를 해요. 그리고 우르르 교실로 갑니다.

5교시부터 6교시에는 예약된 학생 상담입니다. 담임교사로부터 의뢰된 상담을 하다 보면 학부모와 담임교사가 도와줘야 할 부분들이 있어요. 학생이 모르게 학부모나 담임교사에게 도움을 청하면 학생과 상담교사의 신뢰가 깨질 수 있습니다. 상담 후 "이런 부분은 부모님과 담임선생님이 알아야 할 것 같은데 이야기를 하고 도움을 받으면 어떨까?" 하며 동의를 구해요. 학생이 특별히 말하고 싶지 않은 부분은 비밀보장의 한계를 넘지 않는 선까지 들어줍니다.

학생의 동의하에 학부모와 담임교사가 지원할 수 있도록 논의해야겠어요.

7교시에는 담임선생님 한 분에게서 전화가 왔어요. 학생이 갑자기 울음을 터트려 면담을 하던 중 자살 이야기를 해서 상담실에 전화를 했네요. 학생을 데리고 상담실로 오도록 요청하고 상담을 진행했어요. 학생의 이야기를 들어주고 공감하며 자살하고 싶은 이유와 자살면담지를 활용해 자살 위험도를 탐색했어요. 자살 관련 면담 시에는 자살이라는 용어를 사용하면 더 자극하게 될까 봐, 혹은 상담자가 말하기가 겁이 나서 말을 못 하는 경우가 있을 수 있어요. 그러나 자살이라는 용어를 분명히 사용해야 해요. 자살이라는 말을 돌려서 말할 경우 상담선생님이 자살 이야기를 불편하게 느낀다고 생각해 솔직한 이야기를 못할 수 있어요. “자살을 생각하고 있니?”라고 묻는 질문 속에 나는 너의 이야기를 들을 준비가 되어 있음을 표현해 주세요. 그 학생이 혼자가 아니고 함께 고민을 나눌 수 있는 사람이 있다는 것을 알려주세요.

학생의 이야기를 주의 깊게 들어주고 자살 이유를 탐색합니다. 학생은 구체적 자살 계획까지 세운 위기상황이에요. 앞으로도 혹여 자살의 생각이 들 때는 부모님이나 친구, 학교에 도움을 청하거나 24시간 상담 가능한 전화번호를 이용하도록 안내했어요. 학생에게 위기 상황 시 비밀보장이 안됨을 이야기하고 부모님께 연락할 건데 공유하지 말았으면 하는 부분이 있는지 물었어요. 엄마에게 연락하여 학생 상황을 안내하고 혼자 하교하기 힘들 것 같아 데리러 오도록 요청했어요.

17시, 관리자에게 보고하고 위기관리위원회의[5]에 참석했어요. 위기관리 위원장인 교장, 교감, 학년 부장, 생활안전부장,

5) 위기관리위원회: 갑자기 자살, 자해 등으로 학생의 안전이 위기에 처하였을 때 긴급하게 열리는 회의

담당교사, 담임교사, 상담교사가 교장실에 모였어요. 담임교사가 학생 상황을 공유하고, 가정에서 학생을 보호할 수 있는 상황이 되도록 안내하기로 했습니다. 학년 부장님은 수업에 들어가는 교사들에게 학생을 세밀히 관찰하고 관심을 갖도록 협조를 구하기로 했어요.

상담교사는 학교상담과 교육청 위기 관련 학생 상담 지원비를 알아보고, 전문가와 연계하고, 정신과 자문의 상담을 할 수 있도록 다각도로 아이를 도울 수 있는 방법을 찾았어요.

오늘 하루 정신없이 바쁘지만 보람 있는 위클래스를 마감합니다. '아! 상담일지 작성해야 하는데...... 맞다! 아까 상담한 학생들 학부모와 담임교사와도 논의해야 하는데...... 내일 하자.' 오늘은 이만 퇴근!

위(Wee)센터의 하루

출근하자마자 전화벨이 울리네요. 위센터의 근무시간은 9시부터인데 학교 출근시간인 8시 30분부터 전화벨은 울리기 시작해요.

전화 온 곳은 상담교사가 배치되지 않은 학교예요. 학교의 학생이 병원 치료와 상담을 받고 있는데 해당 학생의 학급에 도움을 주고 싶어 하는 내용이었습니다. 같은 학급 학생들이 해당 학생의 행동으로 인해 높은 피로도와 불안감을 호소하고 있어 학급 단위 프로그램 지원을 요청하셨습니다.

학급 상황을 듣고, 일정을 조율하고, 학교에는 공문으로 공식 요청을 하기로 했어요. 위센터 상담교사들과 학급에 필요한 프로그램을 서로 논의하고 적절한 강사를 섭외하기로 했습니다.

한 선생님은 학부모의 상담 신청 전화를 받네요. 학교에 자녀가 상담을 받는 것을 알리기를 원치 않을 때나 부담스러울 때 직접 전화로 신청해요. 주호소 문제, 자녀의 나이, 성별, 연락처 등의 간단한 것을 파악하고 상담 신청을 접수했어요.

학교에서 종합심리검사가 긴급하게 요청됐어요. 학생이 자해를 반복하고 자살 계획까지 세웠다고 해요. 학교에 공문 요청을 하고, 임상심리사와 신속한 검사 일정을 조율하기로 했어요.

오전에는 정신과 자문의 상담 일정도 있어서 센터와 연계된 의사선생님이 오셨어요. 이미 학생, 학부모, 담당 교사가 함께 대기 중입니다. 의사 선생님은 학생부터 차례대로 상담하고 학부모와 교사에게 학생의 현재 상태, 약물 치료의 필요성 여부, 지속적인 상담 여부에 대해 자문을 제공합니다.

임상심리사는 학부모 종합심리검사 해석 상담이 있어요. 학생의 심리상태와 정서 행동적 측면을 설명하고, 의료적 개입이 요구될 경우 병의원 치료 제안을 하거나 학부모 상담 지원이 필요할 경우 교육지원청 내의 학부모 상담을 연계하기도 해요. 곧 10시가 되니 학부모님이 오시겠네요.
그리고 아침 일찍 전화로 의뢰된 위기학생 종합심리평가 일정을 조율했어요.

곧 학생 정서행동특성검사가 단위학교별로 진행될 예정이에요. 위센터는 정서행동특성검사 관심군 상담 2차 연계기관으로 학교와의 원활한 협조가 필요해요. 현재 담당 선생님은 정서행동특성검사를 위한 계획을 세우느라 분주하네요. 계획안에는 담당학교, 상담 방법, 필요한 심리검사, 신청양식, 그리고 필요한 연수 등을 세심하게 체크해야 합니다.

내일은 전문상담교사와 전문상담사 위기학생 자살 및 자해 상담과 관련된 연수가 있는 날이에요. 관내의 선생님들이 모이는 날이기도 하죠. 연수를 진행할 강사를 확인하고, 연수 시작 전에 과장님 인사말 안내도 마쳤어요. 회의실 준비와 난방 관련 사항은 담당 주무관에게 요청하고 연수 등록부를 출력, 간식과 음료 배달도 확인했어요. 마지막으로 연수에 참여할 선생님들에게 연수 주제, 연수 시간, 주차 관련 안내 문자도 발송했어요. 놓친 부분이 없나 꼼꼼히 체크리스트를 확인했어요.

이렇게 오전 업무가 마무리되고 점심시간이에요. 교육청은 학교와 달리 점심시간이 근무시간에 포함되지 않아 개인 업무나 산책이 가능해요. 서둘러 점심을 먹고 근처의 공원에서 선생님들과 산책했어요. 자연을 바라보면 머리가 가벼워지는 느낌이 들어서 기분이 좋아요.

이제 오후 근무의 시작이에요. 학교에서 학교폭력 가해학생 특별교육 요청 전화가 왔어요. 교육지원청에서는 매달 2번씩 특별교육을 진행하는데, 학생과 학부모가 함께 참여합니다.

업무 포털에 접속하니 특별교육, 정신과 자문의 상담, 종합심리평가, 개인상담, 집단 교육, 기타 보고 요청 공문들이 있네요. 공문들을 확인하고 담당 선생님들에게 배분해요. 보고가 필요한 공문들의 마감 일자와 내용을 꼼꼼하게 점검합니다. 출장 요청에 대한 결재도 처리하고, 업무포털은 수시로 들어가서 확인해요. 처리할 공문들이 많거든요.

14시, 학생들이 하교하면서 학부모와 함께 상담을 오기 시작해요. 각 선생님들은 각자 예약된 상담을 진행해요. 놀이치료실, 미술치료실, 보드게임치료실, 상담실 등에서 상담이 진행됩니다. 한 학생은 상담 예약 시간에 오지 않은 것 같아요. 상담교사가 언제 도착할지 연락하고 있어요.

오후에는 종합심리검사가 있어요. 임상심리사가 검사를 진행하는데, 2~3시간 정도 소요되더라고요. 함께 온 학부모는 자신이 참여할 검사와 자녀 양육에 관한 질문지에 응답하고 있어요.

상담을 마친 후 상담 일지 작성과 상담실 정돈으로 오늘 하루를 마무리합니다. 오늘도 숨 가쁜 위센터의 하루가 지나갔습니다.

▪ 위센터에서 기획하고 싶은 업무가 있나요?

초임 상담교사에게 들려주고 싶은 이야기

이경희

나는 상담자인가요? 교사인가요?

우리는 학생들과 다양한 관계를 맺어요

상담교사가 학교에서 상담만 한다는 건 큰 오해입니다.

상담교사는 상담뿐만 아니라 관련 행정 업무, 동아리 학생지도와 심리교육으로 수업에 들어가기도 합니다. 상담교사 역할로 지양해야 할 부분이지만 학교 상황에 따라서 시험감독, 야간자율 학습지도, 부담임 업무까지 맡는 경우도 있습니다. 내담자와 다중관계를 맺는 것은 상담자 윤리 규정에 어긋나지만 우리는 상담자이면서 동시에 교육자이기 때문에 학교에서 다양한 교육 활동에 참여하게 되지요.

교과교사들이 여러 교육 활동에 참여할 땐 충분히 일관성 있는 모습을 보이는 것이 가능하지만, 상담교사는 일관성을 쭉 유지하기 어려운 상황에 맞닥뜨립니다.

한 국어교사가 수업 시간에 엄격한 모습을 보인다면 그 교사는 수업 시간뿐만 아니라 급식지도, 시험감독 등 다양한 교육 활동에서도 대부분 엄격한 모습을 보이고 학생들도 이를 자연스럽게 받아들입니다. 하지만 상담교사는 상담 시간에 한없이 따뜻하고 수용적인 모습을 보이다가 생활지도를 해야 하는 부담임, 야간 자율 학습감독, 시험감독 등을 하면서 약간의 엄격한 모습을 보여도 학생들에게 혼란을 줄 수도 있고 추후 상담 진행에 어려움을 초래할 수 있기 때문입니다.

예를 들어, 동아리 활동의 경우 상담교사는 대부분 또래상담부 동아리를 운영하곤 하지만 학교에 따라 1 교사 1 동아리 원칙으로 다른 동아리를 맡기도 합니다. 동아리 참여 학생 중 활동 시간에 지속적으로 지각을 하거나 활동에 방해되는 행동을 하게 된다면 우리는 교사로서 주의를 주고, 부정적 행동을 고치도록 가르칠 필요가 있습니다. 그 과정에서는 상담 장면에서 보이는 '무조건적 긍정적 존중'의 상담자 모습과는 다른 모습을 보이게 되죠.

물론 교과교사들처럼 무섭게 꾸짖거나 하지는 않지만, 학생들이 생각하는 상담교사의 이미지, 상담자로서 스스로 우리가 생각하는 모습에서 벗어날 때가 있습니다.

이럴 때 우리는 스스로 질문하곤 합니다. 나는 상담자인가? 교사인가? 꼭 필요한 교육 활동이지만 '이래도 되나'라는 의문이 자꾸 듭니다. 또한, 평소 굉장히 버릇없거나 문제행동을 일삼는 학생들을 상담 장면이 아닌 곳에서 만나게 되면 꾸짖고 싶고 야단치고 싶은 마음도 올라옵니다. 하지만 이때 우리는 상담자라는 생각에 멈칫하게 되죠. 그 자리에서 교사로서 꼭 필요한 가르침을 주는 행동인데도 말이에요.

이러한 상황에 하나의 팁을 드리자면, 상담 장면이 아닌 곳에서 학생들을 지도해야 하는 상황에서는 집단상담을 진행할 때와 같은 상담자의 태도를 유지하는 것이 도움이 됩니다. 집단상담에서 방해가 되는 행동 등에 대해 대처하는 방법을 다양한 교육 장면에 적용하는 거죠.

습관적 불평, 질문 공세, 적대적 태도, 공격하기, 집단과 관계없는 이야기하기 등 다양한 문제행동의 집단원에 대해 대처하는 방법을 우리는 알고 있습니다. 이러한 집단상담 장면에서의 상담자의 역할을 수행하듯, 지도해야 할 학생들의 문제행동에 대해 상담교사만의 스킬로 지도해 보는 겁니다.

이러한 방법은 상담교사의 역할에 대한 일관성을 유지할 수 있고 적절한 지도와 가르침을 줄 수 있다는 장점이 있습니다. 더불어 학생들의 행동 패턴을 파악하여 개인상담 장면에서 다뤄볼 수도 있고요.

처음에는 어려울 수 있습니다. 상담자와 교사의 두 가지 역할을 모두 수행해야 하기 때문이죠. 또한, 그 과정에서 이것이

옳은 것인가 하는 의문이 들고 혼란스러워하면서요.

그러나 이런 의문이 들고 정체성에 혼란을 경험하는 것은 상담교사라면 누군가 겪게 되는 과정이고 초임 상담교사일수록 피할 수 없는, 꼭 필요한 과정이라고 생각합니다. 정체성 확립을 위해서는 정체성 혼미의 시기가 선행되듯이요.

여러분들은 여러 시행착오를 거치며 자신을 이해하고 탐색해가면서 상담자이며 교육자인 상담교사로서 모습을 찾아갈 것입니다. 찾아가는 과정이 힘들 것이고 소요되는 시간도 개인마다 다를 것입니다.

중요한 것은 역할의 혼돈 속에서 느끼는 여러 마음들이 우리에게 필요한 것임을 받아들이고 잘하고 있다고 스스로를 안심시켜야 합니다. 상담교사라면 누구나 느끼는 감정이고 필요한 생각들이니까요.

▪ 집단원의 문제행동과 그에 따른 상담자의 역할을 학교장면에서 지도가 필요한 학생들을 대하는 상담교사의 역할로 바꿔 생각해 볼까요?

- 습관적 불평(불평불만이 많은 학생)

- 질문 공세(쓸데없는 질문 계속하는 학생)

- 적대적 태도(교사에게 적대적인 학생)

- 공격하기(친구들을 공격적으로 대하는 학생)

- 집단과 관계없는 이야기하기(교육장면과 관계없는 얘기를 계속하는 학생)

학교가 원하는 것과 상담교사가 원하는 것이 다를 때

학교 적응에 무척 힘들어하는 학생 A가 있었습니다. 교우관계도 어렵고 성적도 매우 낮습니다. 학교생활에 흥미가 없으니 공부는커녕 등교도 힘들어하며, 학교 밖 비행 청소년들과 어울리며 범죄까지 저지르는 상황이 발생합니다. A는 현재 학생이라는 신분을 가지고 있지만, 학생다운 행동이나 학생의 의무는 전혀 하지 않고 있다고 볼 수 있지요.

담임교사는 학기 초부터 등교 독려, 학생지도, 경찰서에서 연락 오면 데리러 가야 하는 상황, 학급 아이들까지 챙겨야 하는 등 학생 생활지도에 너무 힘이 듭니다. 그 와중에 학부모는 자녀를 돕기는커녕 나 몰라라 하여 담임교사는 지칠 대로 지쳐 있습니다.

선생님이 학교에 근무하게 되면 종종 이러한 사례를 접하게 될 것입니다. 이러한 학생들은 자연스럽게 상담 의뢰가 되어 위클래스에서 내담자로 만나게 됩니다.

상담을 통해 이 학생이 어떤 상황에 처하게 된 것인지, 불량행동을 하게 된 이유가 무엇인지 탐색하면서 점차 학생을 이해하는 마음이 생깁니다. 도와주고 싶은 마음도 커지고요. 학교에서조차 이 학생의 손을 놓게 되면 '어떻게 될까'라는 걱정을 하면서 내담자가 최소한의 학생 신분을 유지한 상태로 천천히 학교 적응력을 높이고 상급 학교에 진학하거나 졸업하도록 돕는 것이 최선의 방법이라고 생각합니다.

그리고 그 학생의 상황에 도움이 되는 여러 편의를 제공하고자 하는 마음에 관리자 및 담당교사에게 여러 제안을 합니다. 하지만 관리자와 담당 교사들은 학교에는 규칙이 있고 따라서 그 학생에 대해서만 허용해 주고 편의를 봐주는 것은 형평성에 어긋나며 다른 학생들에게 안 좋은 영향을 미칠 수 있다는 판단으로 반대하는 경우가 종종 있습니다.

그들의 생각도 옳습니다. 상담교사, 담임교사, 업무 담당교사, 관리자 모두 방향만 다를 뿐 학생들을 사랑하고 최대한 도움을 주고 싶은 마음은 같을 테니까요.

하지만 학교에서는 종종 개인인 내담자보다는 전체 학생의 복지를 우선순위로 두는 경우가 많습니다. 한 학생의 이익보다는 다수의 이익이 중요하다고 생각할 수도 있고, 상담을 받고 있는 문제 학생보다는 열심히 학교생활을 하고 공부도 잘하는 다른 학생들을 보호하고 싶은 마음이 강할 수도 있습니다. 또한, 어려움이 있는 학생이 학교를 계속 다님으로써 예상되는 여러 문제를 미리 차단하고 싶은 마음일 수도 있겠고, 전학이나 자퇴를 하는 것이 해당 학생에게 더 나은 선택이라고 생각할 수도 있습니다.

하지만 상담교사는 다른 건강한 아이들보다 내가 상담하고 있는 내담자가 가장 걱정되고 내담자를 위해서라면 뭐든지 하려고 노력합니다. '내가 아니면 누가 이 아이의 편에 설 것인가'라는 생각에 의협심까지 발동하지요.

이러한 상황에서 상담교사는 학교와 다른 입장을 취하게 되고 관리자나 다른 교사들과 갈등이 발생하기도 합니다. 그러면서 많은 생각을 하게 되지요.

'내가 잘하고 있는 걸까? 내담자만 보는 협소한 생각만 하는 건 아닐까? 정말 내담자에게 도움이 되는 판단일까?'

선생님들도 학교에서 이런 난처한 상황을 만나게 될 것입니다. 그럴 때 우리는 어떻게 해야 할까요? 상담교사는 상담하면서 이처럼 어려운 판단을 해야 하는 상황을 만납니다.

상담에서는 딜레마 상황에서 판단에 근거가 되는 윤리원칙이 있고, 윤리원칙은 상담자가 의사결정을 내릴 때 첫 번째로 지켜야 할 원칙들입니다.

키즈너의 윤리적 상담을 위한 원칙을 살펴보면 자율성 존중의 원칙, 선의의 원칙, 무해성의 원칙, 정의(공정성)의 원칙, 충실성(정직)의 원칙 5가지를 말하고 있습니다. 다들 임용시험 준비할 때 배우셨죠? 키츠너 원칙의 핵심은 내담자의 자율성을 존중하며 내담자의 복지를 최우선으로 해야 한다는 것입니다.

즉, 우리는 내담자 복지를 최우선에 두고 판단해야 합니다. 그 판단에 따라 상담교사로서의 자신의 의견을 표명하고 주장해야 합니다. 상담교사로서의 의견을 관리자와 교사들에게 알리는 것, 이것이 우리가 꼭 해야 할 일인 것입니다. 그 이후에는 교사들 간 조율과정과 관리자의 판단이 더해져서 학교 입장이 결정되게 됩니다.

이러한 과정에서 우리는 상담자로서 최선을 다하고 결정이 나면 그것에 따르면 됩니다. 상담자 입장에서는 상담교사 의견이 맞고, 관리자 입장에서는 관리자 의견이 맞으며, 업무담당교사의 입장에서는 또 그들의 의견도 맞습니다. 의견들이 서로 상충하더라도 학생을 걱정하는 마음은 그 맥락을 같이 하는 것이니까요.

이러한 협의 과정에서 내 의견이 잘 반영되어 내담자 복지에 도움이 되었다면 뿌듯한 마음이 들 것이고, 반영이 안 되었다면 속상한 마음이 들 수도 있습니다.

그러나 제 경험상, 종종 우리의 예측을 벗어나는 결과가 나타나기도 합니다. 학교가 원하는 방향대로 결정되었는데 의외로 좋은 결과로 이어진 경우도 있었고, 제 주장에 따른 조치들이 부정적 결과로 이어진 적도 있습니다. 결과는 어떻게 나타날지 모릅니다.

여기서 중요한 것은 우리가 상담교사로서 내담자의 복지를 위해 최선의 노력을 기울였는가입니다. 그렇다면 우리는 상담교사의 역할을 충분히 해낸 것입니다.

▪ 학생에 대해 관리자의 생각과 내 생각이 다를 때, 나는 관리자를 설득할 수 있을까?

학교특성에 따른
위(Wee)클래스 운영과 상담

학교특성에 따른 위(Wee)클래스 운영과 상담

학교마다 위클래스 운영 방법은 다양합니다. 학교급과 학교 특성에 따라 다른 모습을 보이는 학생들과 상담교사의 성향에 따라 각기 다르게 운영됩니다.

교과교사들이 교실에서 자신만의 색깔을 가진 수업을 진행하는 것처럼 위클래스도 상담교사의 성향에 따라, 학교 특성에 따라 매우 다른 모습으로 운영됩니다.

저는 여자 특성화고등학교(이하 특성화고)와 경제적으로 열악한 지역의 초등학교에서 근무한 경험이 있습니다. 현재는 특수목적고등학교(과학고)에서 근무하고 있습니다.

상담교사로서의 업무를 하는 저는 같은 사람이지만, 학교 특성과 학교급에 따라 위클래스 운영과 상담은 각기 다른 모습을 보였습니다.

특성화고에서는 개인상담 사례가 압도적으로 많았습니다. 학기 초에 실시하는 학생정서행동특성검사 관심군 학생 수도 많았고, 자발적으로 상담을 요청하는 학생들, 학업중단숙려제가 필요한 학생, 학교폭력 사안 등 개인상담만 진행하기에도 하루가 빠듯했습니다. 게다가 단회상담은 거의 없고 장기상담으로 진행되어야 할 사례가 많아서, 50분 안에 한 회기를 마치기 위해서는 구조화를 정말 잘해야 할 정도로 사연도 구구절절했습니다.

특성화고는 수업 중 상담이 자유로워 상담 일정을 계획하는 것은 수월했지만 상담 사례가 아무리 밀려도 방과 후 상담은 학생들이 원치 않아서 일과 중 상담을 빡빡하게 진행하였습니다. 퇴근 후에는 정말 녹초가 되었지요.

처음에는 위클래스를 상담 시간이 아니어도 여학생들과 다양한 집단 활동도 하고, 차도 마시고 얘기도 나눌 수 있는, 학교에 없어서는 안 될 여유와 휴식이 있는 공간으로 만들고 싶었습니다.

하지만 이 학교에서는 학생들이 자유롭고 편안한 시간을 보낼 수 있는 위클래스 공간보다는 현재 다급한 자신의 문제와 어려운 상황들에 대해 상담하는 것이 더 필요했습니다. 그래서 저는 학생들의 필요를 우선으로 생각해 위클래스를 상담에 최적화된 공간으로 운영하였습니다.

초등학교는 1학년부터 6학년까지 발달단계 차이가 큰 학생들을 모두 상담해야 하기에 학년에 따라 상담교사 역할의 차이가 클 수밖에 없습니다.

갓 유치원을 졸업한 1학년 학생들은 정말 아기예요. 수업 시간에 돌아다니고 수업에 방해 행동을 하는 학생들이 담임교사 손에 이끌려 위클래스에 오기도 합니다. 아동상담에 대해 이론적으로 공부는 하였으나 미술치료나 놀이치료 등 상담매체 활용 능력이 부족했던 저는 언어상담이 어려운 어린아이들과의 상담에서 어려움을 겪곤 하였습니다.

3~4학년 정도의 아이들은 제법 학교폭력 사안이 많았습니다. 친구들과 어울리고 싶은 마음은 크지만, 자신의 감정과 행동을 조절하는 힘과 대처능력이 부족한 아이들 간에 갈등이 종종 일어나곤 합니다. 이 연령대의 학생들은 집중도와 이해도가 높아지는 시기로 교육과 집단상담을 조합한 형태로 학교폭력 예방, 사회성 훈련, 또래관계 증진 등의 다양한 주제로 심리교육을 진행한 것이 효과적이었습니다. 심리교육 자료는 관련 서적, 논문, 교육청에 탑재된 자료 등을 참고하여 학생들의 상황에 맞게 만들어서 사용하시면 됩니다.

5~6학년의 경우에는 언어 상담만으로도 통찰을 통한 변화가 일어나기도 합니다. 성숙한 학생들을 위클래스에서 만나면 상

담 이론을 바탕으로 구조화, 상담목표 설정, 사례개념화도 해보면서 '아, 고학년만 상담하고 싶다'라는 생각을 많이 했습니다. 대화가 통하는 아이들과 상담하는 것이 얼마나 행복한지를 많이 느낀 시간이었습니다.

초등학교 상담교사는 매체 활용 상담기법을 하나 이상 장착하고 있어야 합니다. 저학년은 언어 상담만으로 상담 진행이 정말 어렵거든요. 이 시기에 상담매체 활용 공부도 많이 하고 관련 자료도 많이 찾아봤던 기억이 있습니다. 미술치료, 놀이치료, 그림책치료 등이 활용하기도 수월하고 효과도 좋았습니다.

상담매체 활용 연수는 교육청 위센터 연수, 청소년상담복지센터 주관 연수 등 무료로 진행되는 역량강화 연수에 참여하여도 좋고, 시중에 좋은 책들이 많으니 독학을 하여도 됩니다. 관련 협회에서 운영되는 연수는 수준도 높고 사설 자격증도 발급되는 장점이 있지만 비용이 비싸다는 단점이 있습니다.

초등학교 상담에서 또 하나 중요한 것은 학부모 상담입니다. 부모의 역할에 따라 학생들의 큰 변화가 가능한 시기이기에 학부모 상담 및 교육에 정성을 들이는 것이 필요합니다. 학생 상담 전 학부모 상담만으로 학생들의 변화가 일어나는 곳이 초등학교입니다. 초등학교 학부모는 스스로 양육에 미숙하다는 생각이 있어 상담교사의 얘기에 귀 기울여 듣고 긍정적으로 받아들이는 모습을 보입니다.

지금 생각해보면, 어린 티를 갓 벗어난 저학년부터 학부모를 대상으로 한 성인 상담까지 정말 광범위한 유형의 상담이 진행되는 곳이 초등학교입니다.

특수목적고등학교(과학고)에서 근무한 경험을 말씀드릴게요. 과학고는 특성화고에 비해 상대적으로 개인 상담 사례가 적고, 상담이 진행되더라도 단회상담이 많이 이루어집니다. 자신의 문제를 명확하게 인지하고 상담을 통해 스스로 해결방법을 생각해 내는 학생들이 많이 있습니다.

기숙 생활을 하는 학생들은 일과 후 시간에 연구 활동, 자습 활동, 학교 행사 활동을 많이 합니다. 그래서 야간에도 학교는 활기가 넘칩니다. 수업 시간에 상담하는 것을 부담스러워하기에 방과 후에 상담 진행을 많이 했고, 집단상담과 위클래스 행사 프로그램을 기획하고 운영하였습니다. 학교 특성상 많은 업무가 방과 후에 이루어져 퇴근이 늦을 수밖에 없었고요.

과학고 아이들에게는 위클래스의 심리적 문턱이 매우 높아요. 위클래스는 자신들처럼 공부 잘하는 학생들은 가는 곳이 아니라는 생각이 있는 것 같았습니다.

저는 위클래스를 심리적 문턱을 낮추고 편안하게 찾아올 수 있는 곳, 힐링 공간의 역할도 할 수 있도록 운영하였습니다. 기숙사에서 일주일 내내 생활하며 자신만의 공간이 전혀 없는 학생들에게 잠시라도 편안하게 여유를 가질 수 있는 공간을 제공하고 싶었어요. 그래서 간식과 차를 준비해 놓고 언제든지 찾아와 여유 있는 시간을 보낼 수 있도록 환경을 구성하였습니다.

제가 이러한 힐링 공간으로의 위클래스를 만들려고 노력한 것은 학생들이 위클래스 공간에 대한 긍정적 생각을 하고, 상담이 필요할 때 부담 없이 자연스럽게 상담실을 찾을 수 있도록 하기 위해서였습니다.

한편 이렇게 자율적인 위클래스 분위기를 유지할 수 있었던 것은 규칙을 잘 지키고 예의 있는 모습을 가지고 있는 학생들이 많았기에 가능했다고 생각합니다.

여러 학교의 위클래스 운영을 되돌아보니, 잘한 것도 많았지만 아쉬운 점도 많았습니다. 상담 사례가 많을 때는 여유 없이 자신을 몰아붙이며 상담하는 데에 급급했습니다. 사례연구 시간도 가지면서 효율적으로 운영했어야 하는데 그러지 못했던 점, 상담교사의 역할을 넘어서는 부당한 업무지시에 제대로 대응하지 못했던 점 등 아쉬운 부분도 많이 있습니다.

결국, 위클래스 운영과 상담은 학교와 학생의 특성이 가장 큰 영향을 미치고 여기에 상담교사의 성향이 첨가되어 학교마다 독특한 위클래스 운영이 이루어지는 것으로 생각됩니다. 상담교사에 따라 중요하게 생각하는 것이 다르고, 활용할 수 있는 상담기법도 다르고, 성격도 다르니까요.

여기서 중요한 것은 상담교사의 유연한 모습이라고 생각합니다. 심층 상담이 많이 이루어지는 학교에서 위클래스를 일반 학생들에게 너무 많이 개방한다면 상담이 필요한 학생들이 위클래스에서 밀리는 모습을 보일 수도 있습니다. 또한, 개인상담 사례가 적은 학교에서는 다양한 집단상담 프로그램을 진행하며 학생들에게 적합한 형태로 위클래스를 잘 이용할 수 있도록 도와야 할 것입니다.

선생님들이 학교에 1학기 정도 근무해 보면 학교의 특성을 조금씩 파악해 갈 수 있습니다.

학교와 학생의 특성을 파악했으면 여기에 상담교사가 좋아하는 것, 잘하는 것, 내가 할 수 있는 일, 할 수 없는 일 등을 조합해 가면서 나만의 위클래스를 운영하면 됩니다. 천천히 만들어가면 돼요. 교사는 한 학교에 몇 년 이상을 근무하니까 시행착오도 경험하며 천천히 조성해 나가면 됩니다.

- 초·중·고등학교 중 어느 곳에서 근무하고 싶으신가요? 그 이유는 무엇인가요?

그래도 비밀보장의 원칙은 지켜져야 한다.

매번 강조해도 부족해요

학교 상담에서는 비밀보장에 대한 어려움을 많이 겪습니다. 상담 원칙 중 비밀보장의 예외 사항을 제외하더라도 학생들은 미성년자이므로, 학부모의 요청이 있을 때와 교육 장면에서 필요하다고 판단되면 상담 내용을 공개할 수 있습니다.

그러나 이 부분에서도 누구에게, 어디까지 공개할 수 있는지는 상담교사의 판단에 크게 좌우됩니다. 재량이 많은 만큼 책임도 크겠죠.

교과교사들은 수업 중 아이들의 모습, 평소 자신이 느꼈던 아이들의 태도 등에 대해서 동료 교사들과 편안하게 이야기를 나눕니다. 하지만 상담교사는 아이들에 대해 언급할 때 언제나 조심스럽습니다. 상담을 통해 상담자와 내담자 관계를 맺은 학생들에 대해서는 당연한 것이고, 상담 관계를 맺지 않은 아이들에 대해서도 편안하게 느낀 점을 얘기하기가 어렵습니다. 아마도 상담자 교육을 많이 받은 이유일 것입니다.

교과교사들은 학생들과 치료적 상담 관계를 맺어본 적도 없고, 상담 내용에 대한 비밀보장에 대해서도 교육을 받은 적이 없기 때문인지, 학생과 개인적으로 나눈 이야기에 대해서도 다른 교사들과 자유롭게 이야기를 나누고 서로 조언도 구하는 모습을 볼 수 있습니다.

여기에서 우리와는 입장의 차이, 생각의 차이도 나타나는 것으로 보입니다.

담임교사의 의뢰로 상담을 하게 되거나, 학생이 상담을 했다는 것을 알게 되면, 대부분의 담임교사는 상담 내용에 대해 궁금해하며 상담교사에게 자세한 이야기를 듣기 바랍니다.

상담교사 입장에서는 담임교사에게 알려야 할 부분과 비밀을 지켜줘야 할 부분이 있기에 매우 조심스러운데 그들은 상담교사의 이러한 태도에 대해서 이해하지 못하는 모습을 보이기도 합니다. 상담교사가 조심스러운 모습을 보이면, 학생 상담이 필요해서 내가 의뢰했는데 왜 자세히 얘기해주지 않는가 하고 생각하는 거죠.

제가 초등학교에서 근무할 때입니다. 4학년 여학생을 상담한 적이 있었는데, 담임교사가 그 내용을 매우 궁금해했습니다. 저는 담임교사가 알아야 할 부분 중 아이의 눈높이에 맞춰 설명하고 동의를 구한 부분만 말씀드렸는데, 선생님께서 그 내용을 4학년 교무실에서 동학년 교사들에게 모두 공유한 것이었습니다.

아이 입장에서는 자신의 이야기를 상담교사와 담임교사만 알고 있는 것으로 생각했는데, 다른 반 선생님도 알고 있는 듯한 느낌을 받은 거죠. 그리고 상담할 때 저에게 조심스럽게 물어보았습니다. 다른 반 선생님들도 아시는 것 같다고요.

저는 정말 많이 놀랐고, 담임교사와 얘기할 때 비밀보장의 중요성을 언급했어야 했다는 걸 뒤늦게 깨달았습니다. 당연히 학생 상담 내용이니까 그러한 내용을 다른 반 교사에게 얘기할 거라고는 생각하지 못했던 거죠. '당연히 그럴 것이다'라는 생각을 가지고 안일하게 행동했던 제가 문제였던 겁니다.

우리는 상담자로서의 기본원칙, 윤리 등을 공부하며 상담 내용의 비밀보장에 대해 중요하게 생각하고 민감하게 다루지만 일반 교사들은 잘 모르는 것이 사실입니다.

생활지도가 점점 중요해지기에 교과교사들도 학생 상담에 관심이 많고 상담 관련 연수를 통해 공부도 합니다. 하지만 상담을 전공한 우리와는 마인드가 같을 수는 없겠지요.

▪ 담임교사에게 학생 상담 내용을 전달할 때, 당부해야 할 말은 무엇이 있을까요?

위 사건 이후로 저는 담임교사와 학생 상담 내용을 얘기할 때면 꼭 한 번씩 더 강조하며 얘기합니다. "선생님. 오늘 제가 말씀드린 내용은 선생님만 알고 계셔야 해요. OO가 선생님께 말씀드려도 된다고 한 내용이지만 상담 내용이니까요. 비밀보장에 대해서는 당연히 선생님도 잘 아시겠지만 그래도 상담교사 입장에서 조심스러워서 다시 한번 말씀드려요"

이렇게 말하면 대부분의 교사들은 '그럼요. 당연히 저만 알고 있어야죠'라면서 걱정하지 말라고 말합니다.

대부분이 비밀보장에 대해 잘 알고 있다고 하더라고 다시 한 번 더 강조하는 것은 꼭 필요하다고 생각해요. 만에 하나라도 비밀이 지켜지지 않을 때는 정말 난감한 일이 벌어질 수 있으니까요. 담임교사에게 이렇게 비밀보장에 대해 한번 강조하면 우리도 안심이 되고, 담임교사도 더 조심하게 되니까요.

상담 내용 비밀보장은 강조하고 또 강조해도 부족합니다.

'비밀보장의 원칙' 나는 잘 지키고 있나

저는 학기 초에 신입생들을 대상으로 상담에 대한 교육을 간략히 합니다. 상담의 정의, 기본원칙, 상담이 필요할 때에는 언제인지 등등의 내용으로 진행합니다. 또한, 상담의 기본원칙 7가지인 자기 결정의 원칙, 비밀보장의 원칙, 개별성의 원칙, 비판단적 태도의 원칙, 의도된 감정표현의 원칙, 수용의 원칙, 통제된 정서관여의 원칙을 설명하며, 그중 가장 중요하다고 생각하는 것이 무엇인지 질문하면 학생들 70% 이상이 비밀보장의 원칙이 가장 중요하다고 대답합니다.

학생들이 학교 상담을 꺼리는 가장 큰 이유는 자신의 비밀이 공개될 수도 있다는 두려움이라고 합니다.

비밀보장이라는 것이 학교상담을 하는 상담교사 입장에서는 어려울 때가 많습니다. 내담자가 미성년자라는 이유로 상담 내용을 부모가 알고자 할 때, 담임교사나 관리자가 알고자 할 때 어디까지 공개해야 하는지 경계가 참 어렵습니다.

반면 학생들은 자신이 말한 내용에 대한 완벽한 비밀보장을 원합니다. 자신의 이야기를 교사들이 알고 있다는 것을 인지한 순간 상담교사에게 배신감을 느끼고 상담 관계가 깨지기도 합니다. 그래서 상담 시작 전 '구조화'는 그 무엇보다 중요합니다. 특히 비밀보장에 대한 부분은 정확하게 설명해야 합니다.

- **학생의 눈높이에 맞춰 비밀 보장에 대한 설명 해볼까요?**

저는 상담 구조화 시 학생에게 비밀보장의 예외를 설명해주고 담임교사 의뢰로 상담이 진행된 경우에는 어디까지 전달해도 되는지를 물어봅니다.

"OO야. 오늘 선생님을 믿고 너의 얘기를 해준 거 정말 고마워. 담임선생님이 OO가 상담한 것을 아시니까 OO가 어떤 얘기를 했는지 물어볼 텐데…. 어느 선까지 얘기하는 것이 좋을까? 담임선생님 입장에서는 너의 어려움을 알아야 도움을 주실 수 있으니까 상담 내용을 알고 싶어하시거든"

보통 위와 같이 얘기하면, 학생들은 담임교사를 신뢰하는 경우에는 모두 얘기해도 된다고 대답합니다. 조금 민감하다고 생각하는 부분은 빼달라고도 말하고요.

특히 고학년 학생의 경우에는 비밀보장에 대해 예민하고, 상담교사가 그 부분을 정성껏 다뤄준다면 아이들은 존중받는다고 느낍니다. 아이들은 자신이 존중받는다고 느끼면, 상담교사를 신뢰하게 되고 존중하는 모습을 보입니다.

서로를 존중하는 분위기에서는 라포 형성, 자기 개방도 잘 되고 상담이 원활하게 진행되며 효과도 좋습니다.

이렇게 비밀보장이 중요함을 인식하고 있는 나는 실제 비밀보장을 잘하고 있는지 생각해보게 됩니다. 급박하게 상담이 진행되는 경우에는 상담 구조화도 제대로 하지 못하고 비밀보장에 대해서도 상담 전에 언급하지 못한 적도 있었고, 관리자나 담임교사가 상담 내용에 대해 물어보면 조심성 없이 말하기도 했어요.

학생들이 정말 중요하게 지켜줬으면 하는 비밀보장의 원칙을 나는 얼마나 잘 지키고 있는지 반성해 봅니다.

선생님들이 학교에서 상담을 하게 되면 비밀보장의 딜레마를 많이 경험할 것입니다. 이때 우선으로 고려할 것은 상담 윤리 원칙의 상위 기준이 '내담자의 복지'라는 것입니다. 학교에서 미성년자를 상담하는 우리들은 학생들의 이득이 최선임을 언제나 기억하여야 합니다. 이것을 큰 기준으로 생각하고 판단하고 행동한다면 큰 어려움은 없을 것이라고 생각합니다.

상담교사는 자신을 자주 돌아보는 것이 필요합니다. 학교생활이라는 것이 해마다 반복되는 업무를 처리하면서 자신이 하던 방식의 틀 안에서 일을 하게 되니까요.

한 발짝 뒤로 물러나 자신을 바라보는 시간을 갖는 것이 필요합니다. 학교라는 특수한 공간에서 미성년자인 학생들을 상대한다는 이유로 중요하게 다뤄야 하는 것들을 간과하고 있지는 않은지요.

상담교사로서 잘하고 있는지, 실수한 것은 없는지, 보완해야 하는 것이 무엇인지를 성찰한다면 학생들이 신뢰하고 스스로 자부심을 느끼는 상담교사가 될 것입니다.

지속적으로 상담 역량을 높여라

다양한 책을 읽어요

상담하면서 매번 느끼는 것이 있습니다.

인간 개개인은 독특하고 서로 다른 우주를 지닌 위대한 존재라는 것입니다. 내가 아는 지식과 경험으로 모두를 설명하기에는 그 정신세계는 미묘하고 다채롭습니다. 어린 학생들이지만 인간의 독특성과 유일성에 매번 놀라곤 하지요.

이러한 인간을 깊이 있게 만나는 상담자는 끊임없이 공부할 수밖에 없습니다. 공부할수록 나의 견문이 넓어지면서 내담자를 더 깊이 이해하고 공감하고 도와줄 수 있다는 것을 느끼기 때문이지요.

상담교사는 어느 교과보다 역량 증진을 위한 교육을 많이 받습니다. 교육청 주최 연수, 유관기관 주최 연수 참석과 개인적으로 필요하다고 생각하는 교육도 사비를 들여가며 공부를 하곤 합니다.

상담자로서 역량을 높이는 방법에는 여러 가지가 있을 거예요. 우리는 보통 수퍼비전이나 상담 연수를 떠올리곤 합니다. 그것들은 두말할 것 없이 중요하지요.

저는 역량을 높이는 방안으로 독서를 얘기하고 싶어요. 상담 전문 서적과 함께 심리학 관련 서적, 다양한 인문학 서적, 경제 관련 서적, 최근 베스트셀러 등등 다양한 책들은 모두 우리의 역량 증진에 도움이 된다고 생각해요.

내담자를 만나는 시간이 늘어나면서 그 어떤 책도 상담에 모두 도움이 된다는 것을 매번 느끼게 됩니다. 지속적인 독서의 중요성을 다시 한번 깨달으면서요.

오늘 상담하는 내담자에게 어제 책에서 접한 내용을 살짝 꺼내놓을 수도 있으며, 내 독서량에 비례하여 상담 내용이 더 풍부해지고 여러 길 중에 필요한 하나의 길을 찾을 수 있는 확률이 높아짐을 느낍니다. 미로를 헤매다가 새로운 방안을 찾기도 하고요.

얼마 전 만난 학생은 과거를 후회하는 마음이 너무나 커서 지금·여기에 집중하지 못하고 학생으로서의 과업을 수행하지 못하며 자신을 힘들게 하며 괴롭히고 있었습니다.

저는 우연히 명언집을 읽다가 상담 진행 중인 그 학생이 떠오르는 문구를 발견했습니다. 상담교사는 책을 읽으면서도 머릿속에는 내담자가 계속 존재하나 봅니다.

<과거로 돌아가서 시작을 바꿀 수는 없다. 하지만 지금부터 시작하여 미래의 결과를 바꿀 수는 있다 -C.S 루이스>

"선생님이 명언집을 보다가 너한테 보여주고 싶은 구절이 있어서 적어놨어. 한번 읽어줄까?" 상담 시간이 아닌 시간에도 상담교사가 자신을 생각하며 글을 적어놨다고 하니 뭔가 정성이 느껴졌는지 학생은 듣기보다는 제가 수첩에 메모한 것을 뚫어져라 보았습니다. 그리고는 천천히 고개를 끄덕였죠. 그 이후 그 아이의 행동에 작은 변화가 보였습니다. 책 한 구절로만 변화가 일어났다고만 보기는 어렵지만 여러 요인 중 하나였던 것은 틀림없었습니다.

효과적인 독서 방법 중 하나가 목적을 가지고 책을 읽는 것이라고 합니다. 상담 역량 증진을 위한 독서를 하겠다고 생각한다면, 그 목적을 놓치지 않고 다양한 책을 읽는 습관을 들여보세요. 꼭 전공 서적이 아니라 가볍고 쉽게 읽을 수 있는 책이어도 목적을 가지고 독서를 하면 됩니다.

최근에 저는 코로나와 관련해서 우리 사회의 변화 등에 관한 책들을 몇 권 읽었습니다. 이러한 책을 읽으면서도 내 머릿속에서는 변화된 사회에서 상담은 어느 방향으로 나아가야 하는지, 학생들과 어떻게 소통할 수 있을지 많은 생각을 하게 되었습니다. 아직 답은 찾지 못했지만 고민하고 생각하는 과정은 저도 성장하고 우리 학생들에게도 많은 도움을 될 수 있을 거라고 생각하면서요.

▪ 내 마음의 책을 적어보세요.

한편으론 저는 역량 강화를 위해 꾸준히 공부해야만 하는 이 직업이 고맙고 좋습니다. 직업적으로도 필요하면서 개인적으로 저 자신을 성장시킬 수 있으니까요. 성장을 위한 공부에 다양한 독서만큼 좋은 것이 있을까요?

오늘은 전문적학습공동체 모임 날입니다

아침 출근길이 가볍고 기분이 좋은 이유는 전문적학습공동체 모임이 있는 날이기 때문입니다. 오늘은 퇴근 후 전문적학습공동체 회원인 12명의 상담교사들을 만나 한 달 만에 얼굴 보고 얘기 나누고 공부를 하는 날입니다.

전문적학습공동체(이하 전학공)는 교사가 동료성을 기반으로 공동 연구, 공동 실천을 통한 동반성장과 집단지성의 전문성을 신장하는데 목적이 있습니다. 즉 뜻이 맞는 교사들이 자발적으로 공부 모임을 만들고 함께 공부하며 성장하고자 하는 것이지요.

대부분의 교육청에서는 교사들에게 전학공을 적극 장려하고 예산도 지원하고 있습니다.

전학공은 교내와 교간으로 구분되는데, 교육청과 학교에 따라 다르겠지만 제가 볼 때 교내보다는 교간형 전학공이 더 자발적으로 형성되고 실질적인 운영이 이루어지는 것으로 보입니다. 임용고시 준비할 때 교육학에서 전학공에 대해 공부할 때, 나도 꼭 합격하여 전학공을 해보고 싶다고 생각했던 기억이 납니다.

저는 8년 전부터 상담교사들과 교간형 전학공을 통해 함께 공부하고 있습니다. 학교에서 같은 교과가 없는 상담교사는 동료 상담교사를 만나는 것이 큰 위안이 됩니다. 전학공은 그러한 위로와 함께 소속감과 지적 욕구도 충족시키고 실질적인 도움도 제공하지요.

제가 소속된 전학공에서는 구성원이 원하는 연수를 듣고 독서 모임도 하고 상담 프로그램 개발을 하고 있어요. 그중에 제일 좋은 것은, 같은 업무를 하는 상담교사들을 만나서 얘기하고 토론하고 의견을 나누는 것입니다.

오늘 있었던 전학공의 일과를 이야기해 볼게요. 만나자마자 한 선생님이 학교에서 힘들었던 일에 대해 하소연하며 시작이 되었습니다. 아마도 여기서 얘기하려고 이야기를 꾹꾹 눌러놓은 것처럼 봇물 터지듯이요. 얘기하는 선생님은 경청과 공감을 통해 위안을 받고, 들어주는 선생님들은 모두 나의 이야기 같아서 자연스럽게 공감되고 치유되는 경험도 하게 됩니다. '나만 이런 일을 겪은 것이 아니구나. 나만 이런 생각이 들어 힘든 것이 아니었구나'라는 생각을 하면서요. 또한, 자신의 비슷한 상황을 얘기하며, 함께 생각해 보고 해결 방법도 같이 모색해 보곤 하지요. 그 과정에서 자연스럽게 집단상담과 동료 수퍼비전이 진행되기도 합니다.

이런 시간은 참 소중합니다. 우리에게 꼭 필요한 시간이라는 생각이 들면서요. 그 어떤 훌륭한 교수님의 강의보다 우리에게는 유익한 시간이라고 느껴집니다.

서로에게 위로의 시간을 가진 후 지난 시간 전학공에서 선정한 책에 대한 후기 나누기와 상담 관련 프로그램 만들기 회의를 시작합니다. 책 선정은 다양합니다. 주로 회원들이 원하는 책으로 상담 관련 책도 있고, 요즘 핫한 베스트셀러 책도 있습니다. 이전 주제에서 다뤘듯이 다양한 책 읽기는 상담 역량에 매우 도움이 되지요.

오늘 우리가 얘기 나눌 책은 <아몬드>입니다. 책에는 '알렉시티미아'라는 감정표현 불능증인 정서적 장애를 겪는 주인공 '윤재'와 그의 친구 '곤이'가 등장합니다. '윤재'는 흔치 않겠지만, '곤이'는 우리가 학교 상담 장면에서 종종 만나는 학생 중 하나입니다. 이런 학생들을 만났을 때 우리는 어땠는지, 다른 교사들은 어떤 모습을 보이는지 여러 이야기가 나왔습니다. 이야기를 하면서, 상담교사로서 보는 학생의 모습과 교과교사들이 보는 학생의 모습이 다를 수 있으며 그 모든 모습이 그 학생의 모습이라는 이야기와 상담에서 중요한 주제인 '감정'이라는 것에 대해 많은 얘기를 나누며 마무리가 되었습니다.

해마다 전학공 주제를 정하고 공부하는데 올해 전학공의 세부 목표는 '트라우마 심리교육 자료 만들기'입니다. 오늘은 어떤 식으로 프로그램을 만들지 의견을 교환하였습니다. 의견을 나누면서 다음 달 책은 트라우마 관련 도서로 선정하였습니다.

우리의 전학공 시간은 언제나 짧습니다. 오늘도 밤 9시를 훌쩍 넘긴 시간에 활동을 마무리하며 다음 달 모임 날짜를 정하고, 학교 업무로 참석 못 한 선생님에게 누가 내용을 전달할지 정하고 사진도 찍어 인증도 남기고, 마지막으로 어떤 연수를 함께 듣고 싶은지 생각해 오는 과제를 안고 헤어졌습니다. 그 어느 날보다 꽉 찬 하루를 보낸 느낌입니다.

여러분들도 꼭 뜻이 맞는 선생님들과 함께 공부 모임 갖기를 추천합니다. 교육청 지원으로 진행되는 전학공은 교육청에서 요구하는 몇 가지 과제를 의무적으로 해야 합니다. 그러한 이유로 사적인 공부 모임을 선호하는 분들도 있습니다.

저는 교육청에서 의무적으로 수행해야 하는 과제도 나름 준비하는 과정에서 배울 수 있는 것들이 많다고 생각해요. 더불어, 예산 지원과 공문을 통해 공적인 만남을 갖는 것 등 장점이 많고요. 어떤 형태로든 본인이 더 낫다고 생각하는 방법을 선택하면 됩니다.

심리학자 칼 융은 성격발달이란 자기를 실현하는 과정이라고 말합니다. 자기는 의식과 무의식을 포함한 전체 정신의 중심으로 태어날 때부터 존재하는 핵심 원형이지요. 인생 전반기에는 이러한 자기의 방향이 외부로 향하여, 보다 활동적이고 환경과의 상호작용이 활발한 시기입니다. 인생 후반기에는 자기가 다시 내부로 지향되어 자아는 다시 자기에 통합되면서 성격발달이 이루어진다고 말합니다.

임용에 합격하여 새로운 시작을 하시는 선생님들! 인생 전반기의 여러분들은 다양한 사람을 만나고 적극적인 외부 활동이 필요한 시기입니다. 이를 위한 방법 중 하나가 전학공이 될 수도 있을 것입니다. 같은 길을 가는 상담교사와 함께하는 공부모임에 참여하여 상담 역량뿐 아니라 자신의 인생도 성장시키기를 바랍니다.

▪ 전문적학습공동체를 한다면 어떤 주제로 어떤 활동을 하고 싶으신가요?

우리의 한계를 넘어서

학생들은 여러 모습을 가지고 있어요

학생들은 학교에서 다양한 모습을 보입니다.

교실에서 친구들과 함께 있을 때, 수업 중일 때, 선생님과 함께 있을 때의 모습 등 이러한 모습들이 비슷한 학생들도 있지만 많은 차이를 보이는 학생도 있습니다.

선생님 앞에서는 밝은 모습을 보이지만 또래와 있을 때는 거친 모습을 보이기도 하고 상담실에서는 한없이 약한 모습을 보이며 힘들다고 호소하기도 합니다. 교실에서는 밝고 씩씩한 모습을 보이는데 상담실에서는 학교생활이 힘들다고 호소하며 자퇴 의사를 보이기도 하고, 교실에서는 문제행동을 일삼으며 철없는 모습을 보이면서도 상담교사와 일대일로 대화할 때는 생각이 깊고 어른스러운 모습을 보이기도 합니다.

이렇게 다소 일관적이지 않고 다양한 모습을 보이게 되므로 관찰하는 교사마다 다른 이야기를 하게 됩니다. 상황에 따라 다른 모습의 학생들을 만나게 되면 담임교사뿐만 아니라 상담교사도 당황하게 되지요. 상담실에서는 이런 모습을 보이는 학생인데 다른 교사들은 전혀 다른 평을 하곤 하니까요.

내가 학생을 잘못 본 건가? 다른 교사들이 잘못 본 건가? 모두 제대로 본 것이 맞습니다. 밝고 씩씩하지만 그러한 모습을 유지하기 위해 끊임없이 노력하느라 너무 힘들어하는 학생도 있고, 생각이 깊고 어른스러운 모습도 있지만 교실 안에서 또래 집단 역동으로 인해 말썽꾸러기 모습을 보이기도 합니다.

교실에서 교사에게 반항적인 모습을 보이고, 반복적인 문제행동을 보여 담임교사로부터 상담 의뢰된 학생이 있었습니다.

상담 의뢰 시 담임교사로부터 학생에 대한 부정적 이야기를 많이 들어서 어느 정도 마음의 준비를 하고 학생을 만났습니다. 그런데 예상과는 다르게 조용하고 차분하며 자신의 얘기를 조곤조곤하는데, 이 학생이 담임교사가 말한 그 학생인가 싶을 정도였습니다. 자신의 잘못에 대해서도 인정하고 다음에는 그러한 행동을 하지 않도록 노력하겠다며 마음을 다잡는 모습을 볼 때 또래보다 철이 더 들었다는 생각이 들 정도였습니다.

상담을 마친 후, 그 학생의 부정적 행동에 대해 지도 방안 마련을 위하여 관련 교사들과 회의를 진행하게 되었습니다. 그런데 저를 제외한 모든 교사가 그 학생의 문제점을 신랄하게 이야기하고 있었습니다.

여러 선생님이 이야기하면서 '상담 선생님도 같은 생각이죠?' 라는 눈빛으로 동의를 구하듯 저를 바라보았을 때 그 자리에서 참 난감했던 기억이 있습니다. 교사들은 상담교사가 같은 의견 말해주기를 기다리는 것 같았습니다.

▪ **이런 상황에서 선생님들은 어떤 대답을 할 수 있을까요?**

사회심리학의 유명한 실험 중에 '동조 실험'이 있습니다. 사람들은 답이 명확한 상황에서도 오답을 말하는 사람들이 많을 때 자신의 의견을 주장하지 못하고 동조하는 모습을 보입니다. 거의 모든 사람이 그 상황에 있을 때 동조행동을 보입니다.

여러 사람이 같은 의견을 낼 때, 혼자서 다른 의견을 말하는 것은 매우 어렵습니다. 많은 교사가 학생의 부정적 모습과 문제 행동에 대해서만 이야기할 때, 내가 느낀 것은 다르다고 강하게 주장하기는 쉽지 않습니다. 더구나 초임 상담교사의 입장에서는 이러한 상황에서 자신의 의견을 정확하게 표현하기가 더 어렵겠지요.

이때 선생님들은, 학생들은 다양한 모습을 가지고 있고 모두 그 학생의 모습이라는 것을 기억하고 있으면 됩니다. 상담실에서 보인 긍정적 모습 또한 그 학생의 모습이고, 다른 선생님이 관찰한 학교에서의 부정적인 모습도 모두 그 학생의 모습입니다. 상담실에서 알게 된 모습이 전체라고 생각해도 안 되고, 잘못 본 것이라고 자신을 의심할 필요도 없습니다.

물론 우리는 상담실에서의 내담자 모습을 바탕으로 상담을 진행해야 합니다. 학생이 상담실에서 보인 모습은 그 모습으로 상담교사와 얘기하고 싶다고 표현한 것이니까요.

상담교사로서 관찰한 학생의 모습과 다른 교사들이 관찰한 모습이 다를 때, 어떻게 얘기해야 할지 모를 때는 이렇게 얘기해 주세요.

“선생님. B가 수업 시간에 교실에서 그런 모습을 보이는군요. 많이 힘드시겠네요. B가 상담실에서 일대일로 저와 얘기할 때는 조금 다른 모습을 보이기도 해요. 상담실에서 제가 본 B는 자신의 행동에 대해 반성하는 모습도 보였고요. 변화하려 노력하려는 모습도 보였어요. 상담실에서 이러한 모습을 보였다는 것을 저는 긍정적으로 생각해요. 제가 조금 더 B를 상담해 보면서 B의 강점과 자원을 더 찾아보겠습니다. 오늘 선생님과 얘기를 나눠보니 B의 교실에서의 모습도 알게 되어서 상담할 때 도움이 될 거 같아요. B가 스스로 변화의 필요성을 깨닫고 노력한다면 긍정적 변화가 나타날 것으로 생각합니다”

우리는 서로 배우는 교사입니다

한스 로슬링의 책 <팩트풀니스>에서는 세상을 사실대로 보지 못하는 인간의 10가지 본능 중 단일관점 본능을 설명하면서 그것을 극복하기 위해서는 내 생각과 맞지 않는 새로운 정보, 즉 다른 분야의 새로운 정보에 호기심을 가지라고 얘기합니다.

또한, 나와 생각이 같은 사람하고만 이야기하거나, 내 생각과 일치하는 사례만 수집하기보다 내게 반박하는 사람이나 나와 의견이 다른 사람을 만나고, 나와 다른 그들의 생각을 세상을 이해하는 훌륭한 자원으로 생각하라고 하였습니다.

세상에 대한 관점을 넓힐 수 있는 훌륭한 자원이 가득 찬 곳. 바로 학교입니다.

학교는 다양한 사람을 만날 수 있는 곳이지요. 학생부터 관리자까지, 또한 동료교사들은 해당 교과 분야의 전문지식을 가지고 있는 사람들입니다.

선생님들을 만나보면 교과별로 깊이 있는 지식을 가지고 있으며, 그 전문성을 가지고 세상을 바라보기에 같은 현상을 경험하여도 다르게 해석하는 경우가 많습니다.

인문과목 선생님들과 수학·과학 선생님들의 공통점도 느껴지고, 인문과목이어도 국어과와 영어과는 또 다른 모습을 보이기도 하지요. 거기에 개개인의 특성이 합쳐져 개성 있고 고유한 교사들의 모습을 관찰할 수 있습니다.

저는 학교에서 다양한 지식과 특성을 가진 선생님들을 만나면서 많은 것을 배웁니다. 제가 미처 생각하지 못했던 것을 얘기하는 경우를 접하다 보면, 저도 새로운 시각을 갖게 됩니다. '아 그렇게 생각할 수도 있는 거구나' 하면서요.

우리도 상담교사만의 독특성을 보일 거예요. 대화할 때 공감과 경청을 잘하고 리액션도 훌륭합니다. 반면에 상대방이 내담자가 아닌데도 자꾸 분석하려는 모습을 보이기도 해요. 어떤 이유로 저러한 행동을 보이는 건지 파악하고 싶어 하지요. 저의 개인적 특성으로는 주변 사람들의 행동에 민감한 편으로 다른 사람들은 느끼지 못하는 것들을 감지하고 느낌으로서 스스로를 피곤하게 하기도 합니다. 이해와 수용의 폭이 넓은 반면, 비판의식이 부족한 편입니다.

이러한 특성이 상담교사로서는 플러스되는 부분이 확실히 있다고 생각해요. 하지만 저의 부족한 부분에 대해서는 주변 교사들의 시각을 많이 참고하는 편입니다.

교과교사들의 얘기를 잘 들어보면, 제가 보지 못했던 부분, 전혀 인지하지 못한 부분에 대해서 알게 되는 경우도 있고, 그러한 과정을 통해 통찰이 이루어지기도 하고요.

저는 평소 논어의 '세 사람이 함께 길을 가면 그 가운데에는 반드시 나의 스승이 있게 마련이다. 나 외의 두 사람 중에서 좋은 점이 있다면 그것을 본받아 내가 쫓을 것이고, 좋지 못한 점이 있으면 그것을 거울삼아 스스로 자신의 잘못을 고칠 것이다'라는 구절을 좋아합니다.

어떤 사람이든 배울 점이 있다고 생각하며 상대방의 말이나 행동은 내가 성장하는 데에 도움이 된다고 생각합니다. 하물며, 한 교과의 전문가이고 경험이 많은 학교의 선생님들에게는 배울 점이 무궁무진하겠죠.

제가 상담교사의 일을 좋아하는 이유 중 하나는 끊임없이 새로운 배움이 필요한 직업이기 때문입니다. 이러한 과정에서 우리 삶은 정체되지 않고 발전한다고 생각하거든요.

우리의 뇌는 예측 가능한 것을 좋아합니다. 그래야 안전하고 편안하거든요. 하지만 안전하고 편안한 것만 추구한다면 변화하는 세상에 적응하며 살아가기가 어렵습니다.

우리는 나이를 먹으면서 만나는 사람, 입는 옷, 먹는 음식 등 비슷한 것만 찾으면서 안주하고 그에 따라 우리 삶의 진폭이 작아지고 비슷한 삶을 반복하게 됩니다.

반대로 나와 다른 시각과 생각을 갖은 교사들을 긍정적으로 참조한다면, 우리 삶의 진폭은 커지고 우리의 사고도 확장되고 세상에 대한 이해, 내담자에 대한 이해도가 높아지겠죠.

학교는 우리가 바라보는 시각에 따라 상담자의 역량을 높일 수 있는 훌륭한 공간입니다.

어떤가요? 이러한 학교에서 일한다는 것, 멋지지 않나요?

▪ 다양한 전문가가 모여있는 학교의 또 다른 장점은 무엇이 있을까요?

교과는 달라도 우리는 동료교사(동료교사와 잘 지내기)

어떻게 대답해야 할까~

점심시간 학교 급식은 영양 만점에 맛도 정말 좋습니다.

또한, 위클래스에서 혼자 생활하는 상담교사가 학교 선생님들을 자연스럽게 만날 수 있는 시간이지요.

옆자리에서 같이 식사하던 고등학교 1학년 담임교사가 학교 적응에 어려움이 있는 학생에 대해 이야기를 합니다. 학생 지도에 어려움이 있다면서 힘듦을 호소하다가 갑자기 저에게 묻습니다. "상담선생님. 학생이 이런 행동을 하는 이유가 뭔가요?" 갑자기 학생의 문제행동 원인이 무엇이냐고 묻는데 순간 당황하였습니다. 당황하는 마음과 동시에 상담교사로서 전문가적인 답변을 해주고 싶은 마음도 듭니다.

▪ **이런 상황에서는 어떻게 대답해야 할까요?**

이런 상황에서는 어설픈 답을 주기보다는 살짝 미소를 지으며 "글쎄요. 학생을 만나보고 얘기를 들어봐야 알 수 있을 거 같아요" 정도로 대답해야 합니다. 질문한 선생님에게 학생 문제행동의 원인과 해결 방안 등을 지금 당장 우리가 줄 수는 없습니다.

교사들은 학생의 문제행동에 대해서 여러 추측을 해보고 답답한 마음에 상담교사에게 질문하죠. 상담교사는 그 답을 알고 있을지도 모른다고 생각하고요. 하지만 우리 상담교사가 만나보지도 않은 학생에 대해 급식 시간에 담임교사가 잠깐 얘기한 내용으로 정확히 파악할 수는 없습니다.

인간은 복잡 미묘한 존재로 10회 이상 상담을 하면서도 매회기마다 내담자의 새로운 면을 발견하고 놀라곤 합니다. 인간은 그런 존재입니다.

우리는 이러한 사실을 알면서도 상담전문가로서 인정받고 싶은 욕구가 불쑥 솟아나며 주지리주지리 얘기할 때가 있습니다. 그리고 후회를 하지요. '아, 내가 쓸데없는 얘기를 했구나. 만나보지도 않은 아이에 대해 내가 정확히 알고 있는 것이 하나도 없으면서 아는 척을 했구나' 하면서요.

교과교사들은 '상담교사는 척하면 척 학생들에 대해 알 수 있지 않을까'라는 생각을 하곤 합니다. 그러나 상담교사가 학생을 만나보고 얘기를 들어봐야 알 수 있다고 얘기하면 대부분 바로 수긍하죠. "그렇죠. 아이를 상담해 보셔야 아는 거죠?"라고 말합니다.

여러분도 학교에서 교사들로부터 단편적인 얘기만 듣고 만나보지도 않은 학생에 대해서 질문을 받을 때가 있을 것입니다. 그때 전문가로서 멋지고 훌륭한 대답을 하고 싶은 욕구가 마구마구 올라오더라도 한 박자 쉬고 천천히 적절한 대답을 해야 합니다.

"C 때문에 선생님 고생이 많으시네요. 글쎄요. 지금 잠깐 들은 내용으로는 뭐라 말씀드리기가 어렵네요. 사람의 행동은 복합적인 원인으로 나타나는 것이기에 C를 만나봐야 알 수 있을 거 같아요. 혹시 상담이 필요한 학생이라는 생각이 든다면 언제든지 편하게 이야기해 주세요. 제가 한번 만나볼게요." 저라면 이렇게 말해주겠어요.

상담교사가 너무 예민하다고요?

오늘 한 학생을 상담했습니다. 학업과 교우관계 등 학교생활을 매우 힘들어하며 자살 생각도 하는 학생이었어요.

상담 중에 자살 생각을 하는 학생을 만나게 되면 겉으로는 담담히 얘기를 나누지만, 상담이 끝나면 많이 바빠집니다. 담임교사와 의논하고 관리자에게 보고하고 사안에 따라 위기관리위원회를 개최하기도 하지요

이번 사안은 구체적인 자살 계획도 가지고 있는 등 심각한 사안으로 담임교사 및 관리자와 협의, 학부모 상담과 더불어 위기관리위원회도 열어야 할 상황으로 판단되었습니다.

그런데 이러한 상황에서 협업이 가장 잘 이루어져야 할 담임교사의 태도가 협조적이지 않았습니다. 담임교사는 학생들 중에 자살 얘기를 쉽게 하는 아이들도 많으며 그 학생은 학급에서 활발하게 잘 지내고 있는 아이라고 얘기하는데, 은연중에 상담교사가 너무 예민하게 반응한다는 식으로 얘기를 하는 것이었어요.

담임교사가 이러한 반응을 보이면 위기관리위원회 개최, 회의를 위한 학부모 방문 요청, 학생 긴급상담 등 담임교사와 긴밀하게 진행되어야 할 일들이 원활하게 진행되기가 어렵죠. 매우 난감한 상황입니다. 저의 경우 다행히 관리자가 위기상황으로 판단하고 적극적인 업무 처리를 지시하여 나머지 일처리 및 학생과 학부모 상담 등이 원활하게 진행되게 되었습니다.

이러한 위기 상황이 발생했을 때, 상담교사의 민감한 반응과 재빠른 대처에 놀라면서 든든해하는 교사들도 있고, 의아해하는 교사들도 있고, 반대의견을 제시하는 교사들도 있습니다. 물론 적극적으로 협력하는 교사들이 훨씬 많은 것이 사실이고요.

하지만 비협조적인 담임교사를 만나게 되면 매우 난감합니다. 최대한 빨리 학교 전체가 위기학생을 도와야 하는 상황에 교사들 사이에 이견이 발생하게 되면 상담교사 입장에서 매우 답답하지요.

학생이 자발적으로 상담실에 찾아와 힘들다고 호소하는 것은 지금 나 좀 도와달라는 외침입니다. 큰 용기를 낸 것이지요. 어른들이 볼 때는 융통성 있게 해결할 수 있는 문제를 학생 입장에서는 도저히 방법이 없다고 생각하고 절망에 빠지고 자살 생각까지 하기도 하니까요.

이런 학생을 만나게 되면 상담교사 혼자가 아닌, 학교 전체가 이 학생을 위해 노력해야 합니다. 학교의 노력 중에 학부모를 소환하여 적극적으로 개입하도록 돕는 것도 포함되고요.

물론 학교에는 다양한 교사들이 있으며, 교사마다 각기 다른 관점에서 학생을 바라볼 수도 있고 그에 따라 의견을 달리할 수도 있습니다. 그러나 긴급한 상황일 때 교사들이 사안을 대수롭지 않게 생각하고 다른 의견을 제시한다면 상담교사는 참 힘이 듭니다. 위기 사안은 신속한 개입이 중요한데 말이죠.

위기 학생 발생 시에는 위기관리 위원들이 모여 <위기관리위원회>를 개최합니다. 위기관리위원회는 위기 사안에 학교가 적극적으로 개입하여 해결을 도모하는 것에 목적을 두고 있습니다.

학생 입장에서는 자신을 위해 선생님과 부모님이 적극적으로 도와준다는 것을 느끼게 되면서 혼자가 아니라는 생각을 하게 될 수 있고, 실질적인 도움으로 문제를 해결해주기도 합니다. 또한, 위클래스에서는 학생 및 학부모 상담을 통해 현재 닥친 어려움을 헤쳐나갈 힘을 갖게 도와줄 수도 있고요.

위기 학생을 위해 상담교사 혼자 동분서주하는 것이 아닌, 학교 전체가 움직이는 것이 위기관리위원회에서 결정하고 진행되는 것들입니다.

이때 상담교사, 담임교사, 교과교사, 관리자의 도움과 협업은 매우 중요하기에 교사들은 함께 얘기를 나누면서 어떤 방법으로 위기 학생을 도울 수 있을까 고민해야 합니다.

학교의 적극적인 대처 이후 학생이 긍정적 변화를 보이고 큰 문제가 발생하지 않았다면 우리는 상담교사의 역할을 충분히 해낸 것입니다.

그러나 이렇게 얘기하는 교사도 있습니다 “봐라, 별 문제 없지 않았냐” 하면서요. 하지만 그 교사는 중요한 사실을 모르는 것입니다. 더 문제가 발생하지 않은 것은 학교의 적극적이고 빠른 대처로 발생할 수 있는 더 큰 문제를 예방했다는 것을요. 사후 업무 처리보다 예방을 통해 문제를 미연에 방지하는 것이 중요한 것이지요.

상담교사가 너무 예민하게 대처한다고 말하는 교사가 있다면 이렇게 말해주세요. 상담교사는 원래 민감한 사람이라고요. 민감성을 발휘해 내담자의 어려움을 빨리 인지하고 도움을 제공해야 하기에, 민감성은 상담교사가 꼭 가져야 할 중요한 자질이라고요.

▪ 위기 사안 발생 시 우리는 무엇부터 해야 할까요?

상담교사라는 이미지는 뭘까요?

칼 융은 '집단무의식'의 개념을 설명하면서 사회적 역할인 페르소나에 대해 얘기하고 있습니다.

페르소나는 공적·외적 인격으로 사회에서 가정하는 자신의 역할입니다. 페르소나와 내면의 자기가 너무 불일치하면 표리부동한 이중적인 성격으로 사회 적응이 곤란하고, 페르소나와 지나친 동일시에는 내적 인격이 도외시되고 우울해질 수 있다고 하였습니다.

교사들에게는 교사병이 있다고 하지요. 학생들은 진지충, 설명충이라며 교사를 비하해서 말하기도 합니다. 우리에게도 상담교사병이 있을까요? 제 생각에 상담교사병은 내담자가 아닌데도 자꾸 분석하려는 모습을 보이는 것이겠지요. 어떤 이유로 저러한 행동을 보이는 건지 파악하고 싶어 하지요.

상담교사의 페르소나는 상담 시간에만 보이는 것이 아니라 학교라는 공간에 있을 때 단단히 장착하고 있다는 생각이 듭니다. 또한, 발령 초기에 더 강한 모습을 보일 수 있습니다.

편안한 미소를 지으며 감정에 휘둘리는 일 없고 누군가와 다투는 일도 없이 거의 해탈의 경지에 이른 모습이지요. 이런 좋은 이미지로 다른 사람들이 나에 대해 생각하고 있다는 것은 매우 흐뭇한 일입니다.

하지만 이런 상담교사가 있을 수도 있겠지만, 우리도 희로애락에 영향을 받는 감정의 소용돌이에서 한없이 약해지기도 하는 사람들입니다.

저는 가끔 상담교사 페르소나로 힘들어질 때가 있습니다. 업무상 큰소리를 내야 할 때도 있고 개인적인 일로 우울할 때도 있는데, 상담교사 페르소나 뒤에서 나의 모습을 표현하지 못하고 꾹꾹 눌러 놓을 때가 있기 때문입니다.

우리는 스스로 페르소나에 영향을 받는 경우도 있지만, 주변 사람들. 특히 동료 교사들이 상담교사 페르소나로 우리를 보려 하고 우리의 내적 인격을 안 보려 하는 경우도 많습니다.

우리도 힘들고 화나고 짜증 나는 것들이 있을 때 동료교사와 나누고 싶은데 동료교사들이 우리를 페르소나로만 대할 때는 나 자신을 내보이기가 쉽지 않죠.

융이 말한 내적 인격이 도외시되는 경우가 이런 때가 아닐까 싶어요. 학교에서 우리의 내적 인격이 배제되고 페르소나로만 소통하니 함께 일하는 동료지만 편하지 않을 때가 있습니다.

반면, 동료 상담교사를 만나게 되면 페르소나를 벗어던지며 인간 대 인간으로 소통을 하니 솔직해지고 편안해집니다. 학교 안에서는 상담교사라는 이미지 때문에 조심스러워서 하지 못했던 이야기도 쉽게 하면서 공감도 받을 수 있으니까요.

또한, 상담교사 페르소나를 다 벗어던지고 온전히 내 모습을 보이며 진솔한 대화를 나누게 되니 인간적으로 가까워짐을 느낍니다. 진정한 내면의 나를 드러내고 만나니 당연한 결과겠지요.

선생님들도 학교에서 자의든 타의든 상담교사의 역할 때문에 자유롭지 않을 수 있을 거예요.

우리는 어떻게 해야 할까요?

상담교사 페르소나로 동료교사와 관계를 맺기 시작하지만 조금씩 진정한 나를 보여주는 것도 필요합니다. 우리는 학교에서 일을 하기도 하지만 동료교사들과 긍정적 관계를 맺어가면서 생활해야 하니까요. 긍정적 관계를 맺는 것은 적절한 자기 개방과 진솔한 자신의 모습을 보여주는 것에서 시작합니다.

학교에서 상담교사 페르소나로만 교류하지 않고 자신의 솔직한 모습과 적절한 자기 개방을 시도해 보세요. 솔직한 자신의 모습을 먼저 드러낼 때 관계가 진전되는 것을 경험할 수 있을 거예요.

학교라는 직장에서 일만 하면 되지 무슨 관계 맺는 것까지 신경 써야 하나 생각할 수도 있습니다. 하지만 우리도 학생들에게 학교는 공부하는 곳이니까 공부만 하면 된다고 하지 않죠. 친구들과 잘 지내기를 바라죠.

우리는 성인이라 학생들과 조금 다를 수도 있겠지만 결국 우리 모두 사회적 존재인 인간입니다.

▪ 왜 우리는 상담교사 페르소나를 강하게 유지하려는 걸까요?

학교는 우리가 하는 일을 잘 몰라요.

위(Wee)클래스에서 혼자 무엇을 하는지 모르겠다고요?

어제는 시교육청 위센터에서 진행하는 상담교사 전문성 증진 연수에 다녀왔습니다. 연수 내용은 매우 유익했지만, 지금까지 제 머릿속을 지배하는 생각은 연수 내용이 아닌 위센터 실장님의 말씀입니다.

위센터 실장님은 같은 상담교사이지만 교육청 위센터로 발령을 받아 실장의 보직을 맡고 근무하시는 분입니다.

실장님 말씀은 교장 연수 때 몇몇 교장선생님이 '상담교사는 위클래스에서 혼자 뭘 하는지 잘 모르겠다'라는 이야기를 했다고 합니다. 실장님은 이러한 내용을 전달하면서, 업무 시 관리자에게 보고도 잘하고 일하는 티를 팍팍 내야 우리가 얼마나 힘들게 일하는지 알 수 있지, 조용히 일만 하면 아무도 우리가 무슨 일을 하는지 모른다고 하셨습니다.

▪ 위와 같은 얘기를 들었을 때 선생님은 어떤 감정이 드나요?

때때로 상담교사의 업무 특성을 고려하지 않는 얘기를 듣게 되면 씁쓸한 기분에 심란하기도 합니다. 그리고 여러 생각이 들지요. '내가 얼마나 많은 일을 하는지 적극적으로 알려야 하나?'라는 생각을 하다가도 '꼭 내가 하는 일을 알려야 할 필요가 있을까?' '누가 알아주든 말든 나는 나의 일을 열심히 하면 되는 거 아냐?' 이런 생각 저런 생각들. 생각이 많아집니다.

어제 열강하시던 교수님의 강의 내용보다 위센터 실장님의 말씀이 더 기억에 남는 것은 무엇 때문일까요? 아마도 평소 제가 고민했던 부분이라서 그럴 거예요.

교사들의 업무는 매우 독립적입니다. 수업과 학생지도는 누구의 간섭을 받지 않고 자신만의 방식으로 진행되지요. 이렇게 독립적인 일을 하다 보니 서로 무슨 일을 얼마나 많이 하는지 잘 모릅니다.

특히 비교과 교사로서 수업을 하지 않고 단독실을 사용하는 상담교사의 업무는 더 알 길이 없겠죠. 하루에 상담을 몇 건이나 하는지, 행정 업무를 얼마나 하고 있는지 잘 모릅니다. 더구나 상담이라는 것이 공개적으로 누구한테 얘기할 수 없는 업무이고, 특별한 사안이 아닌 이상 관리자에게 보고하지도 않습니다.

그래서 관리자에 따라 단독실을 사용하는 상담교사가 한가하게 여겨지고, 무슨 일을 하는지 모르겠다는 이야기를 하기도 하는 것 같습니다.

또한, 상담의 기본원칙인 비밀보장의 원칙을 지켜야 하는 상담교사는 자신의 업무에 대해 교내 어떤 교사와 의논하기도 어렵고, 이러저러한 상담으로 힘들다는 하소연은 더더욱 쉽지 않습니다. 상담교사는 자신의 말 한마디 한마디를 조심해야 하는 입장이니까요.

사람들은 모두 독특한 성향을 가지고 있죠. 자신이 한 일을 잘 알리는 사람들도 있고, 일을 잘 처리하고도 표현하지 않는 사람들도 있어요.

저는 일을 잘하고도 남들에게 알리지 못하는 사람으로, 자기홍보가 필수인 현대사회에 동떨어진 사람입니다. 나의 일을 내가 처리했을 뿐인데 그걸 누구에게 자랑하듯이 말하는 것도 낯부끄럽게 느껴집니다.

하지만 무엇이 정답이라고 하긴 어려울 것 같아요. 사람들은 각기 다른 성향을 가지고 있으니까요. 저는 자신이 한 일을 적당히 알리고 표현하는 사람이 부러울 때가 많아요. 그러려고 노력해 본 적도 있는데 잘 안되더라고요. 제 성향상 쉽지 않은 행동이니까요.

그래서 이렇게 합리화했어요. '누가 알아줘서 일을 하나. 내 일이니까 열심히 하는 거지, 열심히 하면 언젠가는 인정받을 거야' 라고요. 아이코. 저의 인정욕구가 드러나는군요.

이놈의 인정욕구!

매슬로는 인간의 5가지 욕구 중 최상위 욕구는 자아실현의 욕구라고 얘기하였습니다. 자아실현의 욕구는 자신을 계속 성장하도록 하고, 가지고 있는 잠재력을 최대한 발휘하고자 하는 강한 내적 동기입니다. 저는 언제쯤 자아존중의 욕구를 넘어 자아실현의 욕구를 추구하는 수준에 다다를까요.

그렇다면 이런 고민을 상담교사만 하는 걸까요?

예전에 담임교사들과 얘기를 하다가 그들도 우리와 비슷한 고민을 한다고 느낀 적이 있어요. 담임교사들은 수업 이외에도 반 아이들을 지도하는 데에 노력을 많이 기울입니다. 하지만 그 노력은 교사들에 따라 다양하게 나타나지요. 열심히 노력하는 교사 중에도 적극적으로 자신이 한 일과 성과, 힘든 점 등을 얘기하는 교사와 묵묵히 조용하게 학생을 지도하는 담임교사가 있습니다.

한 담임교사는 반 학생 중 누구 때문에 많이 힘들고 그 학생을 위해 내가 어떤 노력을 기울였다고 적극적으로 얘기하고 알립니다. 그러면 많은 교사가 알아채죠. 많이 힘들었고 이러저러한 노력을 기울였구나 하면서요. 하지만 표현하지 않지만 조용히 반 학생들을 지도하면서 고생한 담임교사의 노력은 다른 교사들이 잘 모른다는 것입니다. 언젠가는 알겠지만 사실 당장은 잘 모르는 게 사실입니다.

적극적으로 알려야 할까요? 묵묵히 내 할 일을 할까요? 그때도 결론을 내지 못했던 것 같아요. 같이 고민했던 담임교사들은 자신이 맡은 업무를 열심히 하지만 성향상 적극적으로 자신의 성과를 알리거나 하지 않았던 분들이었거든요.

모두가 이런 고민은 합니다. 나만의 고민, 상담교사만의 고민이라고 생각하지 마세요.

저는 자신이 한 일을 잘 알리지는 못하지만, 관리자에게 보고할 일이 있을 때는 적극적으로 행동하려 노력하고 있습니다. 관리자에게 보고하는 것은 낯부끄러운 일이 아니라 업무상 꼭 필요하기 때문입니다. 보고할 일을 하지 않아서 문제가 되는 일은 있어도 보고해서 문제 되는 일은 별로 없습니다.

선생님들도 일하면서 자신이 한 일을 어느 정도 알리는 것을 추천합니다. 물론 상담교사로서 윤리 규정을 준수하면서요. 하지만 성격상 어려운 분들도 자신을 자책하지는 마세요. 그리고 자신에게 말하세요. '나는 인정욕구보다 상위 욕구인 자아실현의 욕구를 더 추구하는 사람이야. 누가 알아주기보다 내가 가지고 있는 잠재력을 최대한 발휘하여 학생들을 돕기 위해 노력하는 사람이라고'

저는 이런 생각들이 상담교사뿐만 아니라 궁극적으로 인간이라면 누구나 하는 고민이자, 자아실현의 방법을 찾는 과정이라고 생각합니다.

상담에 대해 이해하는 듯, 이해 못 하는 듯

얼마 전 한 초등학교 교사가 학교에서 자살한 사안이 발생한 후 언론에서는 이 문제의 배경에는 교권 추락, 학부모의 갑질, 관리자의 무책임한 대처로 인한 일선 교사들의 어려움 등이 있다고 얘기하고 있습니다.

학생의 문제행동으로 교실 수업이 어려워진 상황이나 학부모의 말도 안 되는 민원에도 관리자들은 문제를 해결하거나 책임지려는 노력보다는 문제를 덮으려고만 하고 담임교사에게 모든 책임을 전가하는 모습 등이 속속 드러나고 있기 때문입니다.

이번에는 관리자 이야기를 하고자 합니다. 선생님들이 학교에서 근무하게 되면 다양한 관리자들을 만나게 됩니다. 우리가 만나는 학생들은 특별한 관심이 필요한 학생들이고 이러한 학생들을 만나면서 문제가 발생했을 때 관리자를 대면하게 됩니다. 요즘에는 개별 학교의 권한이 커지고 학교장의 재량에 따라 같은 업무라도 학교마다 다르게 업무 분장이 이루어지는 경우도 많습니다.

예전에는 교육청의 메뉴얼 그대로 따르는 경우가 많았다면 최근에는 공문에도 '학교의 상황에 따라 자율적으로 결정해서 처리하라'라는 취지의 문구가 명시되어 있습니다. 그만큼 단위 학교의 권한 즉, 관리자의 권한이 커졌다고 볼 수 있습니다.

많은 경험과 상황 파악 능력이 뛰어난 관리자를 만나면 어려운 문제에 부딪히게 되어도 관리자와 의논하고 조언을 얻으면서 문제를 해결할 수 있습니다. 이런 관리자와 일한다는 것은 상담교사 입장에서 큰 행운입니다.

동교과 교사가 없는 상담교사는 함께 어려움을 논의할 동료교사가 없습니다. 학생부나 인성부 등 행정부서에 소속되어 있기는 하지만 업무 자체가 워낙 전문적이고 독립적이기에 소속 부장교사와 논의하는 것에도 한계가 많습니다.

혼자 해결하기 어려운 일이 발생했을 때는 직접 관리자를 찾아가 의논하고 결정해야 합니다. 선생님들은 한 학교에서 근무하는 동안에도 몇 분의 관리자를 만날 거예요.

상담 공부를 하여 상담에 대한 이해도가 깊은 관리자, 상담에 대한 중요성을 인정하지 않는 관리자, 장학사 출신으로 행정 업무에 능력 있는 관리자, 본인도 잘 몰라서 상담교사에게 매번 의견을 묻고 결정하기를 바라는 관리자 등 정말 다양한 관리자를 만나게 될 것입니다.

관리자의 행동 성향도 다릅니다. DISC 유형별로 보면, 결단력과 추진력, 목표 의식이 뚜렷한 주도형 관리자(D), 설득력, 유연성, 상상력이 뛰어난 사교형 관리자(I), 정확하고 원칙적이며 체계적인 신중형 관리자(C), 인내심과 끈기, 성실함을 갖춘 안정형 관리자(S)로 구분해 볼 수 있겠지요. 이처럼 관리자의 행동에도 다양한 유형이 있습니다.

관리자와의 관계가 중요한 이유는 관리자와 원활한 소통이 이루어져야 상담교사로서 역할을 수월하게 행할 수 있고, 학생들에게 더 많은 도움을 제공할 수 있기 때문입니다. 어떤 일을 추진하려고 할 때 자꾸 딴지를 건다거나, 상담 관련 업무가 아닌 일을 배정한다거나, 예산을 터무니없이 적게 배정한다면 우리 고유 업무에 많은 지장을 주고, 쉽게 해결할 수 있는 일도 어렵게 진행이 될 테니 당연히 정신적 소진도 빨리 오겠죠.

관리자와의 원활한 소통이 이루어지기 위해서는 위클래스의 상담 활동에 대한 관리자의 이해도가 중요합니다. 요즘 관리자들은 상담 연수를 많이 받기도 하고 상담심리 전공으로 석사, 박사학위까지 취득한 분들도 있고, 최근에는 아이들의 정서·인성 문제의 어려움이 대두되는 상황이어서 상담에 대한 중요성을 관리자들도 많이 인지하고 있습니다.

그러나 상담 관련 이론을 많이 아는 것과 상담 업무에 대한 이해도가 높은 것과는 다른 문제이지요.

저는 상담 관련 박사 과정까지 공부하셨다는 관리자를 만난 적 있었습니다. 제가 하는 일에 자꾸 아는 척을 하고 개입하거나, 자신의 방식으로 상담 과정을 이끌어 가려고 조언하고 지시하는 모습에 더 힘들었던 기억이 있습니다.

다른 경우로는, 교육청에서 장학관까지 지낸 관리자는 상담 업무를 행정적으로만 개입하거나 성과 위주로 접근하는 것이 아닐지 걱정했는데 오히려 상담에 대한 이해도가 높고 학생 정서·인성교육에 관심이 많아서 업무에 도움이 되었던 경험도 있습니다.

중요한 것은 어떤 관리자 유형이든, 우리가 어떤 성향의 관리자를 선호하든 관리자와 관계가 매우 중요하다는 것입니다.

어떻게 하면 관리자와 긍정적 관계를 맺을 수 있을까요? 계속 강조하는 얘기로, 자주 업무 보고를 하고 어려운 일을 의논하고 조언을 구하세요. 어렵지만 가장 효과적이라 생각하기에 노력하셔야 합니다. 관리자에게 자주 조언을 구하는 것은 신규 선생님들의 특권일 수 있습니다. 열심히 일하고자 하는 모습이 예쁘기만 할 거예요.

그리고 관리자를 너무 어려워하며 거리를 두지 마세요. 관리자의 위치에 있으면 다들 외로워요. 많은 교사가 관리자를 대할 때 격식을 차리며 어려워하고 거리를 두는 것이 사실이니까요. 우리와 마찬가지로 그분들도 단독실에서 혼자 업무를 보는 외로운 사람들입니다. 복도에 지나가다 마주치면 피하지 말고 웃으며 인사해 주세요.

업무를 떠나 인간 대 인간으로 동료와 좋은 관계를 맺는 것, 너무 좋죠. 그런 긍정적 관계를 관리자와 맺는 것, 쉽지 않겠지만 도전해 볼 만합니다.

인생은 도전의 연속이니까요.

▪ 관리자와 긍정적 관계를 맺는 팁을 생각해 볼까요?

누가 학교 상담실을 찾는가

이은지

내 사무실인가?
아이들의 놀이터인가?

나만의 사무실이라고 생각한다면

나만의 사무실. 나만 쓰는 나만의 공간이 있다는 것은 상담교사의 축복 중 하나입니다. 그래서 그런지 종종 부러움 섞인 말을 듣습니다. 단독 사무실을 가지고 있고, 학교를 옮기기 전까지 해마다 교무실을 옮기지 않아도 되고, 마음대로 업무 공간을 꾸밀 수 있으니 얼마나 행복하냐고. 저절로 고개가 끄덕여지는 말입니다. 그렇다면 이 행운을 어떻게 활용할지 알아야겠죠?

상담실은 상담을 잘할 수 있도록 구성된 공간이지만 제 업무 공간이기도 하기에 제가 좋아하는 공간으로 꾸미는 게 필요하다고 생각합니다. 직장인에게 출근은 당연히 좋을 수만은 없죠. 그런데 사무실이 내가 좋아하는 것들로 가득 차 있다면? 출근의 고됨이 조금은 나아지지 않을까 싶습니다.

저는 운 좋게도 첫 발령지가 정말 쾌적한 위센터였어요. 위센터의 일이 힘들지 않았다면 거짓말이지만 위센터 업무 공간의 모습 덕분에 출근길이 덜 힘들었던 것은 사실입니다. 첫 발령지에서 근무하면서 업무 공간 모습의 중요성을 깨닫고 위클래스 또한 편안하고 쾌적하게 만들어 보자고 다짐했죠.

저처럼 상담실 공간의 중요성을 느낀다면 발령 전 고민해보는 것이 좋아요. 막상 학교에 발령받고 위클래스에 와보니 생각만큼 만드는 것이 쉽지 않다는 것을 깨달았기 때문이에요. 이미 쾌적한 곳에서 근무했기 때문에 위클래스를 잘 만들 수 있을 것이라고 생각했는데 학생도 좋아하고, 저도 좋아하는 공간을 만드는 게 쉽지만은 않은 일이었어요. 아마 제가 인테리어 능력이 부족한 탓도 있겠죠. 한꺼번에 새롭게 구축하는 것이 아닌 이상 어떤 것을 바꿔야 내가 원하는 공간으로 바뀔 수 있을지 상상하는 것이 어려웠어요. 그 때 생각했죠. 원래 쾌적한 위클래스가 있는 학교로 발령 받아야 겠구나! 물론 신규 교사의 경우 첫 발령지를 선택할 수 없기 때문에 아쉽게도 해당 사항이 없습니다.

쾌적한 위클래스란 어떤 것일까요? 각자 기준이 다를 거예요. 각자 기준을 찾아봅시다. 제 경우를 예로 들어볼게요. 저는 채광이 중요해요. 햇빛이 잘 들어오는 남향에 창문으로 하늘을 보는 것을 좋아하죠. 창가에는 학생들과 함께 상담실을 기분 좋게 만들어주는 식물들을 잔뜩 키워야하기 때문에 채광은 저에게 중요한 요소입니다. 그러려면 1층보다는 3층 정도가 좋겠어요. 상담실의 모양은 개인상담실 외에는 집단상담실과 사무실이 분리된 곳보다는 통으로 넓은 모습이 좋아요. 좁은 곳에서 일하면 답답하다는 느낌이 강하더라고요.

개인마다 원하는 것이 다를 거예요. 채광보다 계단을 이용하지 않는 1층이 좋은 선생님도 있을거예요. 그리고 집단상담실과 업무공간이 분리된 곳을 좋아하는 선생님도 있죠. 집단상담실이 따로 있으면 점심시간에 학생들이 집단상담실에서 보드게임을 하더라도 업무 공간을 방해받지 않을 수 있고, 외부 강사가 왔을 때 따로 실을 빌리지 않아도 되는 장점이 있어요. 신발을 벗고 상담실을 이용할 수 있도록 마루가 깔려 있는 상담실을 좋아하는 선생님도 있어요. 마루가 깔려 있으면 걸레질을 편하게 하고 학생들도 편한 자세로 이용할 수 있죠. 하지만 반대로 신발을 벗으면서 상담실에 들어와야 해서 불편하다고 생각할 수도 있고, 발냄새 때문에 상담실의 깔끔함을 유지하기 힘들다고 할 수도 있어요. 각각의 장단점을 생각해보고 나의 기준을 세운 뒤 내신을 쓰는 것이 좋습니다. 나는 어떤 상담실을 좋아할까요?

- 상담실의 중요한 요건을 작성해 보세요.

발령받기 전 자신의 취향을 고려하고 내신을 썼더라도 발령은 자신 마음대로 되지 않습니다. 발령받았더니 새로 구축해야 하는 경우, 자신의 취향과 너무 다른 상담실인 경우도 있죠.

만약 내가 발령을 받았는데 상담실을 새롭게 구축해야 한다면? 물론 처음에는 한숨이 조금 나올 수 있어요. 구축 또한 결국 업무이기 때문이죠! 하지만 반대로 자신의 스타일대로 상담실 인테리어를 할 수 있다는 것에 초점을 두면 마음이 달라질 거예요. 이미 구축된 상담실은 새롭게 바꾸기 더 어렵습니다. 물론 새로 구축하는 것도 예산의 문제와 행정실, 관리자, 업체 등과 조율하는 것은 쉽지 않지만 자신의 의견이 들어간 구축을 완료하고 나면 결과물에 뿌듯할 것이라 생각합니다.

처음 구축할 때는 당연히 도움이 필요해요. 이미 먼저 새롭게 구축한 많은 학교들이 있습니다. 주변에 쾌적한 상담실을 가진 학교들을 물색해 보세요. 좋은 예시를 많이 봐야 좋은 상담실을 만들 수 있으니까요. 그리고 먼저 구축한 선생님들께 조언을 구하는 것도 좋은 방법입니다. 구축 또한 업무이기 때문에 관리자와 협의하여 여러 군데 출장을 가보는 것을 추천합니다. 생각보다 TV에 나왔던 상담실, 홍보자료에 나왔던 상담실, 최신 구축한 상담실이 주변에 많답니다. 이미 구축한 선생님들에게는 구축 관련 자료들이 많겠죠? 지적 재산을 당연하게 요구하면 안되고, 도움을 주지 않는 것도 상대방의 자유기 때문에 이를 존중해야하지만 상대방이 어떤 마음인지 모른다면 일단 조심스럽고 정중하게 부탁해보는 것은 어떨까요?

제가 존경하는 선생님 중 상담실 구축 능력이 출중한 선생님이 있어요. 그 선생님은 상담실을 구축할 때 학교 상담실을 참고하지 않고 유명 카페나 사설 상담센터의 인테리어를 참고했다고 하더라고요. 어디든 쾌적한 곳을 많이 경험한다면 상담실을 구축할 때 도움이 된다는 것을 느꼈어요.

▪ **만들고 싶은 나만의 상담실을 그려보세요.**

만약 새롭게 구축하는 학교는 아니지만 취향과 너무 다른 상담실로 발령 받았다면? 크게 생각하지 말고 내가 편안하게 생활할 수 있도록 책상, 의자, 책장 등의 배치를 바꾸는 것부터 시작합니다. 그리고 내가 좋아하는 소품들을 상담실에 두는 것이죠. 학교에 상담실 본예산이 있을 거예요. 이 예산으로 운영물품, 간식, 심리검사 등을 사기도 하고, 강사를 부르기도 하죠. 이 예산 중 운영물품 예산으로 상담실을 꾸며보는 것이에요. 아까 말했던 대로 저는 학생들과 식물을 심을 것이기 때문에 원예 용품들을 사겠어요. 또 인형을 구매할 수도 있죠. 제 경우에는 상담했던 학생 중 인형을 안고 이야기해야 마음이 안정된다는 학생이 있어 그 학생을 위해 인형을 구매했던 적이 있었어요. 상담 효과성을 위한 인형 구매였는데 그 이후 몇 년 동안 상담실에 없어서는 안되는 마스코트가 됐어요. 인형 하나가 상담실 분위기를 바꿔 놓더라고요.

제 경우를 더 이야기하면 상담실 한 쪽에는 학생들이 편히 쉴 수 있게 카페같은 분위기의 공간을 만들고 싶었어요. 그래서 카페에서 많이 보이는 테이블을 샀죠. 의자는 행정실과 이야기해서 다른 학교에서 사용기한이 다 된 아이보리색 쇼파를 관리 전환해서 두었어요. 또 상담실에 교실 책상들이 있었는데 테이블보를 깔고 나니 교실 책상인지 아무도 모르더라고요. 물론 이렇게까지 해야 하나 싶을 수 있어요. 당연히 자신이 원하는 만큼만 하면 됩니다. 저는 이렇게 하나 하나 고민하고 신경쓰며 조성했더니 상담실이 저에게도, 학생들에게도 소중한 상담실이 되었답니다.

▪ **상담실에 구비할 목록을 적어보세요.**

학생들의 공간이라고 생각한다면

상담실을 보고 있자면, 사실 나 혼자 있던 시간보다 학생들과 함께 있는 시간이 많습니다. 오히려 교무실은 학생들이 선생님의 공간이라고 생각이라도 해주지만 상담실은 그렇지 않습니다. 마음대로 들어오고, 과자를 먹고, 보드게임을 하고, 상담교사에게 말을 걸죠. 상담이라고 말하기도 애매한 '그냥 같이 있는 시간'입니다. 심지어 학생들의 시도 때도 없는 방문은 상담실 문을 자주 고장 냅니다. 혹시라도 상담교사가 자리에 없을 때는 문고리를 얼마나 세게 만지고 문을 얼마나 세게 두드리는지 자리를 비우기가 겁나기도 합니다.

교실에 들어가지 않으려는 학생들이 상담실에 계속 있을 때도 있습니다. 주변 사람들은 학생과 같은 공간에 있더라도 상담교사는 자신의 일을 하고, 학생은 쉴 수 있도록 하면 된다고 생각하기도 합니다. 하지만 겪어보면 같은 공간에 있다는 것이 굉장히 신경 쓰이는 일이라는 것을 알 수 있습니다.

상담실에 와 있는 학생이다보니 괜히 그냥 앉아서 시간을 보내게 하고 싶지 않습니다. 무언가 의미 있는 시간을 만들어 주고 싶죠. 간식도 챙겨주고, 이야기도 하고, 읽을 책도 골라주고, 활동할 것도 찾아 주고. 상담실은 이렇듯 나만의 공간이기도 하면서 학생과 근무시간 내내 붙어 있을 수도 있는 공간이기도 합니다.

그렇다면 이런 학생들을 탓해야 할까요? 상담실을 상담교사의 사무실로 인식시키고 교무실 들어오듯이 어렵게 들어오도록 해야 할까요? 아마 각 교사마다 다른 생각을 가지고 있을 수도 있습니다. 정답이 있는 문제는 아니죠. 무엇이 좋은 것인지, 무엇이 나쁜 것인지는 없습니다. 우리는 모두 우리가 할 수 있는 최선을 다하고 있는 것이니까요. 학교의 성향과 자신의 성향에 맞춰서 운영해 나가면 됩니다. 학교의 성향과 자신의 성향에 맞도록 운영한다는 것이 어떤 건지 아직 감이 오지 않죠. 일단 학교가 원하는 상담실의 역할이 어떤 것인지 생각해 봅시다.

▪ **학교가 원하는 상담실의 역할은 어떤 것인가요?**

학교가 원하는 상담실의 역할을 적어 보니 어떤가요? 잘 모르겠다면 주변 선생님의 의견을 들어도 좋습니다.

한 학교에 몇 년을 있더라도 매년 학교가 원하는 상담실의 역할이 같은 것은 아닙니다. 관리자의 변화에 따라, 다른 교사의 변화에 따라, 학생과 학부모의 변화에 따라 원하는 것이 달라지죠. 그리고 같은 학교에 있더라도 모든 사람의 의견이 같지도 않습니다. 그렇기에 당연히 모두를 만족시키는 것은 불가능하죠. 물론 우리가 누군가를 만족시키기 위해 상담실의 역할을 정하는 것도 아니고요. 다만 다른 사람의 의견을 알고, 그 의견을 자신이 받아들일 수 있는지를 생각해서 결정하는 것은 중요해요. 다른 사람의 인정을 위해 상담실을 운영할 수는 없지만 자신의 운영에 대해 다른 사람의 인정을 받는다면 그 또한 자신에게 직업 만족도를 높여주기 때문이죠. 학교가 원하는 상담실의 역할 중 자신이 받아들일 수 있는 것들은 어떤 것일지 확인해 봅시다. 그리고 다른 사람의 의견과는 상관없이 자신이 생각하는 상담실의 역할도 생각해 봅시다.

▪ 내가 원하는 상담실의 역할은 어떤 것인가요?

자신이 원하는 상담실의 역할과 학교가 원하는 상담실의 역할 중 겹치는 것은 무엇인가요? 자신이 원하는 역할을 적어 보니 어느 만큼 허용할지가 정해지나요? 초반에는 어떻게 해야할지 모를 수 있습니다. 그러다 보니 여러 부탁을 다 받아들이기도 하고, 너무 힘든 일은 아닐까 겁먹고 다 거절하기도 합니다. 그렇게 경험하고 고민하다 보면 자신의 생각이 더 확고해질 것이라 생각해요.

제 경우를 이야기 해볼게요. 저는 학생들이 마음껏 상담실에 오기를 원했어요. 제가 근무한 학교는 학생들이 학업 등으로 바쁜 경우가 많아 마음껏 상담실에 오더라도 제가 소진될 정도가 아니었거든요. 학생들과 자유롭게 시간을 보낼 수 있는 방법은 어떤 것이 있을까 고민하다가 상담실에 있는 큰 프로젝트를 떠올렸어요. 매일 큰 프로젝트로 영화를 틀어놨습니다. 학생들에게 보여주면 좋겠다고 생각한 영화들을 틀어놓고 학생들이 자유롭게 와서 볼 수 있도록 했죠. 학생들에게 어떤 영화가 어떤 느낌으로 느껴질까에 대해 고민하는 시간도, 영화를 틀어놓고 학생들과 이야기를 나누는 시간도, 학생들이 영화를 보고 더 깊게 생각하는 경험도 저에게는 업무로 느껴지기보다 소진회복의 시간으로 느껴졌어요. 또 그런 시간을 보내다보니 우연히 영화 감독 관련 진로를 생각하는 학생과도 만나게 되었죠. 그 학생과 함께 영화 목록을 정하고, 이야기를 나누다 보니 학생에게는 구체적인 진로 계획으로 이어지기도 했어요.

학생들과 티타임도 많이 가졌어요. 티의 종류가 이렇게 많다는 것과 그에 어울리는 학생들이 모르는 여러 디저트들이 있다는 것을 알려주면서 문화 교육도 함께하게 되는 거죠. 저는 차를 우려내는 동안에 편안함을 느끼곤 했는데 이러한 감정을 나누니 학생들도 덩달아 차를 우리며 차분해지는 시간의 소중함을 알게 되기도 했어요. 그런 와중에 만난 어떤 학생은 차 전문점에서 일하고 있었어요. 그 학생의 전문적인 지식에 오히려 제가 또 배우기도 하고, 그 학생에게 다른 학생들에게 알려줄 수 있는 기회를 주어 상담실이 친목의 장, 진로 체험의 장이 되기도 했죠.

미술 도구도 활용해요. 제가 미술을 잘 알지 못하지만 잘 아는 것과 즐기는 것은 다릅니다. 학생들에게도 마찬가지에요. 학생들이 편하게 미술 도구로 그림도 그리고, 색칠도 하면서 시간을 보냅니다. 저 또한 마찬가지고요. 전문적으로 미술치료를 하지는 않지만 집중해서 컬러링 엽서를 색칠할 때는 복잡한 다른 생각으로부터 자유로워지고, 사고가 확장되기도 합니다.

마지막은 보드게임입니다. 학생들이 원하는 보드게임을 사서 학생들끼리 할 수 있도록 하기도 하고, 인원이 부족하거나 다른 친구들과 어울리는 것을 어려워하는 학생과는 제가 함께 보드게임을 하기도 합니다. 보드게임의 종류는 정말 다양해서 새로운 보드게임들을 알아가는 것도 또 하나의 즐거움이에요. 저는 보드게임을 할 때 즐기기도 하지만 상담에 활용할 수 있는 방안도 생각해 놓는답니다. 보드게임도 하나의 상담 무기가 될 수 있는거죠! 저는 보통 학생들에게 보드게임의 규칙을 설명해 달라고 해요. 학생들이 열심히 보드게임의 규칙서를 읽고 저에게 설명해 주려고 노력하는 것이 학생들 스스로는 인지하지 못하더라도 소통하는 능력, 여러 가지 인지 기능, 사회성 기능 등을 쑥쑥 키워줄 거예요.

▪ 상담실에서 학생들과 하고 싶은 것을 적어 보세요. (자신이 좋아하는 것 위주로 적어 보세요)

상담실을 나의 안식처로 만들기

상담실을 자신에게 맞는 공간으로 만들었다면 상담실 규칙을 정해봅니다. 상담실의 주목적은 상담을 잘하는 것이기 때문에 상담을 잘할 수 있는 규칙이 있다면 상담실이 더욱 안정적으로 느껴질 것입니다. 규칙은 인쇄해서 상담실에 붙여둘 수도 있고, 스스로 마음속에 간직하며 지켜나가도 됩니다.

먼저 자신이 업무를 하는 시간과 학생들에게 온전히 신경을 써줄 수 있는 시간을 나눠요. 학생들이 편하게 상담실에 들어올 수는 있지만 상담교사가 늘 신경을 써줄 수는 없습니다. 업무를 해야 하는 시간에는 학생들이 들어오면 양해를 구하고 학생들끼리 시간을 보낼 수 있도록 합니다. 종종 이것을 명확하게 나누지 못하면 업무는 업무대로 못하고, 학생들에게는 눈도 마주치지 않고 대충 대하게 됩니다. 자신에게도 학생들에게도 부정적인 결과만 오겠죠.

둘째, 업무 중 유선으로 상담할 때라던가, 상담사례정리를 할 때에는 학생들이 들어오지 못하도록 합니다. 이 또한 상담을 진행할 때처럼 비밀보장이 되어야 하기 때문입니다. 종종 개인정보를 책상에 두고 상담실을 열어두는 경우가 있습니다. 상담은 비밀보장이 기본이기 때문에 더욱 신경을 써서 다뤄야 합니다. 이렇듯 비밀보장을 해야 하는 업무를 하는 중일 때는 '상담중입니다. 노크 후 기다려 주세요.'가 적힌 팻말을 걸어두어 바로 들어오지 못하게 하는 방법이 있습니다. 만약 학생이 상담실에 있는 와중에 비밀보장을 해야 하는 업무를 해야한다면 상담교사의 책상에 가림막을 세워 가림막 안을 볼 수 없도록 안내 글을 써서 붙이는 방법도 좋습니다.

셋째, 상담 일정을 잡을 때는 내가 감당할 수 있는 상담 일정을 잡습니다. 신규 상담교사들이 자주하는 질문이 있습니다. '제 상담 시간이 많은 건가요? 적은 건가요?' 이 질문을 왜 할까요? 우리는 정해진 수업시간이 없습니다. 교과교사들은 학기초 시수를 정하고 나면, 그 시간이 한 학기 동안 주당 수업시간으로 고정됩니다. 하지만 우리는 정해진 상담시간이 없고, 상담이 진행된다고 해도 얼마나 상담을 진행하는지 주변에 알릴 수 없습니다. 그래서인지 매번 다른 사람의 시선으로부터 놀고 있는 것이 아니라는 것을 보여주려고 노력하게 됩니다. 자꾸 다른 학교와 비교하며 자신의 상담 시간이 적당한지 확인받으려고 하죠. 하지만 상담을 한 시간 했다고 다 똑같은 한 시간일까요? 어떤 한 시간은 오늘 갑자기 기분이 좋지 않은 학생과의 단회기 상담일 수 있고, 어떤 한 시간은 자살 시도를 한 학생과의 상담일 수 있습니다. 한 시간에 쓰는 에너지도 다르겠지만 상담 시작 전, 상담 진행 후 사례를 준비하고 정리하는 시간 또한 다르겠죠. 정답은 없습니다. 내가 감당할 수 있는 사례를 받는 것이 맞습니다. 상담 사례가 너무 많다면 무료로 진행하는 외부기관의 상담센터를 활용하거나 학교 예산을 세워 상담사를 강사로 섭외해서 진행할 수도 있습니다.

학교에는 교사 휴게실이 있습니다. 교사 휴게실이 왜 필요할까요? 교사도 휴식을 취해야하기 때문입니다. 상담교사도 같습니다. 따라서 상담 스케줄을 잡을 때 상담교사의 휴식 시간도 고려해야 합니다. 만약 휴식 시간을 고려해서 상담 스케줄을 잡았지만 도저히 상담실에서는 휴식이 되지 않을 때는 교사 휴게실을 사용해보세요. 상담교사 입장에서는 상담실에 상담교사 혼자 있기 때문에 비우는 것에 대한 큰 부담을 느낍니다. 그럴 때 학생이 올까 봐 걱정이죠. 저는 상담실을 비울 때는 '부재중입니다. 000실에 문의하세요.'가 적힌 팻말을 걸어두고 옆 교무실에 양해를 구합니다. 급한 일일 경우에는 옆 교무실에서 상담교사에게 연락을 할 수 있도록 말이죠.

대단한 규칙들은 아니지만 이런 규칙들을 생각하지 않으면 자신도 모르게 스스로 무리하게 하는 결과가 올 수 있습니다. 소진이 되어 버리면 회복하기 어렵죠. 우리는 자신을 위해서도, 학생들을 위해서도 소진을 지속적으로 관리해야 합니다. 그러기 위해서는 당연한 것부터 확실하게 정하는 것이 필요하죠.

- **상담실의 규칙을 적어보세요.**

규칙을 정하고 실제 생활을 해보면 규칙대로 안되는 경우도 많아요. 그 때 필요한 것이 융통성이죠. 학교는 정말 예상하지 못하는 일들이 많이 일어납니다. 예를 들어 점심시간에 학생들을 위해 아무나 상담실을 올 수 있게 규칙을 만들었다고 가정합시다. 그렇게 되면 보통 점심시간에 보드게임을 하러 학생들이 많이 오죠. 그런데 오는 학생들만 계속 오다 보니까 다른 학생들이 못 옵니다. 아무나 들어와도 된다고 했지만 막상 늘 오는 학생들이 의자에 다 앉아버리면 새로운 학생들은 들어오려고 하다가 바로 나가게 되죠. 또 어떤 학생은 다른 학생들과 마주하기가 어려워 점심시간만큼은 상담실에서 혼자 쉬고 싶어하는 학생도 있고, 점심식사를 식당에서 하는 것이 어려워 상담실에서 식사 하기를 원하는 학생도 있습니다. 이런 상황이라면 점심시간에 아무나 들어와도 된다는 규칙을 고수할 것인가요? 아니면 그때 그때 상황에 맞게 규칙을 수정할까요? 저라면 그때 그때 학교에서 혹은 학생에게 필요한 것이 무엇인지 파악하고 규칙을 수정할 것입니다. 대신 규칙을 수정할 때는 혹시나 규칙 수정으로 속상해하는 학생들이 있는지 살펴보고 그 학생들에게 제대로 양해를 먼저 구해야겠죠.

학교에서는 다양한 상황이 생깁니다. 그래서 규칙을 세우고 나서도 어떻게 운영하는 것이 좋을지를 계속 생각해 보면 좋습니다. 상담실이 어떻게 운영되고 있는지, 어떤 학생들이 많이 오는지, 어떻게 운영하면 더 좋을지를 계속 고민하는 것이 좋아요. 상담실이 모든 학생들을 위한 공간이긴 하지만 더 관심을 가지고 살펴봐야 하는 학생들도 있기 때문에 그때 그때 융통성 있게 조율할 필요도 있습니다. 물론 이 내용은 약간 교과서 같은 느낌이 들 수 있어요. 실제 학교 생활은 정말 너무 바쁘게 지나가 고민할 시간조차 없을 가능성이 높으니까요. 만약 그렇다고 해도 죄책감을 갖지 마세요. 다만 마음속으로 '규칙들이 적절한지 생각해 봐야지.'라는 생각을 계속 가지고 있다면 자신도 모르는 새에 자연스럽게 문제점을 파악하고 조금씩 더 안정적인 상담실로 변해가고 있을 겁니다.

학교 상담실에서 상담 시작하기

다양하게 상담을 의뢰받아요

2024년 현재에는 모든 학교에 상담교사가 배치되지 않았기 때문에 나의 발령이 학교의 첫 상담교사일 수도 있습니다. 만약 운이 좋게도 이전에 상담교사가 배치된 학교에 발령을 받았나면 인수인계를 받을 때 어떻게 상담실을 운영했는지 이야기를 들을 수 있겠죠. 그러면서 상담 의뢰를 어떤 방식으로 받는지, 또는 학교 특성상 어떤 방식으로 대부분의 상담을 시작하게 되는지 들을 수 있습니다.

물론 이전 선생님에게 인수인계 받았다고 해서 그 방식대로 해야하는 것은 아닙니다. 이전 선생님이 어떻게 운영했던 것과는 상관없이 내가 상담 의뢰에 대한 규칙을 새롭게 만들고 싶다면 만들어도 됩니다. 나의 발령이 학교의 첫 상담교사거나 내가 원하는 상담 의뢰 규칙을 새로 정하기 위해서 다음 내용들을 생각해 봅시다.

상담 의뢰는 보통 학생 본인이 신청하거나, 학부모가 신청하거나, 교사가 신청합니다. 이 외에도 학교폭력 재발 방지를 위해 학교폭력 전담기구에서 상담을 요청하기도 하고, 학업중단 숙려제, 정서행동특성검사 등 다른 사업들로도 상담을 요청받을 수 있습니다. 이전에 상담교사가 있는 학교였다면 상담을 이어서 해야 하는 학생의 명단을 인수인계 받아 의뢰를 받을 수도 있겠죠. 만약 센터로 발령받은 선생님이라면 보통 상담 의뢰는 이미 정해진 시스템 안에서 공문을 통해 체계적으로 진행될 거예요.

보통 교사, 특히 담임교사를 통해 상담을 의뢰받는 경우가 많으니 교사에게 상담 의뢰 받는 상황을 예시로 들어볼게요. '띠리링~' 전화 벨소리가 울립니다. "00학교 상담교사 000입니다."라고 답하기도 하지만 컴퓨터로 발신자가 누구인지 볼 수 있기 때문에 서로 아는 사이라면 "네~ 선생님~" 하고 편하게 받게 됩니다. "쌤~ 저 0학년 0반 담임 000인데요. 우리 반에 000이라고 있는데 혹시 들으셨어요? 00이가 지금 학교를 잘 안 나오고 있거든요." 지금 전화를 받은 상황이라면 무엇이라고 답하실 것 같나요?

▪ **내가 할 대답을 적어보세요.**

저라면 이렇게 답할 것 같아요. "00이가 요즘 학교에 잘 안 나오는군요. 어떤 이유 때문에 학교에 잘 안 나오고 있나요?" 라고 이유를 확인해 볼 것 같아요. 학생들마다 각자의 상황이 달라서 학교를 안 나오는 이유에 대해 잘 알지 못한 채로 단정하기 보다 의뢰자가 알고 있는 많은 내담자의 정보를 알아내는 것이 중요해요. 물론 어떤 선생님은 이미 학생과 이야기해 보고, 학부모와도 이야기해 봐서 이런저런 이유를 잘 알고 계시는 선생님도 있고, 학생과 이야기하기 전에 상담교사에게 먼저 전화하는 선생님도 있죠. 또 어떤 선생님은 사실 정보보다도 자신의 생각 위주로 이야기할 때도 있습니다. 우리는 그 안에서 어떤 것이 사실인지, 그리고 지금 학교에서 학생이 어떻게 관계를 형성하고 있는지 파악해야 해요.

어떤 선생님은 다른 교사에게 상담 의뢰를 받을 때 상담 의뢰서를 받곤 합니다. 사실 상담 의뢰서를 작성 받아야 학생을 더 잘 파악할 수도 있고, 의뢰해주는 선생님 또한 학생에 대해서 더 생각하게 되고 더 관심을 갖게 될 수도 있어요. 하지만 저는 따로 의뢰서를 받지 않습니다. 이미 학교는 행정업무의 홍수 속에 있습니다. 교사가 학생에게 일어나는 문제에 관심 갖고, 상담을 의뢰해서 제가 학생을 상담하는 게 중요하기 때문에 괜한 상담 의뢰서로 아예 의뢰조차 하지 않는 상황을 만들고 싶지 않았어요. 대신 전화로 최대한 많은 정보를 얻었어요. 어떤 내용들을 물어보는 것이 좋을까요?

▪ 의뢰자에게 물어볼 말을 적어보세요.

학생이 학급에서는 어떤 모습을 보이는지, 학부모와 연락을 해봤는지, 학부모는 어떻게 반응하는지, 학생은 상담을 원하는지, 학부모는 상담을 원하는지, 수업 시간에 상담을 할 것인지, 방과후나 점심시간에 상담을 하는 것이 좋을지 등을 물어봅니다. 만약 학부모와 연락 전이라면 제가 연락해서 물어보겠다고 이야기하기도 합니다. 어차피 상담이 진행될 학생이라면 학부모 개입도 필요하니까요. 대신 학부모와 통화해서 어떤 이야기를 할지 안내합니다. 상담 의뢰자와 상담자는 한 팀으로서 학생의 행복을 위해 애써야 하는데 괜히 서로가 불편한 일이 생길 수도 있으니까요. "선생님~ 그러면 제가 00이 어머님께(혹은 아버님께) 전화드려서 선생님께서 -------한 이유로 저에게 연락을 주셔서 연락드렸다고 말씀드릴게요. 괜찮을까요?"

이제 학생이 직접 상담을 신청한 상황으로 넘어가 볼까요? 학생이 직접 전화로 상담을 의뢰할 수도 있고, 요즘은 카카오

톡 채널을 활용한 온라인 상담실을 통해 의뢰할 수도 있어요. 그래도 제일 많이 신청하는 방법은 직접 찾아오는 겁니다. 직접 학생이 찾아와서 상담을 신청하는 경우는 쉬는 시간일 때가 많아요. 학생의 신청 이유를 차분하게 들어줄 수 없는 시간이죠. 간단하게 상담 신청 이유를 묻고, 수업시간에 상담을 원하는지 물어봅니다. 그리고 상담일정을 잡고 담임 선생님과 부모님께 연락해도 되는지를 묻습니다. 그리고 저는 혹시 급하게 이야기해야 하는 문제인지 묻습니다. 혹시나 자살 관련한 문제가 아닌지 한 번 더 짚어 보는 것이죠. 만약 급하다고 한다면 다른 상담 일정을 조정하더라도 먼저 듣는 것이 필요하니까요. 하지만 어쩔 때는 급하다고 이야기를 했지만 막상 이야기를 들어보면 급하지 않은 내용일 때도 있습니다. 그래도 급하지 않을 것이라고 생각하고 넘어갔다가 급히 들어줄 이야기인 것보다 급할 것이라고 생각해서 들었는데 급하지 않은 내용이 더 낫지 않을까요?

마지막으로 학부모가 상담을 요청하는 상황입니다. 보통 학부모가 상담실에 직접 연락을 하는 것보다 담임교사를 통해서 연락을 하는 경우가 많습니다. 담임교사를 통해서 연락이 온다면 담임교사가 상담을 의뢰했을 때처럼 진행하면 됩니다. 학부모가 상담을 의뢰했을 때에도 담임교사가 상담을 의뢰했을 때와 마찬가지로 진행할 수 있지만 추가적으로 학부모가 직접 상담을 의뢰한 이유가 혹시 담임교사가 아는 것을 원치 않아 직접 연락했는지 확인이 필요합니다. 그런 이유라면 학부모가 무엇을 걱정하는지 파악하며 여러 정보를 확인할 수 있습니다.

학교에서 상담구조화는

상담구조화가 무엇인지 설명할 수 있나요? 우리에게는 당연한 단어이지만 상담 관련 공부를 하지 않은 사람들에게는 익숙하지 않은 단어입니다. 우리는 종종 다른 사람들도 상담에 대한 기본 내용들을 알고 있을 것이라 착각하곤 합니다. 어쩌면 나중에는 누구나 학교에서 상담교사를 경험해 봐서 상담에 대한 기본 내용들은 알고 있을지도 모르죠. 하지만 지금은 아닙니다. 교사도 이전에 자신이 학생이었을 때 상담교사가 없었을 가능성이 높고, 학생 또한 상담교사가 있었다고 하더라도 모두가 상담 경험을 갖는 것은 아니니까요. 아직 우리는 상담교사의 역할과 상담에 대해 설명해야 하는 상황입니다. 우리의 생각과 주변의 생각이 같다는 기대보다 친절하게 설명하여 이해할 수 있도록 도와주는 것에 초점을 맞췄으면 합니다. 이러한 이유로 학생에게 '상담구조화'를 친절하게 설명할 필요가 있습니다. 학교 상담에서 상담구조화 안에는 어떤 것이 포함되어 있을까요?

▪ 학교 상담 속 상담구조화에 포함될 내용을 적어보세요.

상담은 주 1회 1교시 동안 진행된다는 것(상황에 따라 달라질 수 있음), 상담 일정을 변경하고 싶을 때의 방법, 상담을 무단으로 오지 않았을 때 어떻게 진행되는지, 개인정보 및 상담

내용은 어떻게 보관되는지, 담임교사 및 학부모에게 연락할 때는 어떻게 진행하는지 등의 내용과 함께 제일 중요한 비밀보장의 예외 내용이 상담구조화 속에 들어갑니다.

다른 것은 특별히 더 설명할 것은 없지만 '상담을 무단으로 오지 않았을 때 어떻게 진행되는지'에 대해서는 추가 설명을 하고자 합니다. 상담을 무단으로 오지 않았을 때는 상담 종결로 처리할 수도 있어요. 그런데 정서행동특성검사의 관심군이라 꼭 정해진 기간에 봐야 하는 학생도 있고, 학교폭력 전담기구에서 상담 횟수를 정해서 의뢰하여 해당 횟수만큼 봐야 하는 경우도 있죠. 이 외에도 자살 위기 학생이라 계속 관리가 필요할 수도 있고요. 이런 경우를 고려하여 구조화 할 때 무단으로 오지 않으면 어떤 방법으로 진행할 것인지 이야기를 나눠야해요. 전화로 연락할 수도 있지만 전화가 안될 경우 담임교사를 통해 연락을 하거나 학급으로 찾아갈 수 있다고 이야기를 하는 거죠. 어떤 학생들의 경우 담임교사에게 이야기하는 것이나 학급에 상담교사가 찾아오는 것을 싫어할 수 있거든요. 미리 이런 이야기를 나누면 학생들도 자신을 위해 무단으로 빠지지 않거나 까먹더라도 연락을 바로 받을 수 있고 상담실로 일정을 다시 조정하기 위해 찾아올 수 있어요. 만약 상담교사가 학생이 원하지 않는 방법을 활용할 수밖에 없는 상황이 오더라도 미리 이야기를 했기 때문에 라포 형성이 깨지기 보다 자신의 잘못으로 인한 결과라는 것을 알고 변화할 가능성이 높다고 생각해요.

추가적으로 수퍼비전에 관한 내용, 외부 연계나 상담자가 바뀌었을 때 상담 자료를 전달하는 내용에 대해서도 동의를 받습니다. 우리는 우리의 성장을 위해, 결국 학생을 잘 상담하기 위해 수퍼비전을 받습니다. 하지만 수퍼비전 또한 개인정보가 가명으로라도 들어가기 때문에 동의를 받아야 한다고 생각합니다. 그리고 만약 축어록을 풀기 위해 녹음을 한다면 더욱이 동의를 받아야 합니다. 물론 모든 학생의 상담을 수퍼비전 받는 것은 아니지만 상담을 하다보면 수퍼비전을 받아야겠다고 생각하는 사례를 만나는 경우가 많기 때문에 모든 사례에 동의를 받는 것을 추천합니다.

외부연계도 마찬가지입니다. 상담하다보면 임상심리사에게 심리검사를 맡길 수도 있고, 외부 좋은 프로그램에 연계할 수도 있습니다. 그리고 우리는 한 학교에 계속 머무르지 않다보니 학생 졸업 전에 상담교사 발령으로 상담자가 변경되기도 합니다. 이런 내용들을 미리 알려주어야 나중에 상담을 인수인계할 때도 편하다고 생각합니다. 물론 수퍼비전과 외부연계 및 상담자 변경으로 인해 상담자료를 전달하는 것은 상담에 필수적인 내용은 아니니 선택사항으로 학생이 동의하지 않아도 된다는 것을 안내해야 합니다.

저는 이러한 전체적인 내용을 말로도 해야 하지만 동의서로 남겨두는 것이 필요하다고 생각합니다. 특히 비밀보장의 예외 내용 때문에 더욱 그렇습니다. 학생이 상담 중에 비밀보장의 예외 내용을 말하는 경우가 많습니다. 이 때 상담 관계의 신뢰를 계속 유지하면서도 주변에 도움을 요청하려면 학생들이 직접 서명한 동의서가 효과적입니다. 말로 했을 경우 학생이 기억이 나지 않는다고 하면 또 다시 설명하고 설득하는데 많은 에너지를 쏟게 될 수 있습니다. 하지만 동의서가 있는 경우 동의서를 보여주면서 설명할 수 있어서 학생의 빠른 이해가 가능합니다.

이러한 동의서를 어떤 학교에서는 전체 가정통신문으로 보내기도 하고, 어떤 학교에서는 학생이 상담을 시작할 때 따로 받기도 합니다. 전체 가정통신문으로 보내서 전체 학생 및 학부모에게 동의를 받는다면 어떤 이로운 점이 있을까요? 갑자기 학생이 울면서 와서 수업시간에 상담을 진행하게 되었을 때 이를 문제화하려는 사람에게 문제가 아니라는 근거자료로 사용할 수 있습니다. 학급에 들어가지 못하겠다고 우는 학생을 위해 우리의 일을 하는 것임에도 불구하고 학생의 학습권을 침해했다고 문제제기를 받을 수 있습니다. 이러한 이야기를 해야 하는 상황이 참 가슴 아프지만 이런 사건은 실제로 존재하므로 반드시 이야기해야 하는 내용입니다.

학생이 상담을 시작할 때 따로 동의서를 받는 경우는 어떤 이로운 점이 있을까요? 학생에게 상담구조화를 이해하기 쉽게 잘 설명할 수 있습니다. 가정통신문으로 동의를 했을 때는 학생 및 학부모가 현재 상담이 필요한 상황이 아니기 때문에 큰 관심을 갖지 않고 동의를 했을 수도 있습니다. 그 후에 상담을 진행할 때 동의서 내용을 기억하지 못하는 경우가 있을 수 있죠. 상담을 시작할 때 동의서를 받으면 이를 방지할 수 있습니다. 물론 이 두 가지를 모두 진행해도 좋습니다. 학교 상황에 따라 어떻게 진행하는 것이 학생에게, 또 나에게 좋을지 생각해 보세요.

자, 상담 동의서를 받는 상황이라고 가정한다면 학생에게 어떻게 이야기를 할까요?

▪ **상담 동의서에 대해 학생에게 설명하는 말을 적어보세요.**

저의 경우 비밀보장의 예외 상황에 대해 이렇게 이야기합니다.

"상담을 시작하기 앞서서 상담 동의서를 받으려고 해. 이 동의서를 같이 보자. 내가 자세히 설명해줄테니까 혹시라도 궁금한 것 있으면 언제든지 이야기해 줘. 우리가 상담을 하는 것은 비밀보장이 되는 것은 알고 있지? 그런데 비밀보장이 안되는 경우가 있어. 먼저 자살 혹은 자해의 의도를 나타내거나, 타인을 죽이거나 해치려는 의도를 나타내거나 법정 전염병 등으로 타인을 해칠 수 있을 때, 법원에서 요청할 때, 아동학대, 성폭력, 학교폭력 같이 신고 의무에 해당하는 정보를 알게 되거나 미성년자에게 심각한 영향을 끼치는 정보를 알게 될 경우에는 00의 동의 없이 제3자한테 상담 내용 일부를 공개할 수 있다는 내용이야. 우리가 상담하는 이유는 행복하기 위해서잖아. 근데 아까 이야기하는 상황은 안전에 대한 내용이야. 안전이 제대로 지켜져야 행복할 수 있거든. 근데 안전에 관한 내용은 비밀을 지키기보다 적절하게 도움을 받을 수 있도록 하는 것이 중요해. 그래서 이 경우에는 적절하게 도움을 받을 수 있도록 부모님, 학교 혹은 경찰 등 필요한 곳에 알릴거야. 대신 알리기 전에 00에게 언제, 어떻게 알릴건지 이야기해 줄게. 그리고 지금 이야기한 상황 외에도 00은 지금 미성년자잖아. 미성년자에 대해서는 보호자가 보호를 해야할 의무가 있어. 00의 보호자는 누구야? 맞아. 부모님이지. 그래서 만약에 부모님이 선생님에게 연락해서 00의 상담내용을 알고 싶다고 할 수도 있어. 그럴 때는 나는 먼저 00과 상의하겠다고 이야기할 거야. 00이 알지 못한 상태로 이야기하는 것은 00과 나의 신뢰관계에 문제가 생겨 상담이 잘 이루어질 수 없다고 이야기할 거야. 그리고 00에게 이야기한 뒤에 이야기할 예정이고. 그런데 만약 00이 이야기하고 싶지 않다고 하더라도 보호자가 부모님이기 때문에 부모님이 꼭 알아야겠다고 이야기한다면 이야기해야 하는 상황도 생길 수 있어. 그럴 때는 우리가 같이 상의해서 진행해 보자."

수퍼비전과 외부연계 혹은 상담자 변경으로 인해 상담자료를 전달하는 것에 대한 동의를 받을 때는 선행되어야 하는 작업이 있습니다. 학생이 상담이 어떻게 진행되는지 아는 것입니다. 상담이 몇 회기에 걸쳐서 진행되는 것을 모르고 한 회기만 진행되는 것으로 알고 있다면 사실 수퍼비전이나 외부연계는 의미가 없으니까요.

“상담은 OO이가 어떤 이야기를 하냐에 따라서 한 회기만에 끝날 수도 있고, 여러 번에 걸쳐서 진행될 수도 있어. 어떤 친구는 매주에 한 회기씩 한 달을 받기도 하고, 일 년을 받기도 하고, 삼 년을 받기도 해. 한 회기 만에 끝나는 경우에는 상관이 없겠지만 만약 OO이와 여러 번 상담하게 된다면 필요할 때 선생님이 전문가에게 자문을 받는 것에 대해 동의할 것인지 묻는거야. 전문가에게 자문을 받을 때는 OO학교 OOO이라고 이름을 밝히는 것이 아니라 고등학교 O학년 남학생이 이러한 어려움이 있을 때 어떻게 도와줄 수 있는지를 자문받는거야. 그런 자문을 받기 위해서는 우리가 상담하는 내용을 녹음할 수도 있어. 그리고 이 다음 문항을 설명하자면 상담하다보면 심리검사 등과 같이 외부에 연계가 필요할 수 있어. 혹은 선생님 말고 다른 선생님이 학교 상담교사로 근무할 수 있어. 그럴 때 우리가 했던 상담 내용들을 전달해도 되는지를 묻는거야. 동의한다면 OO이가 우리가 이야기했던 것을 다시 이야기하지 않더라도 외부나 새로운 선생님이 OO이를 파악할 수 있어서 효과적으로 연계가 진행될 수 있어. 이 두 가지는 선택 사항이니까 잘 생각하고 체크하면 돼.”

상담의 첫인상, 접수 면접 이야기

'살면서 행복했던 순간은 언제인가요?' 이런 질문을 받았을 때 어떤 생각이 떠오르나요? 대학에 합격했을 때, 해외여행 갔을 때, 프로포즈 받았을 때, 결혼했을 때, 내 아이를 처음 만났을 때. 아마 여러 순간들이 떠오를 겁니다. 그리고 상담교사라면 임용고시에 합격했을 때도 그 순간에 포함되겠죠. 행복했던 순간들을 떠올리면 대부분 내 인생에서 처음인 경우가 많습니다. 처음은 그만큼 강렬하고, 중요한 영향을 끼치죠.

상담도 마찬가지입니다. 학생이 상담교사를 처음 본 날. 첫 회기. 상담에 많은 영향을 끼칠 수밖에 없죠. 하지만 학생들은 대부분 상담이 어떤 것인지 명확하게 모른 채로 상담실을 방문하는 경우가 많습니다. 학생들이 원하는 상담의 모습과 내가 생각하는 상담의 모습은 다를 수 있습니다. 이럴 때 우리는 접수 면접을 어떻게 진행해야 할까요?

▪ **내가 상상했던 학교 상담의 접수 면접은 어떤 것인가요?**

상담센터에 가면 아마 상담자를 만나기 전에 접수 면접을 진행하는 상담자를 먼저 만나게 됩니다. 접수 면접을 진행하고 그 다음 상담자를 배정받아 첫 회기를 진행하게 되죠. 하지만 학교에는 상담자가 우리 한 명밖에 없습니다. 자연스레 접수 면접이 상담 첫 회기가 되는 것이죠. 만약 학교가 아닌 위센터

로 발령받았다면 센터 운영 방식에 따라 다를 수 있습니다. 하지만 대부분의 센터 또한 상담 의뢰를 받으면 바로 상담자를 배정하여 진행하는 경우가 많아 접수 면접이 첫 회기가 될 가능성이 높죠.

학생이 접수 면접을 위해 상담실을 방문하면 제일 먼저 반갑게 맞이합니다. 학생 중에는 상담 자체가 처음인 학생도 있어서 긴장을 하는 친구도 있습니다. 그런 긴장을 반갑게 맞이하여 풀어주는 것도 접수 면접의 중요 목적이 아닐까 싶습니다.

학생과 인사하고 나면 학생에게 상담 신청서를 작성할 수 있도록 합니다. 상담 신청서를 작성할 때 편하게 작성할 수 있도록 다과와 차를 준비해주기도 하고요. 어떤 상담자는 상담할 때 먹을 것을 제공하는 것이 상담에 대한 집중도를 떨어뜨릴 수 있다고 이야기합니다. 정답이 있는 문제는 아니지만 편한 분위기를 추구하는 저로서는 함께 차를 마시는 것 또한 상담의 일부라고 생각합니다. 자신에게 어떤 것이 맞는지를 알아보는 것도, 학생에게 어떤 것이 맞는지를 알아보는 것도 중요합니다.

▪ 상담 신청서에 들어갈 내용을 적어 보세요.

상담 신청서를 다 작성하면 이전 주제에서 다뤘던 상담 동의서도 받습니다. 그 다음 상담을 시작합니다. 상담을 시작할 때 우리는 무엇을 준비해야 할까요? 상담교사마다 다릅니다. 상담을 진행할 때 동시에 기록을 해야 한다고 생각하는 상담교사도 있고, 상담이 끝나고 기록을 해야 한다고 생각하는 상담교사도

있습니다. 각각의 장단점을 보죠.

먼저 기록을 하면서 진행하는 상담에 대해서 이야기하겠습니다. 누군가는 패드를 들고 쓰면서 이야기를 듣기도 하고, 누군가는 메모지를 들고 쓰면서 이야기를 듣기도 합니다. 상담 중에 기록을 하지 않으면 상담 내용을 잊어버릴까 불안하여 학생의 이야기에 집중하지 못하기 때문이죠. 또 학생이 교사가 상담일지를 쓰는 모습에 관심을 갖기 때문에 상담일지를 이렇게 썼는지 보여주면서 상담을 할 수도 있습니다. 이 때 학생이 이야기 한 내용과 상담교사가 이해한 내용이 맞는지 확인하면서 상담 효과를 증진할 수 있죠.

반대로 기록을 하지 않으면서 진행하는 상담에 대해 말해보겠습니다. 성향상 쓰면서 이야기를 듣기가 어려울 수 있습니다. 쓰는 것에 집중하다 보면 이야기를 잘 놓치기도 하고, 이야기에 집중하다 보면 나중에 쓴 것을 봐도 무엇을 쓴 건지 알 수 없기도 하고요. 그래서 상담이 끝나면 바로 상담일지를 후다닥 작성합니다. 상담 일지를 쓰지 않으니 학생이 상담교사가 무엇을 쓰고 있는지 궁금해하지 않아 상담에 집중할 수 있고, 학생의 눈을 바라볼 수 있고, 나중에 상담교사가 학생이 한 이야기를 다시 상기시켰을 때 상담교사가 쓰지도 않는데 기억하고 있다는 사실에 학생의 신뢰가 쌓인다는 장점이 있어요. 물론 상담이 끝나고 바로 상담일지를 작성하지 않으면 금방 기억이 날아간다는 아주 큰 단점도 존재합니다. 어떤 것을 선택할지는 둘 다 해보고 결정해도 늦지 않아요.

상담을 시작할 때 학생과 어떤 이야기를 나눌 수 있을까요? 저는 먼저 학생이 무슨 이야기를 하고 싶은지 묻습니다. 상담 신청서 안에는 학생 자신이 상담받고 싶어하는 내용을 표시할 수 있도록 만들어요. 처음에는 그냥 말로 물어보고, 학생이 잘 이야기하지 못하면 상담 신청서에 표시했던 내용들 중 하나씩 물어봅니다. 혹시나 학생이 수면이나 식사에 문제가 있다면 자세히 이야기를 듣고 병원 치료가 필요한지 확인해 봅니다. 자살, 학교 폭력 등의 문제라면 각각의 상황에 맞게 문제를 해결할 수 있는 방향으로 진행하죠. 그리고 가족 관계, 또래 관계, 이전 상담 경험에 대해서도 이야기합니다.

이야기를 다 듣고도 시간이 남았다면 함께 상담 목표를 세웁니다. 보통 시간이 남는 경우가 없기 때문에 상담목표는 다음 회기에 진행되긴 합니다. 학생에게는 상담 목표를 세우는 것이 어색하게 느껴질 수도 있습니다. 그럴 때는 몇 가지 예시를 들어주는 것이 좋아요. 그렇게 상담 목표를 합의하다보면 어느새 한 교시가 훌쩍 넘어갔을 거예요.

만약 학생이 한 회기만 진행하고 싶었는데 상담교사 생각에 더 진행이 필요하다고 생각된다면 이렇게 말할 수 있어요.

"나는 00의 이야기를 들어보니까 ---에 대해서 조금 더 이야기를 나눠봤으면 좋겠어. 00 생각은 어때? 00이 결정하는 거지만 나는 더 만나면서 우리가 목표한 상담 목표를 이룬 다음에 상담이 끝났으면 좋겠어."

물론 학교 사정에 따라 무조건 한 회기에 끝나야 되는 경우도 있겠죠. 학교 상황과 교사 상황, 학생 상황을 모두 고려해서 이야기를 나누면 좋습니다. 삼 년을 받을 수 있다고 해놓고 상담 도중에 갑자기 상담 목표도 달성하지 못한 채 종결하면 안 되기 때문에 마음만 앞서서 이야기하기 보다 현재 학교 상황과 자신의 상담 스케줄을 꼭 확인하고 이야기하는 것을 추천합니다.

자연스레
상담실로 등교하는 아이들

매일 방문하는 학생들에게

학교, 직장. 생각해 보면 우리는 원해서가 아니라 해야 하기 때문에 매번 어딘가로 향합니다. 하고 싶지는 않지만 그래도 필요성은 알기 때문에 가는 것이죠. 대부분의 학생들도 그렇다고 생각합니다. 학교에 가면 그래도 친구들도 있고, 급식도 있고, 보람을 느낄 때도 있다 보니 힘들어도 견디면서 혹은 그 안에서 즐거움을 찾으면서 학교를 다닙니다.

그런데 도저히 교실에 들어가기 어려운 학생들이 있습니다. 정서적 어려움, 대인관계의 어려움 등 각자의 어려움으로 인해 교실에서 수업시간에 앉아 있는 것 자체가 힘들고, 의미 없다고 생각하는 학생들이 있는거죠. 그런 학생들은 자연스럽게 교실로 등교하지 않고 상담실로 등교하곤 합니다.

수업 시간에 교실에 들어가지 못하는 학생들도 있지만 쉬는 시간에 교실에 있는 것이 불편한 학생들도 있습니다. 수업시간에 수업 듣는 것은 할 수 있으나 쉬는 시간에 자발적으로 친구들과 관계를 맺는 것이 어려운 학생들, 혹은 어느 정도 친구들과 관계를 만들 수 있지만 더 안전한 공간 혹은 더 조용한 공간을 원하는 학생들이 쉬는 시간마다 상담실에 방문하기도 합니다.

이 학생들 중에는 정식으로 상담을 진행하면서 상담 일정이 아닌 때에도 시도 때도 없이 오는 학생들도 있고, 정식으로 상담 의뢰를 하고 상담이 진행되는 학생들은 아니지만 상담실을 방문만 하고 싶어 오는 학생들도 있습니다. 전자는 다음 주제에서 다루기로 하고 후자에 대한 고민을 이야기하려고 합니다. 우리는 상담 외의 목적으로 자주 혹은 매일 방문하는 학생들에 대해 고민합니다. 다른 내담자도, 다른 업무도 있는데 매일 매일을 한 명의 학생 혹은 몇몇의 학생들에게만 신경을 쓸 수는 없으니까요. 많은 상담교사들이 가지고 있는 고민일 것입니다.

정답은 없지만 어떤 선생님은 정식으로 상담을 진행하는 학생들만 상담실에 방문할 수 있도록 합니다. 일주일에 한 번, 많아야 두 번밖에 할 수 없다고 설명하고 상담 진행 시간 외에 수업 시간이나 쉬는 시간에 상담실에 오지 못하도록 제한합니다. 학생들에게 확실한 구조화를 해야 효과적인 상담실을 운영할 수 있다고 생각하기 때문이죠.

또 다른 선생님은 상담 진행과는 별개로 누구나 편안하게 상담실을 이용할 수 있도록 하는 것에 집중합니다. 아침에 오는 학생들이 밥을 잘 먹고 오지 않기에 시리얼, 빵 등을 준비합니다. 학교에 오기 힘들어하는 학생들에게 상담실이라도 학교 안에 편안한 곳이 되어야 한다고 생각하기 때문이죠. 그래서 수업 시간과 쉬는 시간에 교실에 있지 못하는 학생들을 담임교사와 협의하에 모두 수용하곤 합니다.

두 선생님의 예시 외에 이런 방법도 있습니다. 학생과 담임교사와의 협의를 통해 매일 1교시는 상담실로 등교하는 학생들을 위해 비워둡니다. 긴장을 풀고 학급에 들어갈 수 있도록 돕는 것입니다. 그렇다고 상담을 하는 것은 아니죠. 편안하게 학교 안에 쉴 수 있는 공간을 만들어줍니다. 업무 정도에 따라 학생과 편안하게 안부를 묻고 이야기를 해도 되고, 해야 할 업무가 있으면 학생 혼자 쉴 수 있도록 합니다. 쉬는 시간에는 학생들이 자유롭게 상담실에 올 수 있도록 하지만 상담교사가 여유가 있을 때만 이야기하고 그 외에는 각자 쉴 수 있도록 합니다.

또 다른 예를 들어보죠. 매일 오는 학생들을 위해 프로그램을 진행할 수 있습니다. 집단 상담을 운영할 수도 있고, 스스로 감정 일기를 쓰게할 수도 있습니다. 또 학생과 원예 활동 등

학생들에게 취미 생활을 할 수 있도록 도와줄 수도 있습니다. 학생들에게 정해진 프로그램이 있다면 학생들도 상담실에 와서 미리 계획된 활동을 진행하면서 성취감 등을 얻을 수 있죠.

이 외에도 선생님에게 잘 맞는 선생님만의 규칙을 만들 수 있습니다. 자신의 성향을 제일 잘 알고 있는 것은 자신이기 때문에 자신은 어떤 규칙이 잘 맞는지 생각해볼 필요가 있습니다. 여기서 중요한 것은 어떤 방법을 선택하든 교사 및 학생과 미리 협의를 하는 것입니다. 매번 학생을 위해 상담실을 비워줄 수는 없다는 것, 매번 학생과 이야기를 나눌 수 없다는 것을 이야기하는 것이죠. 미리 이야기하지 않는다면 서로 오해가 쌓일 수 있으니까요. 모두가 완벽하게 만족스러운 합의는 어렵겠지만 나를 지키면서 학생도 위하는 방법은 분명히 있습니다.

▪ **학교에서 매일 수업시간에 교실에 들어가지 못하는 학생이 상담실에 있기를 요청한다면 어떻게 답하고 싶나요?**

상담 경계를 스스로 정하기

상담교사가 수퍼바이저에게 수퍼비전을 받을 때 이런 이야기를 들을 때가 있습니다. '상담자와 내담자 간의 경계가 제대로 설정되지 않은 것 같습니다. 상담 일정 외에는 오지 못하게 하세요.' 이런 이야기를 들으면 속상합니다. 학교 안에서는 배운 대로만 상담자와 내담자 간의 경계를 세우기는 쉽지 않으니까요. 학교에서 세우기 어려운 상담의 경계는 두 가지로 나눠볼 수 있습니다. 상담실 방문에 대한 경계와 상담교사와 학생의 관계에 대한 경계죠.

상담실 방문에 대한 경계에 대해서 먼저 이야기해 보고자 합니다. 임용시험를 보기 전 배웠던 상담은 이런 것이죠. 상담 일정을 조율하고, 약속된 시간에(대부분 매주 1회) 내담자가 상담실로 찾아오는 것. 그리고 정해진 상담 시간에 상담을 하고, 내담자를 다음 회기 전까지 만나지 않는다고 배웠습니다. 하지만 학교로 와보니 참 많이 다르죠. 학생들은 언제든지 상담실에 찾아옵니다. 상담 약속은 수행평가, 숙제 등 갑작스러운 학생들의 개인 일정으로 변경되기도 하죠. 상담 약속이 없을 때도 어떤 때는 자신이 잘한 것을 자랑하기 위해 찾아오고, 어떤 때는 울면서 찾아옵니다. 또 그냥 학급에 있기 힘들어하는 학생들이 상담실에 앉아 있기 위해 오는 경우도 있죠. 쉬는 시간, 수업시간 등 학생들은 때를 가리지 않고 오기 때문에 상담실 문은 자주 고장납니다. 학생들에게 상담실이 학교에서 편한 곳이 되었다는 것은 참 좋지만 상담의 경계는 계속 허물어집니다.

저는 상담을 구조화할 때 이를 먼저 학생에게 이야기하고자 합니다. 먼저 학생에게 상담 외 시간에는 방문하지 못하도록 하는 방법이 있습니다. 이는 확실한 경계를 세우는데 도움이 될 수 있죠. 하지만 어떤 선생님은 힘들어하는 학생에게 쉴 수 있는 공간을 만들어주는 것이 더 중요하다고 생각할 수 있습니다. 그럴 때는 상담은 정해진 시간에 진행하는 것이기 때문에 상담 외 시간에 방문할 때는 상담이 진행되기 어렵다는 것을 알려주는 방법도 있습니다. 상담 외 시간에 와서 개인적으로 쉬는 것은 가능하지만 상담은 어렵다고 경계를 만드는 것이죠. 이 방법도 세세하게 둘로 나누자면 상담 외 방문 때는 인사만 할 수도 있고, 인사와 함께 일상적인 이야기를 나눌 수도 있습니다.

▪ **정해진 시간에 진행되는 상담 외에도 내담자인 학생이 상담실에 자주 방문한다면 어떤 문제가 생길까요?**

이제 상담교사와 학생의 관계에 대한 경계에 대해서 생각해볼까요? 상담을 하다보면 어떤 회기는 시간상의 문제로 깔끔하게 끝냈다고 생각이 들지 않는 회기가 생기기도 합니다. 학생이 상담자의 반응에 화를 내다가 끝나는 경우도 있죠. 학교가 아니었다면 내담자가 다음 회기를 기다리는 것도 하나의 상담 효과가 될 수도 있겠죠. 그걸 기다리는 상담자도 개개인별로 조금의 불편감이 있을 수 있겠지만 크게 신경을 안 쓸 수 있습니다. 하지만 학교는 아니에요. 학교는 매일 얼굴을 마주치게 됩니다. 시간을 갖고 생각할 시간이 없습니다. 혹시라도 그 내담자가 내가 운영하는 동아리의 동아리원이라면 더 복잡해지겠죠.

또 만약 내담자가 같은 학교 친구들에게 '상담교사 별로다.' 라고 한다면 어떨까요? 한 번 안 보면 평생 안 볼 가능성이 높은 사설 상담센터에서 같은 경험을 했을 때 느끼는 감정과 또 다르겠죠? 학생이 학부모에게 이야기해서 학부모가 교감선생님께 이야기를 한다면? 과연 학교는 그 또한 하나의 상담 과정이라고 이해해 줄 가능성이 얼마나 있을까요?

상담교사의 이런 입장들을 생각하다 보면 상담이 조금 소극적으로 변하는 것도 사실입니다. 공공기관이다 보니 책임 소재가 있는 부분에서는 특히나 방어적으로 변하기도 하죠. 상담자로서 학생을 상담하는 것에 상담교사로서 입장을 어느 정도 고려해야 할까요? 그 적정선은 자신이 어느 정도 수용할 수 있는지에 따라 다르다고 생각합니다. 어떤 선생님은 자신이 어떻게 진행해도 문제는 발생될 수 있기 때문에 그런 것을 생각하기보다 상담자로서의 역할에 최선을 다해야 한다고 생각합니다. 어떤 선생님은 학교 시선의 불편감이 상담자 역할에 영향을 미치기 때문에 이를 고려하여 상담을 진행해야 한다고 합니다. 나는 학교의 평가에 얼마나 영향을 받는 사람일까요? 이 또한 정답이 있는 문제는 아닙니다. 단지 이러한 문제들이 생길 것을 예상하고 그에 따라 자신의 생각을 정리해 본다면 앞으로 이러한 문제들을 실제로 겪었을 때 덜 고민하고, 덜 후회되는 방법을 선택하고 행동할 수 있겠죠

▪ 상담을 한 이후에 학생이 복도에서 선생님을 만나도 인사를 하지 않고 지나갑니다. 그 때 내 기분은 어떨까요? 이 경험이 상담에 어떤 영향을 미칠까요?

학업중단숙려제 상담이 무엇이냐면

자연스레 상담실로 등교하는 학생들 가운데는 학업중단숙려제를 진행하는 학생도 있어요. 학업중단숙려제는 무엇일까요? 학업중단숙려제는 학업을 중단하려는 학생들에게 정말 학업중단이 필요한지 고민할 수 있는 기간을 주는 제도입니다. 정해진 기간 동안 학교 혹은 연계된 센터에서 상담 혹은 진로 체험 등을 활동하며 자신에게 도움이 되는 결정을 하도록 돕는 것이죠. 지역마다 학업중단숙려제를 운영하는 방법이 다르기 때문에 자신이 속한 지역은 어떻게 운영하는지 매뉴얼을 살펴볼 필요가 있어요. 초등학교에서는 드물지만 중학교나 고등학교에서는 이미 자리 잡은 사업 중 하나입니다. 중학교는 의무교육이기 때문에 고등학교에 비해 실제 학업 중단을 고민하는 기간으로 활용하기보다 다시 학교로 돌아올 준비 기간으로 활용하는 경우가 많죠.

혹시 지금 모르는 사업에 대한 이야기인 것 같아 겁이 나시나요? 겁먹지 마세요. 어차피 어떤 사업이든 연초에 사업을 설명하는 공문이 오고, 그 사업에 대한 매뉴얼을 설명하는 연수도 있을테니까요. 또 궁금한 점이 있다면 언제든 담당자에게 문의하면 되니 벌써부터 이 사업이 어떤 사업인지 고민하지 않아도 괜찮습니다. 그리고 지역마다 운영하는 방법도 다르지만 학교마다 담당하는 교사도 다르기 때문에 내가 진행해야 하는 것들이 무엇인지는 학교 발령 후 업무분장을 받고 확인해도 늦지 않습니다.

저는 여기서 학업중단숙려제 제도에 대한 이야기보다 실제 상담에 대한 이야기를 하고자 합니다. 학업중단숙려제 상담 마지막에 학업을 중단할지 학업을 지속할지 결정하기 때문에 대부분 사람들이 학업중단숙려제 상담에서 마지막 결정에 초점을 맞추곤 합니다. 하지만 저는 학업중단숙려제 상담에서 마지막 결정보다 학생과 학부모가 함께 그 결정 이후에 어떻게 적응하며 살아갈지를 준비하고 정서적으로 안정을 느낄 수 있는 기간이라는 것에 초점을 두고 싶습니다.

학업중단숙려제 상담 시작 전 먼저 생각해 봐야 하는 것은 자신이 가지고 있는 학업중단에 대한 이미지입니다.

▪ 학업중단에 대해서 어떻게 생각하나요?

상담교사가 가지고 있는 학업중단에 대한 이미지는 학업중단숙려제 상담할 때 영향을 끼칠 수 있다고 생각해요. 저는 학업중단숙려제 상담할 때는 중립적인 태도가 필요하다고 생각해요. 학생, 학부모, 담임교사가 어떤 생각을 갖고 있든 상담교사로서 중립적으로 들어주고 정말 학생에게 도움이 되는 선택을 스스로 할 수 있도록 도와줘야하기 때문이죠. 그런데 만약 내가 학업중단에 대한 이미지가 부정적이라면 나도 모르게 학생이 학업중단을 선택하지 않도록 설득하는 모습으로 나올 수도 있고, 반대로 학업중단에 대한 이미지가 긍정적이라면 학업중단의 선택에 대해 크게 고민하지 않아도 된다는 모습으로 비춰질 수도 있습니다. 그래서 내가 가지고 있는 학업중단의 이미지를 정리해보고 나의 가치관이 상담에 들어가지 않도록 노력해야 해요.

대부분의 사람들은 학업중단에 대해 어떤 이미지를 가지고 있을까요? 저는 아직도 학업중단에 대한 부정적인 인식이 많다는 것을 느낍니다. 학업중단이 비행 때문이거나, 학교를 다니고 싶지만 어쩔 수 없는 상황, 또래관계의 문제 등의 이유 때문이라고 많이 생각하더라고요. 그리고 학업중단의 결과가 좋지 않을 것이라고 단정 짓는 사람들도 많고요. 그러다보니 학생이 학업중단을 결정하겠다고 이야기하면 철없는 이야기라고 생각하거나 반대로 엄청 심각한 문제가 있다고 생각하기도 하죠. 물론 위의 이유로 학업중단을 하는 학생들도 있지만 요즘에는 정시를 위해 학업중단을 하는 경우도 있고, 자신의 꿈을 찾기 위해 학업중단을 하는 경우도 있습니다. 시야를 넓게 가지고 학생의 이야기를 들었을 때 학생의 진짜 마음을 알 수 있겠죠.

학업중단숙려제 상담 전 학업중단에 대한 중립적인 태도를 가졌다면 이제 상담을 시작합니다. 학생과 학업중단숙려제 상담을 진행할 때는 먼저 어떤 이유에서 학업중단을 하고자 하는 건지 확인합니다. 이유에 따라 정서적인 상담이 필요할 때도 있지만 학생이 생각하고 있는 학생의 미래가 정말 현실적인 것인지 논리적으로 확인하는 것도 필요합니다. 실제로 검정고시를 통과할 수 있는지 기출문제를 풀어보기도 하고, 수시 비율과 정시 비율을 확인해 보고 모의고사 점수로 진학할 수 있는 대학을 확인해 보기도 합니다. 또한 대학을 진학하지 않고 원하는 직업을 가질 수 있는지 확인해 보기도 하죠.

상담을 하다보면 학생들은 때로는 힘든 일이 있을 때 학교를 그만두면 새로운 백지처럼 모든 것을 새롭게 시작할 수 있다는 생각을 이야기하기도 합니다. 지금까지의 삶을 보니 후회가 가득하고, 이미 지난 시간을 돌릴 수 없고, 같은 상황에서 해결할 용기가 없으니 아예 새로 시작하고 싶다고 말이죠. 저 또한 그런 상상을 많이 하니 학생들도 당연히 그런 생각을 할 수 있습니다.

하지만 어른은 대부분 그런 생각으로 모든 것을 그만두지 않습니다. 왜냐하면 그런 행동은 회피하는 것이므로 결국에는 똑같은 문제를 마주할 것을 아니까요. 하지만 학생은 어른이 아닙니다. 학생이 이를 깨닫기란 쉽지 않죠. 그렇다고 학생에게 직접적으로 이런 이야기를 해도 학생이 깨닫기는 어렵습니다. 우리가 어렸을 때 어른들의 좋은 말들을 다 잔소리로만 생각했던 것과 같죠. 따라서 학생 스스로 자신이 택한 방법이 회피인지, 아닌지를 확인할 수 있도록 해야 합니다.

물론 회피라고 생각할 수 있도록 도왔는데도 학생이 마주할 용기가 없어 회피를 선택할 수도 있습니다. 모든 학생이 자신의 문제를 마주할 에너지가 있는 것은 아니니까요. 그럴 때는 이게 회피라고 아는 것에 의미를 가질 수 있도록 돕습니다. 언제까지 회피만 할 수 없고, 회피가 결국에는 나에게 도움이 안 될 가능성이 높고, 지금은 회피하지만 에너지를 더 쌓아서 혹은 더 성숙해져서 다음번에는 회피하지 않는 모습을 보이도록 노력해 보자는 이야기가 학생의 인생에 전환점이 될 수 있습니다.

이렇게 학업중단숙려제 상담을 진행하기로 마음을 먹었지만 시작부터 제대로 되지 않을 때가 있습니다. 학부모와 학생의 의견이 다를 때죠. 학부모는 상담을 통해 학생이 마음을 바꾸기를 원하고, 학생은 상담교사가 자신을 설득할까봐 시작할 때부터 잔뜩 날을 세우기도 하죠. 또 담임교사와 학생의 의견이 다를 때도 있습니다. 담임교사 또한 상담교사가 학생을 설득하기를 원하죠. 이럴 때는 상담은 설득하는 것도, 대신 결정해 주는 것도 아니라는 것을 잘 이야기해야 합니다. 잘 이야기한다는 것이 참 어렵죠? 학생 상황마다 다르다 보니 어떻게 이야기해야 하는지 정답처럼 이 책을 통해 설명하기도 참 어렵습니다. 기본적인 것을 이야기하자면 담임교사, 학부모가 학생의 학업중단을 반대하는 입장의 경우에는 일단 당연히 이야기를 들어주고 공감해 줍니다. 아무래도 담임교사는 동료이기 때문에 이야기를 들어주고, 공감해 준 뒤 상담교사의 역할에 대해서 이야기한다면 대부분 잘 이해하고 협력관계가 됩니다. 하지만 학부모는 직접적인 영향을 받는 사람이고 내담자의 성향이 강하기 때문에 더 많은 설명이 필요합니다. 이미 학부모와 학생이 이 일로 많이 싸우다가 학업중단숙려제까지 왔을 경우가 많아요. 그래서 학부모가 얼마나 속상했을지 이야기를 들어주는 것이 필요합니다. 그 다음 왜 학생의 학업중단을 반대하는 지 이야기를 나눕니다. 생각보다 구체적인 이유가 아닌 단지 학부모가 불안하기 때문에 반대하는 경우가 많습니다. 이럴 때는 불안의 이유를 확인하게 해주는 것이 필요합니다. 그리고 학부모의 불안이 무엇인지 구체화하고, 우선순위가 무엇인지도 이야기 나눕니다. 이런 이야기를 하다 보면 결국에 학부모도 학생을 믿는 것이 지금으로서는 최선이라고 깨닫게 되더라고요. 그리고 학업을 중단해도 다시 학교에 돌아올 수 있기 때문에 그런 절차들을 이야기해 준다면 학부모의 불안이 낮아지고 학부모 또한 학생과의 긍정적인 관계에 더 집중할 수 있죠. 이러한 이야기를 한 번의 학부모 면담으로 진행하지 않아도 됩니다. 저는 먼저 학부모의 이야기를 다 들어주고, 학생의 이야기를 듣고 다시 연락을 주겠다고 합니다. 서로 시간을 갖는 것이죠.

▪ **학부모가 학생이 학업중단을 하지 못하도록 설득해달라고 할 때 어떤 이야기를 하면 좋을지 적어보세요.**

학업중단숙려제 상담에 대해서 마무리하면서 학업중단숙려제의 어두운 면도 이야기하고자 합니다. 학업중단숙려제가 좋은 부분만 있지 않습니다. 어떤 학생은 개인적인 이득을 위해 출석인정을 해주는 학업중단숙려제를 악용하기도 하죠. 단기 어학연수, 정시 준비, 예체능 입시 준비, 아르바이트 등을 위해 학업을 중단하려는 마음이 없음에도 학업중단숙려제를 이용합니다. 겉으로 학업을 중단할 생각이라고 이야기한다면 그것이 진심인지, 아닌지 알 수 있는 방법은 없습니다. 물론 짐작은 할 수 있겠지만 그걸 확인할 방도는 없죠. 참 어렵습니다. 화가 날 때도 있고요. 제도를 옳지 않은 방향으로 이용한다는 생각에 적절하게 지도해야하지 않나 싶은 마음도 듭니다. 이걸 영리하다고 봐야할지, 영악하다고 봐야할지.

이런 고민들을 계속하면서 학업중단숙려제가 더 나은 방향으로 운영될 수 있도록 발전해야 한다고 생각합니다. 다만 악용 사례에 더 집중하여 학업중단숙려제의 좋은 의도를 놓치지 않았으면 좋겠어요. 선생님과의 학업중단숙려제 기간이 어떤 학생에게는 앞으로 살아가는데 잊지 못할 도움이 될 수 있으니까요.

교사로서 교사에 대한 불만 듣기

혹시 그 선생님과 친하세요?

학생들이 가지고 있는 고민에는 학교에 대한 불만도 있습니다. 학교 제도에 대한 불만을 가질 때도 있고, 특정 교사와 불편감을 갖게 되는 경우도 있죠. 더 나아가 어떤 때는 교권 관련 문제를 일으킨 학생들을 상담할 때도 있습니다. 저 또한 학교의 일원으로 학교에 대한 불편감을 듣는 것이 때로는 저에게 불편감을 일으키기도 합니다. 특히나 같은 교사에게 무례한 행동을 하고 이에 대해 반성하지 않는 학생들의 이야기를 들을 때면 학생보다 교사에게 더 공감이 갈 때도 있죠. 상담 시간에는 당연히 그것을 표출하지 않겠지만 불편감이 드는 것은 어쩔 수 없습니다. 그럼에도 상담교사는 이런 마음을 스스로 잘 알아차리고 조절해서 상담에 영향을 미치지 않도록 노력해야 합니다.

상담교사는 직업적 역할이나 전문성으로 이 문제를 다룰 수 있지만 학생의 입장은 어떨까요? 학생들은 이러한 문제를 가지고 있을 때 상담교사에게 편하게 이야기할 수 있을까요? 학생이 A교사와 관계의 어려움을 갖는 상황이라고 가정해 봅시다. 그리고 상담교사는 동료교사로서 A교사와 친하게 지내고 있습니다. 이럴 때 학생의 입장이 된다면 상담교사에게 어려움을 이야기할 수 있을까요? 학생들은 우리가 생각하는 것보다 더 많은 것을 알 때가 있습니다. 어느 날은 학생이 “쌤, OO쌤이랑 친하시죠?”라고 묻더라고요. 실제로 친하기도 하지만 어떻게 이 학생이 알았을까 싶기도 해요. 그리고 제가 그 선생님과 친한 것이 학생들에게 어떤 영향을 미칠지 생각하기도 하죠.

▪ 내가 상담받는 학생 입장에서 담임교사와 친한 상담교사에게 어떤 마음이 들까요?

사실 그렇잖아요. 내담자의 일상과 상담자의 일상이 겹쳐서 같이 아는 사람이 있다면 내담자가 솔직하게 모든 것을 말하기 힘들잖아요. 학생들도 마찬가지지 않을까 싶습니다. 상담실과 교무실이 분리되어 있는 것도 이런 것을 방지하기 위해서라고 생각해요. 상담받고 싶은데 여러 선생님들이 계시는 교무실에 가서 상담받고 싶다고 이야기하기란 참 어려운 일일테니까요. 제가 어렸을 때 상담교사가 배치되지 않는 학교에 다녔어요. 상담 업무 담당교사만 있었죠. 그 때 그 선생님은 상담에 꽤 적극적이셨기에 학생들의 상담을 많이 해주셨어요. 하지만 상담실이 없었기 때문에 학생들이 상담을 하고 싶으면 교무실에서 방음이 안되는 칸막이 뒤에서 이야기하곤 했죠. 이야기를 잘 들어주셨지만 다른 선생님들이 제 이야기를 들을까봐 솔직하게 이야기하기는 어려웠어요. 또 같은 교무실의 선생님들과 제 이야기를 공유하지 않을까 걱정도 많이 했었고요.

그렇다면 다른 교사들과 거리를 두고 지내야 하는걸까요? 사실 한편으로는 학교가 상담교사의 직장이기도 하잖아요. 상담교사가 아닌 다른 직업을 가졌다고 생각해봐요. 직장에서 아무랑도 친하지 않는다는 것이 만족스러운 내 삶의 모습일까요? 물론 사람마다 성향이 다르기 때문에 직장에서 다른 가치를 추구할 수 있지만 대부분의 사람들은 힘들 것이라고 생각해요. 직장에서 내가 좋아하는 사람들이 없고, 내 마음을 편하게 나눌 사람이 없다면 직업 만족도는 아주 떨어지겠죠.

▪ **다른 교사와의 친목의 장점에 대해 적어보세요.**

다른 선생님들과 친했을 때 직업만족도와 더불어 또 다른 장점이 있습니다. 친한 선생님들이 상담교사에게 학생들에 대해 더 편하게 이야기해 줄 수 있죠. 학급에서 일어났던 일 혹은 수업시간에 일어났던 일에 대해서 솔직하게 이야기를 해주고, 상담이 필요한 학생이 있을 때 편하게 의뢰할 수 있습니다.

또 다른 장점은 학교에서 제 의견을 동의해 주는 제 편이 생기는 것입니다. 상담교사는 학교에서 상담교사의 역할에 대해 자기주장을 해야 할 때가 많습니다. 그런 상황에서 제 이야기를 잘 들어주고, 이해해 주고, 동의해 주는 선생님들이 많아진다면 상담교사의 역할과 맞지 않는 업무에 대해 조정이 쉬워질 것입니다. 이것은 다시 상담교사가 자신의 역할에 더 충실할 수 있게 되어 학생 상담에도 긍정적인 영향을 미치겠죠. 친하다고 상담교사의 편을 들어준다는 것은 아닙니다. 친하게 되면 서로에 대한 관심이 커지고 그러한 관심 속에서 서로의 역할에 대한 이해도가 높아집니다. 만약 친하지 않았다면 자신의 업무가 아니기 때문에 상담교사의 업무에 대해 잘 이해하지 못하여 상담교사의 주장에 동의하지 않을 가능성이 높아지는 것이죠.

대부분의 상황들이 단점만 있거나 장점만 있지 않습니다. 단점과 장점이 함께 있죠. 스스로의 성향에 맞추어 생활하되 이걸로 생기는 단점이 있다면 그 단점을 최대한 보완하는 방법은 어떨까요? 이러한 단점을 몰랐을 때보다 이러한 단점을 알고 있음에도 여러 가지를 고려해서 선택했을 때, 이 선택에 대한 책임을 질 수 있을 방법들을 스스로 찾을 수 있을테니까요.

만약 상담 장면에서 상담교사가 다른 교사와 친해서 문제가 발생했다면, 문제에 대해서 추측만 하지 않고 학생에게 묻고 이를 상담 장면으로 가져와 해결하는 방법도 있습니다. "00이는 선생님이랑 00선생님이랑 친한지 궁금하구나. 혹시 그게 궁금한 이유가 있어?"

학생이 제 이야기 안하나요?

반대로 교사들 또한 학생들이 어떤 마음을 가지고 있는지 알기를 원할 때도 있습니다. 학생이랑 협의하에 담임교사에게 상담에서 이런 이야기를 나눴다고 이야기할 수 있는 상황이라면 문제될 것이 없죠. 실제로 담임교사는 학생에게 중요한 지지자원이 될 수 있기 때문에 담임교사와 협력관계를 유지하는 것은 중요합니다. 상담 시간에 보이는 행동과 실제 학급에서 보이는 행동에는 차이가 있는 경우가 많고, 그러한 차이를 상담 장면에서 다루면 상담의 효과를 높일 수 있어요. 그래서 이런 정보를 얻는데 담임교사의 협력은 큰 도움이 됩니다.

그런데 앞에서 이야기했듯이 학생과의 상담 내용이 교사와의 내용이라면 우리의 머릿속은 복잡해집니다. 학생은 해당 교사에게 해당 내용을 전달하는 것을 원하지 않을테죠. 교사는 교사 나름대로 학생의 행동을 이해하고 싶고, 학생이 어떤 마음으로 행동했는지를 알아야 교사가 적절하게 대처하여 긍정적인 관계를 형성할 수 있다고 생각하기에 좋은 마음에서 상담교사에게 물어보는 경우가 많아요. 이럴 때 상담은 비밀보장이 원칙이라 이야기할 수 없다고 딱 잘라 거절해야 할까요?

▪ 내가 담임교사라면, 상담교사가 학생의 이야기를 알고 싶다는 자신의 요청을 거절했을 때 어떤 기분이 들까요?

제가 담임교사라면 딱딱한 거절에 무안함을 느낄 것 같아요. 나쁜 의도로 이야기한 것이 아닌데 자신의 의도를 잘 이해하지 못한다는 생각에 속상함, 서운함도 느낄 것이고요. 그리고 상담교사에 대한 믿음이 낮아져 앞으로 상담교사에게 학생을 의뢰하지 않으려고 할지도 모르죠. 그렇다고 학생이 원하지 않는데 학생의 이야기를 전달하는 것은 비밀보장의 원칙에 어긋나요. 어떻게 해야 할지 모르는 상황들은 이렇듯 늘 사례마다 다양한 방식으로 발생됩니다. 이럴 때 정답은 없어요. 그 그때 상황에 따라 대처할 뿐이죠.

여러 가지 상황이 있겠지만 공개해야 한다면 먼저 학생에게 이야기를 합니다. 물론 감정을 먼저 털어낸 상태여야겠죠. 처음부터 이성적인 이야기를 하면 학생은 받아들이지 못할테니 처음에는 어떤 감정이든 털어낼 수 있도록 돕습니다. 이후에 안정된 상태라면 이렇게 말합니다. 선생님 또한 네가 어떤 마음을 가지고 있는지 궁금할 것 같다고요. 그리고 어떤 결과를 원하는지도 물어보고, 어떤 결과가 학생에게 도움이 될지도 물어봅니다. 이때 같은 교사의 편에서 이야기하는 것이 아닌 학생의 입장에서 이야기해야 합니다. 사실 글은 쉽지만 실제 상황에서는 쉬운 일은 아니죠. 학생의 감정 상태와 생각을 잘 알아야 하고, 그 안에서 적절한 타이밍을 잡아야 하기 때문에 위와 같이 이야기하기도 조심스럽습니다. 이건 사례마다 다르고, 상황마다 다르고, 상담교사가 어떻게 말하냐에 따라 다르니까요.

학생이 마음을 열고 상담 내용을 전달해도 좋다고 한다면 어떻게 전달하면 좋을지, 언제 전달하면 좋을지 함께 협의를 합니다. 물론 어떤 학생은 아무 상관이 없다고 생각할 수도 있지만 또 어떤 학생은 구체적이지 않으면 계속 불안을 가지고 있을 수도 있으니까요. 그리고 그걸 교사에게 잘 전달해 줍니다.

이러한 과정들이 상담이 맞나 싶죠? 물론 우리의 역할에 갈

등 조정이 있다는 것은 아닙니다. 그리고 꼭 이렇게 행동하지 않아도 됩니다. 하지만 저는 이런 행동이 학생에게도, 저에게도 좋은 일이라고 생각했어요. 제가 둘 사이에 끼지 않으려고 해도 이미 학생은 제 내담자고, 교사는 제 동료니까요. 당연히 중간에 낄 수밖에 없죠. 경계를 잘 세운다고 해도 동료인 교사가 이 일을 신경쓰지 않을 수 없기 때문에 오히려 솔직하게 이야기하고 서로가 긍정적인 관계를 유지할 수 있도록 도와주는 것이 제 직장 생활의 평안함에도 도움이 되리라 생각했어요.

▪ 학생은 담임교사에게 자신의 이야기를 전달하는 것을 원하지 않고, 담임교사는 학생의 이야기를 알고 싶어하는 상황일 때, 어떻게 상담을 진행하고 싶은지 적어보세요.

동료 교사도 상담해달라고요?

정말 학교 상담의 끝은 어디인가. 이런 생각이 자주 듭니다. 상담이라는 단어만 들어가면 상담교사의 업무로 생각되어 관련 없는 공문을 배정받을 때도 있죠. 우리가 치료적으로 진행하는 '상담' 외에도 고객 상담, 고충 상담, 민원 상담, 물품 판매 상담, 담임교사가 진행하는 학생 및 학부모 상담 등 여러 방면에서 상담이라는 단어를 사용하다보니 종종 상담에 대한 이해가 서로 다를 때가 있습니다. 상담이 학생과 그냥 이야기 나누는 것이 아니라는 것을 이해시키는데 노력이 필요하죠. 아직도 내 직업의 역할에 대해서 설명해야 한다는 것이 씁쓸하지만 과거보다 현재가 더 나아졌듯이 미래에는 더 나을 것을 기대하며 차근차근 이해할 수 있도록 설명하곤 합니다.

상담에 대한 단어의 해석과 업무의 이해가 다르다보니 상담교사가 당연히 동료도 상담을 해줘야 한다고 생각하는 경우가 많습니다. 상담교사는 학생을 상담하는 교사입니다. 교과교사가 교사를 가르치는 것이 아니듯이 상담교사 또한 학생을 상담하고 교사를 상담하지 않습니다. 특히나 이중관계로 인해 윤리적으로도 동료를 상담할 수 없는 것은 당연하고요. 하지만 늘 그렇듯 직장에서 나의 입장을 이해하는 사람이 얼마나 있을까요? 그리고 그들이 바라는 동료 교사 상담은 어떤 것일까요?

▪ 왜 상담교사에게 동료 교사 상담을 요청한다고 생각하나요?

동료 교사의 상담에서 바라는 건 어쩌면 그냥 마음 편하게 이야기를 들어주는 것뿐일지도 모릅니다. 그냥 '상담'이라는 단어를 빼고 생각해보죠. 우리가 상담교사가 아닌 다른 직업을 가졌다고 하더라도 동료들이 자신의 힘든 점을 이야기할 때가 있습니다. 만약 그런 상황이라면 귀 기울여 잘 들어주고, 공감도 해주고, 동료가 행복하기를 진심으로 바라는 입장에서 여러 가지 일을 하겠죠. 그런데 이걸 '상담'이라고 이름을 붙임으로써 왜인지 우리가 치료적 상담을 해야 한다는 생각을 하게 만들죠. 그 마음을 빼고 상대방이 나한테 원하는 것이 무엇인지를 생각하면 마음이 한결 나아질 것입니다.

그렇다고 동료 교사의 상담을 받아들여야 한다는 뜻은 아닙니다. 단지 서로가 소통할 때 각자의 생각이 다르기 때문에 상대방이 왜 그런 이야기를 했는지 입장을 생각해보는 것이죠. 만약 상대방의 입장을 생각해보고 그냥 동료 교사로서 이야기를 들어주는 것 정도는 괜찮겠다고 생각된다면 상담이란 무엇인지 이야기를 해주고, 경청과 공감을 잘 해주는 동료 교사의 역할은 해줄 수 있다고 이야기해 줄 수 있죠. 이럴 때는 우리 자신도 모르게 치료적 개입이 들어가지 않도록 경계를 유지하는 것이 좋습니다. 또 만약 동료 교사로서 이야기를 들어준다고 하는 것 또한 앞으로 나의 업무 경계가 모호해질 수 있다고 생각한다면 그때는 상담교사의 역할에 대해서 이야기하면서 거절할 수도 있습니다. 만약 제가 거절하겠다고 마음먹은 상황이라면 대체할 수 있는 것도 안내해 주면 좋습니다.

▪ 동료 교사가 힘든 상황에서 어떤 도움을 줄 수 있을까요?

교육청마다 교사들이 전문적인 상담을 받을 수 있도록 만든 센터가 있을 수도 있고요. 또 성인들이 상담받을 수 있는 국가에서 운영하는 센터가 있을 수 있죠. 또 사설 상담센터나 병원에 대해서도 아무래도 더 정보가 많다 보니 그런 부분에서는 도움을 줄 수도 있습니다.

학교 생활을 하다 보면 좋은 마음으로 수락했던 것들이 말도 안되는 업무 분장으로 돌아올 때가 많습니다. 그런 일들을 계속 겪다 보면 작은 부탁도 예민하게 반응하게 됩니다. 또 상담교사는 한 학교에 한 명밖에 없다보니 나만 이 학교에서 하면 상관없지만 나로 인해 옆 학교에 영향을 미치고, 또 내 뒤로 발령받은 상담교사에게 영향을 미칩니다. 그러다보니 나도 모르게 날을 세우곤 하죠. 또 한 편으로는 편안한 직장 생활을 위해 서로가 불편해질 거절보다는 수락하고 싶기도 합니다. 학교의 분위기도, 나의 성향도, 상대방의 성향도 함께 영향을 끼치고, 정답도 없다 보니 결정하기 쉽지 않습니다. 그래도 잠시 시간을 두고 상대방의 입장을 생각하다 보면 생각 외로 해결책이 쉽게 나오기도 하고, 거절의 결과도 나쁘지 않게 흘러갈 수 있습니다.

학교폭력 피해학생과 가해학생,
누구를 상담할까?

학교폭력을 대하는 우리의 자세

학교폭력 담당교사가 학교폭력 사안을 상담교사에게 알립니다. 대부분 학교폭력 피해학생과 학교폭력 가해학생 모두가 우리 학교 학생인 경우가 많죠. 우리는 피해학생과 가해학생을 모두 상담할 수 없다고 배웠지만 학교에서는 우리가 피해학생과 가해학생 모두 상담하기를 원할 때도 있습니다. 심지어 피해학생과 가해학생의 갈등 조정을 원할 때도 있죠. 학교에서는 원칙보다 빠른 문제해결을 원합니다. 우리는 어떤 선택을 해야 할까요?

▪ **학교폭력 피해학생과 가해학생 모두를 상담하지 못하는 이유는 무엇일까요?**

학생의 입장에서 학생의 경험, 감정, 생각을 공감하고 치유할 수 있도록 돕는 것이 상담교사의 일입니다. 학교폭력 피해학생의 경우라면 상담교사가 자신과 가해학생 모두를 만난다고 생각할 때 온전히 내 솔직한 이야기를 할 수 있을까요? 만약 학교폭력이 신고되어 아직 누가 학교폭력 피해학생인지 가해학생인지 모를 때는 어떨까요? 상담교사한테도 자신의 억울함만을 이야기할 가능성이 높죠. 자신의 솔직한 이야기가 혹시나 학교폭력 전담기구의 결정에 영향을 미칠까 걱정될 거고요. 상담교사가 학교폭력 전담기구의 결정과 지금 상담은 상관이 없다고

이야기해도 믿기 힘들 것입니다. 학교폭력 가해학생의 경우라도 마찬가지입니다. 누구 편을 드는 사람인지, 피해학생 이야기를 듣고 자신을 탓하려는 사람은 아닌지 생각하기에 라포형성이 어렵겠죠.

갈등조정 또한 상담교사의 역할은 아니라고 생각합니다. 반복해서 말했듯 상담은 학생의 시선에서 학생의 솔직한 이야기를 듣고 치유를 돕는 일입니다. 갈등조정을 하기 위해서는 객관적인 시선으로 학생들의 이야기를 듣고 갈등이 생긴 원인을 판단하고 이를 해소할 수 있는 방안을 찾아 방향성을 가지고 갈등을 조정해야 합니다.

여기까지는 상담을 전공한 사람들이 주장할 수 있는 이야기입니다. 그리고 이러한 주장을 잘 이해해 주는 학교가 있습니다. 그런 학교라면 학교폭력 피해학생의 입장을 우선적으로 고려하여 피해학생이 학교 상담을 원한다면 피해학생을 상담하고 가해학생은 외부 기관으로 연계할 수 있습니다.

하지만 이러한 주장을 이해하기 어려운 학교 상황도 있을 것입니다. 대부분의 학교 상담실은 학교폭력 가해학생 특별교육을 담당하게 되어있어 위원회에서 특별교육 조치가 내려지면 가해학생 특별교육을 진행하게 됩니다. 그것과 더불어 학교폭력 피해학생이 학교 내에서 힘들다고 할 때에도 가장 먼저 안내하는 장소가 상담실일 것입니다.

▪ **학교폭력 피해학생과 가해학생 모두를 상담하게 되었을 때, 내가 할 수 있는 노력은 무엇일까요?**

저는 이런 경우라면 선택권을 학생과 학부모에게 맡기는 편입니다. 학교 상황 상 상담교사가 한 명뿐이라 피해학생과 가해학생 모두를 만날 수도 있는 점, 상담은 학생의 시선에서 학생의 생각, 감정, 행동을 이해하고 치유할 수 있도록 하는 작업이기 때문에 라포형성이 중요하다는 점, 상담은 학교폭력 전담기구나 학교폭력대책위원회의 결정에 관여하지 않는다는 점, 이런 부분들 중에 불편함은 없을지 등을 이야기하고 불편한 경우 외부기관으로 연계할 수 있다는 것을 이야기합니다.

모든 일이 원칙적으로 진행되는 것이 가장 좋지만 어떠한 이유로든 원칙이 지켜지기 어려운 상황이 많습니다. 그럴 때 정답은 없겠지만 솔직하게 이야기하고 학생과 학부모가 선택할 수 있도록 진행했을 때 우리가 걱정할 문제들이 적어질 가능성이 높아진다고 생각합니다.

수용과 허용의 차이를 안다면

저는 상담교사라는 제 직업이 참 좋습니다. 모든 것을 따뜻한 시선으로 바라볼 수 있어서죠. 상담은 내담자의 시선에서 내담자의 이야기를 듣는 작업입니다. 나의 생각은 내려놓고 내담자에게 집중하는거죠. 저는 이 작업으로 가끔 내담자의 인생에 잠시 들어가는 느낌이 들 때가 있습니다. 내담자의 인생으로 들어가면 내담자가 어떤 인생을 살았더라도 이해가 되더라고요. 그래서 어떤 것이든 따뜻한 시선을 유지할 수 있게 됩니다.

모든 사람들에게 누군가의 인생으로 들어갈 수 있는 기회가 주어지지 않죠. 운이 좋게도 우리는 모든 요소들을 갖춰 어떤 사람이라도 그 사람 인생으로 들어갈 수 있는 직업을 갖게 되었습니다. 우리는 언제든, 누구든 그 사람 입장에서 그 사람의 마음을 들을 수 있고 이해할 수 있습니다. 이러한 기회를 관련 직업을 가진 사람들 스스로 행운이라고 생각했으면 좋겠습니다.

학교의 상담교사로서 모든 사람을 이해할 수 있다면, 모든 사람 안에 학교폭력 가해학생은 포함되는 걸까요? 학교폭력 가해학생에 대해서 어떻게 생각하는지 상담교사의 역할이 아닌 개인적인 생각을 적어봅시다.

▪ 학교폭력 가해학생에 대해 어떻게 생각하나요?

아마 각자의 생각이 다르겠죠. 이건 개인적인 경험의 차이도 들어갈 수도 있어요. 만약 내가 학교폭력 피해 경험이 있다면 혹은 내 가족이, 내 친구가 학교폭력 피해 경험이 있다면 더욱이 학교폭력 가해학생에 대한 감정이 좋지 않을 수 있습니다. 기사나 드라마 등 관련한 내용을 볼 때마다 학교폭력 가해학생의 악행에 화가 나고, 학교폭력 피해학생의 상처에 속상할테죠. 우리도 사람인지라 그러한 감정들을 갖는 것이 당연합니다.

주변 선생님들과 이야기해보면 피해학생에게 공감하는 것보다 가해학생에게 공감하는 것이 더 어렵다는 이야기를 많이 듣습니다. 저는 학교에서 저의 역할은 모든 학생을 어떤 사건과 관계 없이 편견 없이 대하는 것이라고 생각해요. 그렇다고 해서 그 학생들의 행동을 정당화할 수는 없겠죠. 그때 생각해 볼 수 있는 것이 수용과 허용의 차이라고 생각해요.

우리는 가해학생의 이야기를 잘 들어주고 따뜻하게 대한다면 혹시 가해학생의 행동들이 정당화되는 것은 아닐까 두려워하곤 합니다. 그러다보니 더 벽을 세우고 이야기를 듣지 않으려고 하는 것일지도 모릅니다. 하지만 수용과 허용은 다릅니다. 상담자들에게 늘 수용적인 마음을 가져야 한다고들 하잖아요. 거기서 수용은 그 행동을 했을 때의 감정, 생각 등을 이해해 주는 것이에요. 생각은 한계가 없고 자유롭습니다. 어떤 사람이 미워서 때리고 싶기도 하고, 어떤 사람에게 복수하고 싶은 마음이 들기도 합니다. 내가 싫어하는 사람이 잘 안되면 기쁜 마음도 들 수 있겠죠. 그 마음이 잘못된 것은 아니에요. 그리고 그 마음을 표현하지 못하고 혼자만 가지고 있다면 오히려 그 마음이 해소되지 못해 진짜 행동으로 이루어지기도 합니다.

이를 막기 위해서는 그런 마음들을 수용하되 가해학생이 했던 행동은 허용하지 않으면 됩니다. 학생이 그런 행동을 했던 이유는 이해하지만 그럼에도 불구하고 그 행동을 해서는 안되는 것이라고 이야기해 주는 것이죠.

상담은 흔히 옳고 틀리는 가치판단을 하지 않는 것이라고 하죠. 하지만 학교폭력에서의 우리의 역할은 어떤 가해학생들이라도 우리에게 솔직하게 이야기하게 하고 그 감정을 혹은 그 생각을 갖게 된 이유와 그 행동을 하게 된 이유를 찾아주고, 그 이유에 대해서는 이해해 주지만 그 행동은 잘못된 것이고, 그 행동에 대한 책임을 져야 하며, 그 행동을 다시는 하지 않을 수 있도록 도와주는 것이라고 생각해요. 자신의 감정과 개인적인 이유 때문에 누군가를 해치는 것은 결코 정당화될 수 없으니까요.

혹시 자살을 생각하고 있니?

자살과 자해를 구분해보자

이번 파트는 조금은 무겁게 이야기를 하고자 합니다. 자살이라는 단어는 쉽고 편하게 다가가기도 어렵고, 다가가서도 안된다고 생각해요. 그러다 보니 관련 내용을 쓸 때도, 관련 내용을 강의할 때도 조심스럽습니다. 하지만 상담교사뿐만 아니라 교과교사들도 한 학생을, 동료를, 가족을 살리기 위해서는 필수로 알아야 하는 부분이기 때문에 하나의 파트로 구성하게 되었죠.

여러 상담 선생님들과 이야기를 하다 보면 각자 마음에 담은 트라우마를 듣게 됩니다. 그중 가장 많은 내용이 자살에 대한 이야기죠. 자살. 자해. 듣기만 해도 숨이 막히곤 합니다. 상담교사가 생기게 된 이유는 학교폭력이라지만 제가 생각하기에 가장 큰 역할을 하게 되는 건 자살과 자해 부분입니다.

학교에서 자살, 자해 등 위기사안이 발생했을 때 최전선에 상담교사가 있습니다. 물론 업무 담당이라는 이야기가 아닙니다. 자살과 자해 업무(위기관리위원회, 생명존중 교육 등)를 상담교사가 해야 한다는 말이 아니라 업무와는 별개로 자살과 자해에 대한 학생들의 이야기를 가장 많이 듣고, 이를 도와주는데 가장 앞에 서 있다는 이야기죠.

언젠가 강의를 할 때였어요. 자살 사안으로 많이 힘들어했던 상담교사가 있었죠. 자살 사안으로 일을 그만둬야하는지에 대해서도 고민하고 있었어요. 나 때문인 것은 아닐까, 내가 어떻게 하면 이런 일이 일어나지 않았을까, 다른 선생님들은 나를 어떻게 생각하나. 여러 생각들이 없어지지 않는 상황에서 계속 일하기가 힘들었을 거예요. 그럴 때 스스로 힘들다고 인정하고 주위의 도움을 받아야 하는데 힘듦을 인정하는 것 자체가 버거울 때가 있죠. 한 사람이 자살하면 주변에 5~10명은 심각한 심리적 어려움을 겪는다고 해요. 그리고 그 안에 우리도 있습니다.

학교는 일반 회사처럼 사수가 없어요. 특히나 학교에 담당교과가 한 명밖에 없는 우리들 같은 경우에는 무엇이든 우리 스스로 해결해 나가야 합니다. 다른 교사들은 우리를 자살과 자해 분야의 전문가로 봅니다. 나도 처음 겪은 일인데 나를 전문가라고 생각하고 내가 무언가를 해줄 것이라는 기대감을 갖고 나를 대하는데 참 당황스럽습니다. 저 또한 마찬가지고요. 그런데 시간이 지날수록 정말 이 분야에 전문가가 되어있더라고요. 우리가 충분히 할 수 있는 일이었어요.

▪ **나는 자살에 대해 어떤 것을 알고 있나요?**

먼저 자해와 자살을 나눠볼까 합니다. 보통 사람들은 자살과 자해를 같은 것으로 보는 경우가 많습니다. 하지만 자살 시도를 하는 학생과 자해를 하는 학생의 마음이 다르고, 접근방법이 다릅니다.

자해는 비자살적 자해라고도 이야기하죠. 그만큼 자살과는 다른 양상을 보입니다. 자해를 하는 학생들을 만나보면 우리가 생각하는 것과는 다르게 살기 위해 자해를 한다고 이야기할 때가 있어요. 내 몸에 상처를 냄으로써 자신이 느끼는 힘든 감정을 잠시 잊을 수 있다고 말이죠. 자해는 감정 조절의 문제가 원인으로 많이 알려져 있습니다. 감정 조절이 되지 않아 자신에게 상처를 내고 그로 인해 잠시 안정을 얻죠. 하지만 건강한 방법이 아니기 때문에 자해했다는 사실로 자괴감이 들고 이는 다시 감정이 소설되지 않는 상태로 이끕니다. 그러면 다시 감정 조절이 되지 않아 자신에게 상처를 냅니다. 속상한 굴레가 계속 굴러가는 것이죠.

자해 하는 학생들을 상담하는 방법에 대해서는 좋은 책들이 많이 나와 있기 때문에 저는 자해하는 학생을 상담하면서 상담교사로서의 대처방안에 대해서 말하고자 합니다. 자해 또한 자살과 다르다고 하더라도 만성적이고 빈번한 자해는 후에 자살시도로 이어질 가능성이 높고, 자해를 하려고 하다가 조절을 잘하지 못하여 자살 사망이 될 수 있는 위기 사안입니다. 그래서 자해 사안 또한 위기관리위원회를 꼭 진행해야 합니다. 이러한 이유로 자해 또한 비밀보장이 어렵다고 생각합니다. 물론 이 부분은 학생과 첫 회기에서 구조화할 때 학생에게 미리 설명이 되어야 하는 부분이겠죠.

위기관리위원회 속에서 전문가로서 다른 위원들에게 자살과 자해의 차이점을 이야기해야 하고, 그럼에도 자해가 왜 위험한지 어떻게 다뤄야 할지 이야기해 줘야 합니다. 물론 학생마다 상황이 다르기 때문에 그 때마다 이야기해야 할 것은 다르겠지만 상담교사로서 자살과 자해의 차이는 알고 있는 것이 위원들을 이해시키고 학생에게 더 좋은 지지자원이 될 수 있도록 돕는데 중요한 일이 될 것입니다.

▪ 상담하는 학생이 자해를 한다는 사실을 알았습니다. 위기관리위원회에서 어떻게 이야기할 수 있을까요?

자살 생각, 계획, 시도 확인하기

상담교사는 다양한 방면에서 학생의 자살 관련 어려움을 알게됩니다. 학생이 직접 상담실에 와서 상담 신청서나 심리검사에 자살 생각을 체크하기도 하고, 정서행동 특성검사에 자살 생각을 체크하여 상담실로 연계되기도 합니다. 또한 SNS에 자신의 자살 계획을 업로드하여 이를 본 친구가 상담교사에게 알려주기도 하고, 담임교사나 학부모를 통해 자살 시도 사실을 알게 되기도 합니다.

▪ 자살 관련 어려움을 가진 학생을 만나면 무엇을 가장 먼저 물어봐야 할까요?

저는 자살 관련 어려움을 가진 학생을 만날 때 가장 먼저 지금 자살 생각을 하고 있는지 자살 생각을 물어봅니다. 또한 자살 생각이 실제 자살을 뜻하는 건지 아니면 힘들다는 표현을 죽고 싶다고 하는 건지도 물어봅니다. 생각보다 학생들이 죽고 싶다는 이야기를 많이 해서 그 죽고 싶다는 말이 실제 자살을 뜻하는지 확인하는 작업이 필요합니다.

자살 생각을 물어봤을 때 자살 생각이 있다는 대답을 들었다면 그 다음에 해야 할 일은 자살 계획을 물어보는 일입니다. 날짜나 방법에 대해 구체적으로 생각하고 있는지 확인하는 것이죠.

자살 계획까지 확인했다면 그 다음은 자살 시도 경험을 확인합니다. 어떤 일이든 처음 시도보다 두 번째, 혹은 세 번째 등 처음이 아닌 시도가 더 쉽습니다. 이전 자살 시도 경험이 있다면 위험성은 더 커지죠.

▪ '자살'이라는 단어를 사용하는 것이 좋을까요?

자살이라는 단어를 사용해서 물어봐야 합니다. 앞서 말했듯 학생들은 죽고 싶다는 이야기를 많이 하기 때문에 정말 자살을 생각하는 것인지 확인하기 위해서는 자살이라는 단어를 정확하게 사용해야 알 수 있습니다.

또한 우리가 해야 할 일은 학생이 솔직하게 이야기하도록 하는 것입니다. 그런데 우리가 자살에 대해 마주하지 않고 돌려서 이야기한다면 학생 또한 솔직하게 말하는 것에 거부감을 느끼고 이야기를 안할 수 있습니다. 학생이 자살 생각에 대한 죄책감을 갖고 있다면 더욱이 숨기려고 할테죠. 오히려 자살 관련 이야기를 할 수 있도록 하려면 자살이라는 단어를 사용해서 솔직하게 이야기해도 괜찮다고 안심을 시켜줘야 합니다.

마지막으로 자살 생각을 가지고 있는 학생은 자살에 대해서만 생각하기 때문에 오히려 자살이라는 단어를 사용해줌으로써 상담 장면에 집중하게 할 수 있습니다. 이러한 이유들로 저는 자살 면접을 진행할 때 자살이라는 단어를 사용합니다. 만약 학생이 자살이라는 단어를 사용하는 것을 불편하게 생각할까 걱정이라면 학생에게 솔직하게 물어보는 것도 좋습니다. 자살이라는 단어를 사용해서 이야기할 예정인데 혹시 불편한지 말이죠. 만약 불편하다고 한다면 어떤 부분 때문에 불편한지 이야기를 들으면서 학생의 어려움에 대한 이해를 높일 수도 있고요.

자살 생각, 계획, 시도에 대한 이야기를 들었다면 그 이유도 들어봐 주어야 합니다. 어떤 이유로 자살을 생각하게 되었는지 이야기를 공감해줍니다. 그리고 학생이 가지고 있는 지지자원이 무엇인지 확인해야 합니다. 그리고 가장 중요한 것은 학생이 도움이 필요하니 학부모, 담임교사 등 도움이 필요한 사람에게 알릴 것이라고 이야기해야 합니다. 학생이 이미 첫 회기 구조화 때 아는 내용일지라도 막상 알린다고 이야기하면 거부 반응을 보일 수도 있습니다. 그럴 때는 학생이 어떤 것이 걱정인지 이야기를 들어주고 그 걱정을 덜 수 있는 방향을 찾아봅니다.

여러 상황이 있겠지만 학생이 상담교사가 학부모에게 어떤 이야기를 할지 예상이 안되어 불안할 수 있습니다. 그럴 때는 상담교사가 학부모에게 어떤 이야기를 할지 구체적으로 정하고, 학생이 원한다면 학생이 있는 자리에서 학부모와 함께 이야기를 하여 학생의 불안을 덜어줄 수 있습니다.

여러 노력을 하더라도 학생이 반대한다면 저는 신뢰 관계를 포기하고라도 학부모에게 말합니다. 학생에게 그 이유에 대해서 이렇게 말합니다. “너의 생명이 무엇보다 소중하기 때문에 너의 생명을 위해서 비밀을 지키기보다 네가 도움을 받을 수 있도록 할거야. 대신 네가 도움을 요청한다면 계속 함께 있어줄 수 있어.” 당장에는 신뢰 관계가 깨질지라도 마지막 말로 나중에 학생이 누군가에게 도움을 청하고 싶을 때 다시 저를 떠올리고 찾아올 수 있도록 여지를 남겨둡니다.

어떤 경우에는 담임교사와 협의할 수도 있습니다. 담임교사와 상담교사 중 신뢰 관계가 덜 이루어진 사람이 학부모께 이야기하는 것이죠. 그러면 학생은 둘 중 한 사람과는 계속 신뢰 관계를 유지하면서 도움을 받아 지지자원을 잃지 않아도 됩니다. 그리고 학부모와 이야기한 교사가 학부모를 도우며 지지자원끼리의 정보 공유와 협력 관계를 유지하여 더 학생에게 도움이 될 수도 있죠.

만약 자살 계획이 있는 상황이라면 어떻게 해야 할까요? 저는 상담이 끝나도 상담실에서 내보내지 않을 것 같아요. 학부모가 학생을 데리고 바로 병원에 갈 수 있도록 하죠. 그리고 학교의 담임교사와 위기관리위원회 담당자에게 상황을 보고하고 위기관리위원회에서 학생을 함께 보호할 수 있도록 합니다.

▪ **자살 계획이 있는 학생을 상담한 후, 학부모에게 어떻게 이야기를 전달할 수 있을까요?**

결국엔 부모교육

학부모를 만난다는 것은

학생들이 자라면서 마주할 여러 상황을 우리가 다 통제할 수는 없죠. 어떤 학생은 어려운 가정 상황을 마주할 수도 있고, 어떤 학생은 어려운 친구 관계를 마주할 수 있어요. 또 어떤 학생은 진로 문제로 큰 스트레스를 받기도 하죠. 그런데 신기하게요, 이런 문제들을 가지고 상담할 때 부모님이 적극적으로 해결하고자 노력하며, 학생과 긍정적 관계를 맺고 있다면 이러한 어려움들이 한 때의 어려움으로, 하나의 성장 과정으로 넘어갈 가능성이 높더라고요.

물론 이 말이 학생이 문제가 일어나면 모두 부모 탓이라고 이야기하는 것은 절대 아니에요. 학생의 인생에서 부모의 역할만이 전부도 아니고, 완벽한 사람은 없기에 부모가 아무리 최선을 다해도 누구에게나 성장통이 있죠.

하지만 청소년 상담에서 부모의 역할은 크기에 상담교사로서 부모를 학생 문제의 원인으로만 생각하여 멀리하지 말고 학생의 어려움을 해소하는데 부모를 적극 활용하는 것을 추천하고 싶어요. 청소년이기에 부모의 영향력은 크고, 특히 어리면 어릴수록 더 부모의 영향력이 크기 때문이죠.

▪ 내가 학부모를 만난다고 생각하면 내 기분은 어떤가요? 그 이유는 무엇인가요?

학부모와 만남에 대해 부담스럽게 여기는 선생님들이 많습니다. 그러다 보니 학생 문제 해결의 가장 중요한 요인인 학부모를 배제하고 학생에게만 개입하고 싶어 합니다. 성인 상담을 하는 사람이라면 독립도 중요한 발달 목표이기 때문에 가족을 만나지 않아도 되겠지만 학생들은 청소년이기 때문에 부모와는 떨어뜨려서 보기 어렵다고 생각해요. 과연 내가 나의 불편함으로 학생들에게 필요한 과정을 빼고자 한 것은 아닌지 생각해 봐야 해요.

▪ **언제 학부모 상담이 필요하다고 생각하나요? 그 이유는 무엇인가요?**

학부모를 상담에 개입시키겠다는 마음을 먹었다면 학부모 상담은 어떻게 시작해야 할까요? 학부모 상담의 첫 회기에서 라포를 잘 형성하는 것이 중요합니다. 학생들의 문제는 양날의 칼이라 문제 이면에 장점도 존재합니다. 그 장점을 먼저 이야기합니다. 그리고 다만 지금 학생이기 때문에 그 장점을 잘 발휘하지 못해 문제가 발생했다고 이야기하는 거죠. 그러면 학부모와 매끄럽게 이야기할 수 있습니다.

혹시 미혼이신가요? 학부모가 이렇게 말할 때도 있습니다. "선생님이 결혼을 안 하셔서 모르겠지만~" 아니면 아이가 없으신가요? 그럼 이런 이야기도 들을 때가 있습니다. "선생님이 아이가 없으셔서 모르겠지만~" 이런 이야기를 들으면 어떤 기분이 들까요? 내 기분을 먼저 알아차려 봐요.

저는 이런 이야기를 실제 많이 들었었어요. '나를 무시하나.' 생각에 화가 나기도 했고, '내가 정말 경험해보지 못해서 모르나.' 자책감이 들기도 했어요. 그러면서도 어떻게 학부모를 설득하고 나를 신뢰하게 만들 수 있을지를 중점으로 생각했어요. 그래서 이렇게 말씀을 드렸어요. "암 걸린 의사만 암 볼 수 있는 게 아니듯이 상담은 전문 분야고, 치료 과정이기 때문에 상담자의 개인적 경험보다는 전문성을 봐줬으면 좋겠습니다." 물론 이렇게 이야기를 했을 때 많은 학부모가 이해를 해줬던 것은 사실이에요.

그런데 경력이 늘어날수록 이런 생각이 들었어요. '그 이야기를 했던 이유는 무엇일까? 나를 못 믿어서 그런 이야기를 했을까?' 그러자 학부모가 저에게 표현하고 싶은 마음이 어떤 건지 느껴졌어요. 학부모는 학생의 문제로 이렇게 상담하게 된 것에 대해 부끄러움을 가지고 있었어요. 자신을 좋지 않은 부모로 볼까봐 걱정되는 마음과 죄책감으로 인한 이야기인 경우가 많더라고요. 결국 '아이를 키운다는 것이 힘든 일이기 때문에 나의 잘못은 아니다.' 라는 것을 이야기하려던 거였어요.

그걸 알게 된 이후에는 저는 일단 들어줘요. '그렇게 생각할 수도 있겠다.'고 이해도 표현하고, '많이 힘들었겠다.'라며 공감도 해줘요. 그리고 나보다 더 오랜 시간을 같이 있을 가족의 힘든 점이 더 크다는 것도, 나보다 가족이 학생에 대해 더 많이 알 것이라는 인정도 보여주죠. 그리고 나는 학생이 좀 더 행복할 수 있도록 가족과 함께 돕는 사람이라고 인식시켜드려요. 그러면 저에 대한 경계심을 풀고 더 많은 이야기들을 하시고, 힘들었던 부분들을 이야기하며 동반자가 되어갑니다.

라포를 형성하고, 학생 가족에 대한 정보를 탐색했다면 학부모가 학생에게 해줘야 하는 부분을 자문하게 되죠. 그럴 때는 어려운 걸 이야기하지 않아요. 우리가 전문가인 것을 알려주려고 굳이 어려운 단어를 써가며 어려운 과제를 준다면 오히려 우리의 도와주려는 의도와 다르게 학부모에게는 부담이 되고, 또 좌절이 될거에요. 우리는 학부모에게 인정을 받기 위해 학부모 상담을 하는 것이 아닙니다. 학생들에게 도움이 될 수 있도록 학부모에게 적절한 자문을 주기 위해 학부모 상담을 하는 것이죠. 그럼 학부모가 쉽게 할 수 있는 일은 무엇일까요? 저는 제일 자주 말하는 것이 자녀가 밖에서 돌아오면 반갑게 맞이해주는 것을 이야기해요. 생각보다 당연한 일인데도 잘 하지 못하는 일이죠. 그 다음 오늘의 기분이 어떤지 물어봐달라고 이야기해요.

▪ 내가 학부모라면 어떤 말을 듣고 싶을까요? 그 이유는 무엇인가요?

학부모가 조력자일 때 vs 내담자일 때

대부분 우리가 이야기하는 학부모 상담은 학부모가 학생 상담의 조력자가 될 수 있도록 학생의 보호자로서 상담하는 것을 뜻하는 경우가 많습니다. 이런 경우 명확하게 구분하자면 학부모 교육, 학부모 자문 혹은 학부모 면담이라고 말하는 것이 더 정확할 수도 있겠죠.

학생 동의를 기초로 학생 상담이 어떻게 진행되고 있는지 이야기를 나누기도 하고, 학생의 양육 과정에 대해서 이야기를 나누기도 하고, 가정 내에서 학생이 어떤 어려움을 갖는지 이야기를 나누기도 하고, 학생으로 인해 학부모가 어떤 어려움을 겪는지 이야기를 나누기도 합니다. 그리고 이를 바탕으로 가정에서 어떻게 해줬으면 좋을지 자문을 하기도 합니다. 학부모의 어려움을 듣는다고 해도 그 어려움은 학생을 중점으로 한 어려움입니다. 물론 학생과 관련된 이야기인지 아닌지 칼같이 나눌 수 없기에 이야기를 하다 보면 학부모의 개인사도 나누게 됩니다. 그에 대해 적절하게 공감도 하고 직면도 하게 되죠. 하지만 중점은 학생 상담 목표 달성입니다. 상담 회기도 학생 상담처럼 매주 진행하는 것이 아니라 필요할 때마다 진행되는 경우가 많죠.

▪ 학부모 상담에서 내가 알아야 할 내용은 무엇인가요?

그런데 다른 경우에서 상담교사가 학부모를 정말 내담자로서 상담하는 경우도 있어요. 학생 상담과 마찬가지로 상담 회기도 매주 상담을 진행하고, 학부모의 개인적 치유를 목적으로 상담하는 것이죠. 잘못된 일은 아니에요. 그런데 가족 상담이 아니고 학생과 그의 부모인 학부모를 둘 다 내담자로서 개인 상담하는 것은 쉬운 일은 아닐 것입니다. 상담 윤리 문제에서 이중 관계의 문제가 되지 않을까 생각됩니다. 학생은 분명 부모에 대해서 이야기를 할텐데 부모의 상담자라면 어떻게 받아들이게 될까요? 그게 정말 명확하게 구분이 될까요? 그래서 저는 상담이 필요할 것 같은 학부모는 성인상담센터를 안내하곤 합니다. 교육청에서 학부모 상담센터를 운영하고 있다면 그곳으로 연계하기도 하죠.

그런데 또 이런 경우에는 어떤 결정을 내릴 수 있을까요? 학생 상담이 필요한 학생인데 상담을 원하지 않는 학생이 있습니다. 공식적으로 상담을 해야 하는 상황이 아니라면 학생을 억지로 상담하기란 어렵죠. 그런 상황에서 학부모가 내담자로서 상담을 요청할 수 있습니다. 그럴 때는 어떻게 하는 것이 좋을까요?

▪ 학부모가 내담자로서 상담을 요청합니다. 어떻게 하고 싶은가요?

조력자로서 학부모를 상담하는 것은 상담교사의 역할이지만 내담자로서 학부모를 상담하는 것은 상담교사의 역할이라고 보

기 어렵다고 생각합니다. 하지만 상담교사에 따라, 혹은 학교에 따라 해야 하는 경우도 있을 수 있겠죠. 저는 학생을 상담하지 못하는 상황에서 학부모를 내담자로서 상담한 경우가 있습니다. 학생 관련 문제로 학부모 면담을 진행하여 학부모는 이미 상담교사와 라포가 형성되었고, 학부모의 성향 상 다른 상담자와 라포형성이 어렵다고 판단하여 상담 진행을 요청했죠. 저는 제기 청소년 상담을 진행하기 때문에 성인 상담 부분에서 전문성이 부족할 수 있다는 것을 이야기하고 학부모가 선택할 수 있도록 했습니다. 그럼에도 학부모는 저와의 상담을 원했고, 다행히 상담 목표를 잘 성취하여 학부모의 변화를 통해 학생 또한 좋아진 모습을 볼 수 있었죠.

정답은 없지만 아마 같은 상황이 온다면 저는 같은 결정을 할 겁니다. 학교 상황은 늘 예상대로 흘러가지 않고, 그 와중에 학생을 위해 가장 좋은 선택을 해야하니까요. 하지만 부담을 가질 필요는 없습니다. 상담자가 스스로 감당할 수 있는 정도를 파악하고, 감당하기 어려운 상황일 때는 이를 솔직하게 이야기하고 다른 기관이나 다른 상담자에게 연계하는 것 또한 상담교사의 중요한 역할이니까요.

초등학생 상담을 빠르게 종결하는 법

상담교사가 되고 처음 학교로 발령 나면 각 지역마다 인사규정이 다르다보니 어떤 지역에서는 학교급을 다양하게 바꿀 수도 있고, 어떤 지역에서는 학교급을 바꾸기 어려울 수 있어요. 그러다보면 한 학교급의 학생들의 특성들은 잘 알지만 다른 학교급의 학생들의 특성은 잘 모를 수도 있어요.

이런 면에서 위센터에서의 근무는 초, 중, 고등학교 모든 학교급의 학생들을 볼 가능성이 많아 더욱 다양한 경험을 하게 되는 장점을 가질 수 있죠. 위센터에서 초, 중, 고등학교 학생들을 같이 상담하면서 모든 학교급의 학생들에게 부모가 중요하지만 초등학생들에게는 유독 더 영향을 빠르게 끼치는 걸 느꼈어요.

어떤 초등학생을 상담할 때였어요. 학교에서는 학생이 학교규칙을 잘 지키지 못하고, 적응을 하지 못한다고 의뢰를 했었죠. 학생을 처음 만나고, 상담을 구조화하고, 부모 자문을 진행하는 기본적인 상담을 진행했어요. 그런데 놀랍게도 4회기도 채 되지 않아 학생은 변화했어요. 학교에서도 더 이상 문제를 일으키지 않았고요. 의뢰했던 학교와 학생의 부모는 저에게 고맙다고 했지만 사실 저도 어리둥절했어요. 제가 마법사도 아니고 4회기 안에 학생을 변화하게 하다니요. 라포형성을 하고, 학생 상황을 파악할 상담 초기에 말이죠.

학생이 갑자기 변화하게 된 바람에 빠른 상담 종결 회기를 갖게 되었고, 저는 학생에게 물어봤어요. 상담하면서 어떤 것이 가장 좋았냐고요. 그랬더니 학생이 그러더라고요. “엄마랑 손잡고 상담받으러 오는 게 제일 좋았어요.” 부모의 역할이 중요하다고 입버릇처럼 학부모에게 이야기했지만 정말 실제로 부모가 힘이 크다는 것을 느꼈어요.

상담의 내용도 중요하겠지만 아이는 상담을 받으면서 깨달은 것 같아요. 엄마가 나에게 관심을 보이고, 나를 위해 시간을 내서 함께 상담을 받으러 가는 모습을 보며 자신이 엄마에게 중요한 존재라는 것을요. 이후에 이 학생만큼 빠르게 변화한 상담 경험은 없었지만 부모와 상담을 받으러 가면서 이야기 나눈 시간들이 좋았다는 학생들은 많았어요.

▪ **학부모에게 어떤 식으로 학생에게 관심을 표현하라고 자문할 수 있을까요?**

이런 경험들을 통해 부모에게 관심이 중요하다고 자신감 있게 말할 수 있죠. 그런데 부모들은 다들 자신이 관심이 있다고 생각해요. 하지만 아이들은 자신이 부모의 관심을 못 받는다고 생각하고요. 이 차이는 어디서 오는 걸까요? 저는 부모에게 물어봐요. "어떻게 관심을 표현하고 있으세요?" 그리고 대답을 잘 들어준 뒤 이렇게 또 물어보죠. "00이는 그런 행동들을 관심이라고 느낄까요?" 이렇게 이야기하면 대부분의 부모들은 머뭇머뭇 했어요. 아이들이 어떻게 느끼는지 생각해보지 않았으니까요. 그러면 아이에게 한 번 물어보라고 이야기해요. 그리고 아이가 원하는 관심의 표현을 알아보는 과제를 주는 거죠. "어머님, 아버님의 아이는 어떤 관심 표현을 원할까요?"

또 요즘은 아이가 무엇을 원하는지 스스로 알아보려고 하지 않고 전문가에게 의존하려는 경우도 있어요. 전문가에게 의뢰했으니 부모는 자신이 할 수 있는 일을 다했다고 생각하죠. 일주일은 168시간이에요. 그 중 우리는 1시간을 상담하죠. 초등학생들은 167시간 중 대부분을 부모와 만나게 됩니다. 당연히 부모의 역할과 비중이 클 수밖에 없어요. 적절하게 전문가의 도움을 받는 것은 현명하지만 아이의 변화에 가장 영향을 많이 끼치는 것은 부모의 행동입니다. 전문가에게 맡기는 것이 끝이 아니라 전문가의 자문에 따라 부모가 직접 아이의 양육 방식에 변화를 줄 수 있도록 도와야 합니다.

상담전문가로서 상담교사

김미연

위(Wee)클래스의 첫인상과 상담의 시작

내담자의 기본 욕구 살피기

저는 어른이 된 지 한참이나 지났는데도, 뭐든 잘 못 참는 성격입니다. 특히 배고픔은 나이가 들어도 잘 참아지지 않는 기본 욕구 중 하나입니다. 그뿐인가요? 점심 먹고 찾아오는 식곤증은 또 어떻고요. 그 밖에도 다급한 화장실, 여기저기 참견하고 싶은 충동, 매일 불쑥불쑥 튀어나오는 다양한 욕구들은 사실 들이는 노력에 비해 좀처럼 잘 통제되지가 않습니다. 그래서인지 저는 상담실 문을 열고 들어오는 아이들에게 '지금, 현재' 어떤 욕구가 있는지 살피는 것으로 상담의 시작을 준비합니다.

누가 봐도 젖은 솜처럼 우울해 보이는 아이들에게 먼저 가볍게 식사 여부를 묻습니다. "아침 식사는 했나요?" 그러면 신기하게도 열에 여덟은 식사를 거르고 온 아이들입니다. 한창 자랄 나이에 모든 에너지를 성장에 쓰고도 모자랄 터인데 식사를 거른 채 허둥지둥 등교를 하고, 수업을 듣고, 친구들과 부대끼다 보면 웬만한 성인(聖人)이 아니고서는 힘든 마음이 더 예민해지고 버겁게 느껴질 것입니다. 그래서 우울해 보이는 허기진(?) 내담자에게 먼저 따뜻한 코코아나 간단한 간식을 권하며 상담을 시작합니다. 그러면 정말 마법같이 그냥 상담을 시작할 때보다 아이들의 마음이 훨씬 더 부드럽게 열리는 것을 경험하게 됩니다.

위장이 채워져야 영성이 열린다는 농담은 여기서도 통합니다. 꼬르륵 소리가 나도록 배고픈 내담자, 어젯밤 게임하느라 뜬눈으로 밤을 새운 내담자에게는 삶의 그 어떤 심각하고 복잡한 문제보다 적절한 기본 욕구 충족이 다급할 수 있기 때문입니다.

매번 상담의 주제가 식사나 수면이 된다면 그 또한 좋은 상담이 될 수 없겠지만, 만약 상담 조기에 위클래스가 낯설게 여겨지는 내담자가 있다면 한번 시도해 보시기 바랍니다. 자연스럽게 내 앞에 앉아있는 이 아이의 현재 욕구가 어떤지 살피면서 상담을 시작한다면, 아마 내담자들도 스스로 깨닫지 못했던 자신의 어려움을 다방면으로 살필 수 있는 여유가 생길 것입니다.

이 내담자가 학교의 위클래스까지 왔다는 것은 자의든, 타의든 일상에서 어려움이 생겼기 때문일 것입니다. 그렇기 때문에 잔뜩 긴장되고 위축된 내담자의 마음을 안심시키고, 적절한 수준으로 편안한 느낌이 들도록 해주는 것이 학교 상담실의 첫인상이 되어야 할 것입니다.

▪ **상담실에 온 내담자를 편안하게 할 수 있는 선생님만의 스몰 톡** (Small Talk)은 무엇인가요?

상담실에 들어온 내담자를 웃게 할 수 있다면, 그 회기 상담은 절반 이상 성공한 것이라고 합니다. 이 말은 내담자가 심리적 방어와 긴장 수준을 낮추고, 편안한 상태가 될 수 있도록 도와야 한다는 이야기로 이해가 되었습니다. 낯설고 새로운 공간에서 내 배고픔과 피곤함까지도 터놓고 말할 수 있는 믿을 만한 어른이 된다는 것. 가장 내밀한 이야기도 꺼내놓을 수 있는 누군가가 된다는 것은 학교 상담실의 이상적인 모습 중 하나가 아닐까 생각해 봅니다.

내담자가 주는 비언어적 정보들

상담교사가 상담실에 첫 발을 들인 내담자를 편안하도록 돕는 한편, 똑같이 느슨한 상태로 있어서는 안되겠지요. '수면 위의 우아한 백조'처럼 상담자의 태도는 자연스럽고 여유롭게 보이겠지만, 초기 만남에서 우리는 동시에 많은 감각을 동원해 내담자가 주는 언어적, 비언어적인 자료를 수집해야 합니다. 언어적인 정보는 상담의 목표를 정하거나, 구조화할 때 반드시 평가에 들어가는 객관적인 정보가 되므로, 이번 장에서는 주로 비언어적인 정보를 통해 얻을 수 있는 힌트를 찾아보고자 합니다.

상담자가 재빠르게 인식해야 하는 정보들은 예를 들어 내담자의 키와 몸무게를 비롯한 체격과 체형, 머리 모양과 스타일, 옷차림과 위생 상태 등이 있습니다. 계절과 날씨에 어울리는 옷차림과 걸음걸이, 안경 착용이나 화장 상태, 피부의 색깔이나 여드름, 그 외에도 몸에서 풍기는 냄새, 손톱의 모양이나 길이 등도 가능한 한 관찰해 보세요. 이는 내담자의 정신상태와 현실 적응력, 건강 상태 등 다양한 면에서 우리에게 많은 정보를 줄 수 있습니다. 예전과는 달리, 학생 인권이 중시되면서 천편일률적인 학생의 모습은 이제 옛말이 되었습니다. 같은 교복을 입는 학생이라도, 정말 다양한 개성이 첫인상에 묻어나기 마련입니다. 이러한 정보들은 심리검사를 하기 전에도 상식적인 범위에서 우리에게 많은 자료를 제공합니다.

그 밖에 상담 과정 내내 반복해서 보여지는 행동 특성들도 관찰이 가능합니다. 다리를 수시로 떨거나, 손톱을 자주 물어뜯거나 하는 행동, 얼굴의 특정 부위를 자주 만지거나 시선의 처리, 상담자와의 눈맞춤, 목소리의 높낮이와 말하기의 속도, 발음의 정확성, 목소리의 크기 등도 관찰할 수 있겠지요. 10대에 밝혀지는 경우는 드물지만, 눈맞춤이 어려운 내담자는 자폐 성향을 가진 것은 아닌지 혹은 대인관계에 대한 두려움이나 긴장 정도에 관한 가설을 세울 수 있고, 위생 상태가 좋지 않은 내담자는 우울이나 지능 문제, 혹은 가족 문제 등에 대한 점검을 요할 수 있습니다. 이러한 초기 가설은 상담을 진행하며 실제 내담자가 가지고 있는 문제와 어떻게 상호작용하는지 확인해 나갈 수 있을 것입니다.

그러나 무엇보다 상담자가 상담 초기에 구조화와 함께 주의를 기울여야 하는 부분은, 한 인간으로서 상담자가 내담자와 서로 어떻게 반응하는지를 의식적으로 인식하는 것입니다. 즉 상담자가 받은 내담자의 인상에 대해 객관적인 설명을 할 수 있어야 한다는 것이지요.

상담자가 여러 가지의 감각을 동원해 비언어적인 정보를 수집하며, 이 내담자를 만났을 때의 느낌이 어디에서부터 시작되는지를 알아차리는 것입니다. 상담자 개인의 편견이나 판단이 아니라 객관적인 관찰로 수집한 정보들을 통해 우리는 과학적인 태도를 유지할 수 있습니다.

▪ 첫 회기 상담을 마친 후, 상담 과정을 통해 내담자에게 얻은 비언어적인 정보와 상담자가 내담자에게 받았던 느낌, 인상 등을 기록해 보세요.

우리가 형사도 아니고 전문 프로파일러도 아닌데, 이 많은 정보를 어떻게 다 수집하느냐고요? 그리고 꼭 그렇게 많은 정보를 모아야 하냐고요? 물론 저 역시 모든 내담자에게 첫 면접에서 이런 정보를 다 얻게 되는 것은 아닙니다. 어떤 것은 오히려 시간이 흐른 뒤에 조금 더 뚜렷하게 느껴지는 것들도 있고요. 다만 이번 장에서는 내담자가 주는 비언어적 정보를 수집하는 훈련 과정으로써, 다양한 정보 탐색의 중요성과 이러한 정보를 다루는 상담자의 반응 등에 주목해 보려고 하였습니다. 학교에서 쏟아지는 상담과 업무들 틈에 하루를 지내다 보면, 상담자로서 놓치게 되는 귀한 정보들이 꽤 있습니다.

사람이 누군가에 대한 인상을 형성할 때, 메라비언의 법칙이라는 것이 있다고 합니다. 누군가가 상대방으로부터 받는 인상은 시각 정보가 55%, 청각 정보가 38%, 말의 내용이 가지는 정보가 7% 정도로 영향을 미친다는 내용이지요. 아무리 정확하게 말의 내용에 집중한다고 해도, 우리는 사실 생각보다 매우 적은 양의 정보를 통해 내담자를 이해하려고 하는 것은 아닐까요? 따라서 초기 면접이라면 조금이라도 더 민감성을 동원해 내담자에 대한 다양한 정보를 수집하고 해석하는 연습을 해야 할 필요가 있을 것입니다. 이 민감성은 앞으로 상담자의 성장에도 반드시 필요한 요소가 될 테니까요.

상담의 준비: 내담자 이해하기

각기 다른 상담의 주체와 상담 목표 다루기

학교 상담에서의 내담자는 사실 부적응 양상을 보이거나 문제를 호소하는 학생이겠지만, 그 뒤에는 각기 다른 상담 목표를 가진 대상들이 동시에 존재한다는 사실을 잊지 마시기 바랍니다. 대부분의 학생은 미성년자이고, 문제의 경중에 따라 학부모 상담이 병행되거나 학부모의 참여 및 동의가 필요한 경우가 많습니다.

따라서 아무리 상담 개입이 필요하다고 여겨지는 학생이라도, 학부모의 강한 반발과 거절 의사가 있다면 상담자가 개입하기 어려운 상황이 있을 수 있다는 것을 염두에 두세요. 그리고 이럴 때는 너무 속상해하거나 무기력하게 받아들이지 마시고, '아직 상담 개입의 시기가 아닐 수 있다'라고 생각해 보세요. 진짜 문제가 있다면 이번 기회가 아니더라도 도움을 요청하게 될 것이고, 다른 한편으로는 학교 상담 외의 다양한 문제해결 자원이 있을 수 있으니까요.

그리고 학생 내담자와 학부모의 상담목표가 다른 경우도 있을 수 있습니다. 예를 들어, 학생은 부모님의 강압적인 태도와 성적에 대한 부담 등을 호소할 수 있지만, 학부모는 상담을 통해 자녀가 무기력과 반항적인 태도를 거두고, 학습에 몰두할 수 있게 되길 바랄 수도 있거든요.

그 외에 상담을 직접 의뢰한 교사들의 상담 목표도 실제 내담자와 동상이몽일 때가 있습니다. 대부분의 교사는 학생이 어려움과 갈등을 겪을 때, 최선을 다해 기본적인 상담과 생활지도를 합니다. 그러다가 문제의 증상이 심각하거나 부적응 양상이 눈에 띄게 나타날 때, 보다 전문적인 상담의 필요성을 느껴 상담실을 방문하게 됩니다. 그러나 아직도 학생이 상담실에 가는 것을 처벌의 의미로 여기는 분들이 있습니다. 수업을 방해하거나, 무기력하게 조는 학생을 학급에서 분리하려는 목적으로 상담을 요청하는 경우가 그렇습니다. 이 경우 수업을 진행하는 선생님 입장에서는 다수의 학생을 위해 필요한 조치라고 여길 수도 있지만, 정작 상담이 필요한 아이들에게는 다른 의미로 받아들여질 수 있습니다. 이는 자칫 상담실에 가는 것이 수치스럽거나, 문제가 있어 가는 곳이라는 인식이 자리 잡을 수 있기 때문에 주의 깊게 안내되어야 하는 부분입니다.

이렇게 학교 상담의 주체인 학생, 학부모, 교사에게 각각 다른 목표와 욕구가 있다면, 이 과정을 잘 조율하고 상담의 목표를 합의하는 과정이 꼭 필요합니다. 내담자인 학생의 복지를 최우선으로 하되 현실적이고 꼭 필요한 상담 목표를 합의하고 공유하게 된다면, 아마도 각기 다른 상담의 주체들에게 지지와 협력 관계를 유지하면서 상담을 진행할 수 있을 것입니다.

▪ 상담 목표 설정에 가장 중요한 것은 무엇이라고 생각하나요?

- 학생

- 학부모

- 의뢰교사

- 상담자

교실의 학생과 상담실의 내담자

교실에서 수업 목표는 각 시간과 교과에 적절한 학습 목표를 달성하고, 교수-학습의 소산인 학습 성과를 학생이 습득하는 과정일 것입니다. 그러나 같은 학교 공간, 같은 학생이라도 교실에서 요구되는 목표와 상담실에서의 목표는 여러 가지 면에서 차이가 있습니다.

교과교사에게는 한 학급의 학생들에게 학습 내용을 적절히 지도하고, 연습시키는 과정이 필수라고 한다면 상담교사는 대체로 내담자 개인의 생각, 감정, 느낌과 자기 진술을 통한 변화에 중심을 둡니다. 교실에서는 여러 학생들 사이에서 조용히 자신의 존재를 숨기고 있는 것이 가능하더라도, 상담실에서는 그럴 수가 없습니다. 개인 상담의 경우, 한 명의 상담자가 한 명의 내담자를 앞에 두고 집중적인 문제 탐색을 하기 때문입니다. 내담자에게는 매우 주체적이며 능동적인 자기 탐색의 시간인 것입니다. 따라서 교실에서의 모습과 상담실에서의 모습이 전혀 다른 아이들도 많이 있습니다. 또래 관계가 중요한 시기의 아이들은 교실에서 교사에게 대놓고 반항하며, 소란을 피우거나 센 척해도 상담실에서는 순한 양이 되고, 소심한 모습을 보이는 경우도 많이 있습니다.

또한 상담에 의뢰된 내담자의 표면적인 문제와 실제 문제를 구별하는 과정도 필요합니다. 사실 청소년기의 아이들에게 감정을 정확하게 인식하거나 이를 언어로 표현하는 것이 서툰 것은 당연한 일일지도 모릅니다. 그래서 자신의 불편한 감정을 과격한 행동으로 표현하기도 하고, 자신의 욕구와 반대되는 행동을 해서 오히려 상황을 악화시키기도 하는 것이지요.

한 학생이 어머니와 함께 상담실을 방문했습니다. 아이는 상담자와의 눈맞춤이 되지 않고, 말도 거의 하지 않았습니다. 학교에 지각하는 것으로 시작된 어려움의 증상이 얼마 되지 않아 아예 출석을 못하게 되었고, 가정에서도 의사소통은 물론 식사와 수면을 포함해 일상생활이 제대로 되지 못하는 지경이라고 했습니다. 담임 선생님도 몇 주 전까지 친구와 잘 지내고, 공부도 곧잘 하던 아이가 갑자기 입을 굳게 다물고 학교에도 오지 않으니 답답하기 짝이 없는 상황이었지요.

학교에 나오는 것조차 힘든 내담자와 함께 상담과 심리검사를 진행하며, 숨겨진 마음에 다가가기 시작했습니다. 심리검사 해석을 하며 몇 가지 중요한 정보들이 눈에 띄었습니다. 죄책감과 분노에 관련된 문항에서 유의미한 내용을 발견한 것입니다. 아이는 방학 동안 재미 삼아 온라인에서 그림을 그려주는 아르바이트를 시작했다고 합니다. 그러다 소액이지만 돈을 받았고, 몇 차례 약속된 시간에 그림을 제공하지 못하게 되자 상대방에게 사기 혐의로 고발을 당했다고 합니다. 이미 돈은 다 써버린 뒤였고, 온라인에서 아이디가 블랙리스트에 오르게 되자, 자신이 할 수 있는 일은 연락을 차단하고, 도망가는 것이라고 생각했던 모양입니다. 이후 온갖 협박과 험한 댓글로 받은 마음의 상처가 이만저만이 아니었죠. 얼굴도 모르는 낯선 사람들에게 예상치도 못한 공격을 받게 되면서 잘못을 수습할 수 없다는 자포자기의 심정이 되었고, 일상의 모든 일에 손을 놓게 된 것입니다.

짧게 소개한 내용이지만, 상담은 수개월간 지속되었습니다. 급성적인 우울감과 심리적 외상으로 인해 병원 치료와 상담을 병행하며 학부모와의 소통을 긴밀히 유지했습니다. 아이를 다그치지 않으면서도, 최대한 법적으로 윤리적으로 복잡한 문제를 해결하고, 내담자를 보호하는데 힘을 쓰며 상담을 이어 나갔습니다. 상담을 통해 일상적인 학교생활이나 겉모습만으로는 전혀 예측할 수 없었던 아이만의 어려움을 찾아내고, 실질적인 문제 해결에 집중하고자 했습니다. 그리고 정말 다행히 다시는 학교를 나올 수 없을 것 같던 아이가 무사히 졸업식에 올 수 있었습니다.

이렇듯 상담실에 온 내담자의 핵심 욕구를 함께 알아가는 것과 그에 상응하는 상담 목표를 정하는 일은 매우 중요한 과정입니다. 상담 목표는 내담자가 원하는 것으로 정하되, 표면적인 욕구와 이면에 숨겨진 진짜 욕구를 상담자와 함께 탐색하여 찾아가야 합니다. 어떤 상담자는 내담자의 핵심 욕구를 찾아가는 과정을 고고학자가 유물을 발굴하는 작업에 비유하기도 했습니다. 소중한 유물이 최대한 손상되지 않게, 꽁꽁 숨겨진 내담자의 핵심 문제의 실체를 파헤치는 면이 닮기도 했으니까요.

▪ **5회기 이상 진행되었던 개인 상담 사례 중에서 '지금, 현재' 생각나는 내담자의 최종 상담 목표를 적어 보세요.**

상담의 과정은 내담자와 주변 사람들이 느끼는 것들이 변화하는 과정입니다. 증상의 외부 변화뿐만 아니라 무의식의 관점을 변화시키기도 하지요. 물론 항상 기분 좋은 변화만 있는 것은 아닙니다. 저항도 있고, 역전이도 있겠지요. 그렇지만 이 과정에서 내담자와 상담자는 함께 성장하고, 서로에게 필요한 도움을 주고 받을 수 있어야 합니다.

상담의 목표를 정할 때는 교과에서의 학습 목표와 마찬가지로 측정 가능하고, 변화를 알 수 있는 지표를 넣어 기술하는 것이 좋습니다. 즉, "누가, 무엇을, 어떤 상황에서 어느 수준의 행동(감정)을 어떻게 보여주느냐(느끼느냐)"로 기술해 보는 것입니다. 이것은 앞으로 상담을 종결할 때, 이번 상담이 얼마나 도움이 되었는지 상담자와 내담자가 함께 확인할 수 있는 기준이 될 수 있으므로 중요한 의미를 갖게 됩니다.

질문하는 자는 답을 피할 수 없다

경청과 공감을 위한 도구

비자발적으로 상담에 의뢰된 청소년 내담자의 경우, 특히나 어려운 일 중 하나가 모든 질문에 '몰라요', '그냥요'로 대답하는 일일 것입니다. 특히나 중학교 남학생!

심리적 방어 때문에 그런 경우도 있겠지만, 실제 모든 아이들이 정말로 하고 싶은 말이 하나도 없어서일까요? 사실 학교 상담실을 방문하는 아이들의 경우, 상담교사의 질문에 대한 답을 한 번도 생각해 본 적이 없는 경우가 많습니다. "오늘 기분은 어때요?", "오늘은 상담실에서 어떤 이야기를 하고 싶은가요?" 등 아주 간단한 질문조차도 말입니다.

부모라면 누구나 어떤 이유에서든 자기 자녀를 사랑할 것입니다. 그러나 훌쩍 커 버린 사춘기 자녀들에게 정성스레 그날의 기분과 하고 싶은 이야기를 물어보는 부모는 흔치 않을 것입니다. 우리는 사실 질문보다는 명령이나 지시에 익숙한 세대를 지나왔기 때문일 수도 있어요. 그럼에도 이렇게 먼저 아이에게 다가갈 수 있다면 정말이지 훌륭한 부모일 것입니다. 아무튼 마음을 다잡고 진심으로 자녀에게 손을 내밀어도, 호르몬 칵테일로 범벅이 된 사춘기 자녀들은 부모와의 진지한 대화를 너무나 부담스럽게 여길 수도 있습니다. 한 걸음 다가서면 두 걸음 도망가는 이 시기 아이들의 일반적인 특징일 수도 있으니까요.

상담교사라고 별 수 있나요? 일단은 상담교사도 어른인지라, 아이들의 심리적 바리케이트는 그다지 다르지 않을 것입니다. 그래서 '어디 선생님이 무슨 말을 하나 보자'하고 팔짱 끼고 앉아있는 내담자를 만났을 때, 한없이 내담자의 침묵을 따라가다 보면 상담의 몰입도가 떨어지게 되고, 도대체 이 아이들과 어떻게 40~50분을 함께 할지 막막하게 여겨질 때가 있을 수 있습니다.

그러나 한편으로는 내담자의 침묵을 잘 다루어 상담과 공감의 속도와 방향이 달라질 수도 있다는 점도 말씀드리고 싶습니다. 상담 과정에서 집중력에 문제가 되지 않는다면, 3~4분 간의 침묵을 기다리며 내담자의 감정과 생각을 따라가 보는 것입니다. ('지금 3~4분 정도 00이가 아무 말도 하지 않고 있었는데, 이 시간 동안 어떤 생각을 했니?') 이렇게 긴 침묵 뒤에 나오는 내담자의 첫마디는, 여타의 다른 호소에 비해 그 의미와 감정의 농도가 다를 수 있으니까요. 내담자가 침묵하는 동안 자신에게 있었던 수많은 일들 가운데, 몇 가지를 추려내고 탐색하는 과정은 그 자체가 매우 의미 있는 과정입니다. 상담자의 조바심으로 너무 많은 질문을 던지는 것보다 이렇게 내담자의 반응을 기다려 주는 것이 자신의 생각과 감정을 정리하고 표현할 수 있는 기회를 주기 때문입니다.

▪ **내담자의 침묵을 얼마나 기다릴 수 있을까요?** **내담자가 침묵하는 동안 어떤 생각이 떠오르는지 적어보세요.**

그러나 내담자가 자신의 마음을 정확하게 표현하기 어려워하거나 방어로 마음의 문이 잘 열리지 않을 때는 다소 가벼운 마음으로 여러 가지 간단한 도구들을 사용하여 상담을 자연스럽게 이끌어 나갈 수 있는 방법들이 있습니다.

최근 들어 많은 기관과 연구소에서 욕구 카드, 감정 카드, 투사적 이야기 카드 등을 개발하여 보급하고 있는데, 이렇게 몇 장의 카드만으로도 아이들의 모호한 감정과 욕구들을 따라갈 수 있으니 초기 상담에서 마음의 문을 여는 도구로 활용할 수 있을 것입니다.

저는 최근 마크 브래킷 교수가 <감정의 발견>이라는 저서에서 소개한 **무드미터**를 자주 사용합니다. 상담실 벽에 그림을 부착해 두고 아이들에게 '지금, 현재' 어떤 감정 상태에 놓여 있는지 질문하는데 많은 도움을 받습니다. 또한 상담을 통해 앞으로 어떤 감정을 갖고 싶은지 선택하게 할 수도 있어 여러모로 유용하게 사용하고 있습니다. 쾌적함과 활력이라는 기준으로 감정을 크게 네 가지 영역으로 분류하여 색상과 함께 감정의 이름이 적혀 있기 때문에, 아이들이 자신의 감정을 정확하게 알아가는 데도 도움이 되었습니다.

이러한 방법은 미처 심리검사를 실시하지도 못했고, 내담자를 이해하고자 하는 초기 만남에서 활용하기 좋아요. 준비되지 않은 내담자들에게 상담이라는 과정의 워밍업을 경험하게 하는 것이지요.

좋은 질문이란?

이렇게 상담자와 내담자가 서로에게 주고받은 내용을 바탕으로 내담자의 문제 해결과 성장을 함께 하는 동안, 상담자는 내담자를 알아가기 위해 수많은 질문을 하게 됩니다. 그렇다고 무턱대고 내담자에게 상담자의 모든 궁금증을 의도 없이 물어보는 것은 곤란합니다. 한정된 시간에 내담자에 대한 많은 정보를 얻어내는 것이 상담은 아니니까요.

상담 이론에서는 상담자의 질문에 대해 기본적으로 닫힌 질문(폐쇄 질문)보다는 열린 질문(개방 질문)을 하라고 합니다. 예를 들어 "그때 기분이 좋았나요?"가 아니라 "그때 기분이 어땠나요?" 하는 방식을 말합니다. 즉 상담자가 제시한 내용 중 하나를 고르는 것이 아니라, 더 많은 이야기를 내담자 스스로가 할 수 있도록 문을 열어 주는 것이지요.

또한 하나의 질문에 두 가지 이상의 내용을 물어보는 이중질문을 하지 않도록 주의해야 합니다. "친구는 너한테 어떻게 했는데, 그때 너는 어떻게 했는지 기억나니?" 이런 질문을 받으면 내담자는 어느 질문에 대답해야 할지 혼란을 겪게 되고, 또 질문에 대한 답을 못 할 수도 있으므로 한 번에 하나의 이야기를 할 수 있도록 간결한 질문을 하는 것이 좋습니다.

그 외에도 상담자는 "왜(Why)" 라는 의문어 사용을 지양하라고 합니다. 내담자가 자칫 추궁당한다는 느낌이 들 수도 있기 때문이며, 상황에 따라 해명이나 변명을 할 수도 있기 때문입니다. 같은 질문이라도 "그렇게 한 이유가 있을까요?"라고 바꾸어 질문하게 되면, 자연스럽게 심문이 아니라 요청의 방식을 취하게 됩니다.

상담자가 내담자에게 하는 좋은 질문이란, 내담자의 의식과 무의식 사이의 다양한 욕구들을 찾아가는 검색어라고 생각합니다. 상담자의 질문에 따라 상담이 성공적으로 진행될 수도 있고, 전혀 엉뚱한 방향으로 흘러갈 수도 있기 때문이지요. 실제, 상담교사는 내담자의 진짜 마음과 욕구를 잘 들어주기 위해 좋은 질문을 지속적으로 훈련해야 합니다. 내담자가 하는 이야기의 핵심 주제, 감정, 욕구를 물어봐 주는 것이지요. 이를 통해 내담자가 진짜 말하고자 하는 메시지와 의미를 파악합니다. 제대로 준비된 질문을 통해 내담자가 호소하는 갈등의 실체적 진실을 찾아가고 내담자의 흐릿한 문제들을 명확하게 이해할 수 있기 때문입니다. 이렇게 된다면 상담 과정을 통해 내담자의 문제 해결과 성장을 위한 답을 피할 수 없게 될 것입니다.

저 또한 개인 혹은 집단 상담의 내담자가 되었을 때 받았던 질문들이 가끔 떠오를 때가 있습니다. 질문을 받았던 그 당시에는 어떻게 대답했는지 기억나지 않을 때도 있지만, 마음속에 그 질문이 떠나지 않고 계속 살아 있는 경우가 있어요. 그리고 생의 여정에 따라 스스로 다른 답을 내놓기도 합니다. 단순하지만, 힘이 센 질문을 만난 것이지요.

둘째를 출산하고 산후우울증이 심각했던 때가 있었습니다. 두 아이가 터울이 적고, 예민한 기질의 큰 아이와 갓난 아기를 동시에 키우려니 몸도 마음도 너무 지쳐있었습니다. 제가 '좋은 엄마'라고 만들어 낸 기준에 맞추려고 누구도 강요하지 않은 방식으로 스스로를 다그치고 있었던 것입니다. 모유 수유와 천 기저귀 사용, 최대한 아기를 많이 안아주기 등 지금 생각해 보면 말도 안 되는 기준으로 육아를 하면서 제 뜻대로 되지 않는 상황에 지쳐갔던 것입니다. 둘째가 100일 정도 되었을 무렵 억눌렀던 모든 심리적, 신체적 피로가 극에 달했습니다. 아마도 생존을 위한 폭발이었던 것 같습니다. 아무것도 잘 해내지 못할 것 같은 무력감과 예민한 큰 아이에 대한 원망, 살갑게 도와주지 않는 남편에 대한 분노 등 모든 화살이 정신없이 여기저기를 찌르고 있었습니다. 당시에는 그렇게 깊은 수렁에서 어떻게 빠져 나왔는지 돌아볼 여력이 없었습니다. 어떻게든 두 아이를 키워야 했고, 엄마가 되어 살아내야 했으니까요. 심각한 단계가 어느 정도 진정되자, 뒤를 돌아볼 사이도 없이 일상으로 돌아와 삶의 숙제들을 해치우며 앞으로 전진했습니다. 그러다 우연치 않은 기회로 둘째가 중학생이 될 무렵, 개인 상담을 받게 되었습니다. 그 때 상담자에게 이런 질문을 받았습니다.

"그렇게 힘들고 어려울 때, 어떻게 그 시간을 견디고 여기까지 올 수 있었나요?"

이 질문은 상담자를 찾아가 여러 가지 어려움을 호소하던 저에게 생각의 방향과 에너지를 전환하게 해 준 질문이 되었습니다. 이 질문 앞에서 몸과 마음이 지친 이유를 누군가 그럴듯한 대상을 찾아 던져버리고 싶었던 마음들이 일제히 힘을 잃게 되었습니다. 그리고 스스로 주체가 되어 살아내고자 했던 상황들로 재해석하게 해주었던 것입니다. 이후 상담을 종결하고 나서도 종종 힘들거나 지칠 때, 답도 없이 막막하다고 여기는 상황을 만나게 되면 '이 어려운 시간을 견디고 앞으로 나아갈 힘은 무엇일까?' 하고 스스로에게 질문을 하게 되었습니다.

그 외에도 "조금 더 말씀해 주시겠어요?"

라는 질문을 소개합니다. 아주 간결하지만, 내담자가 자신의 내면에 더 깊이 들어갈 수 있도록 안내하는 좋은 질문이라고 생각됩니다. 당시의 상황과 감정에 대해 구체화하고 탐색을 돕는 질문으로도 내담자가 이해하기 쉬우면서 상담자가 자신의 이야기를 경청하고 있다는 것을 알리는 질문으로도 훌륭한 다리 역할을 하기 때문입니다.

▪ **상담자가 내담자의 입장이 되었을 때 받았던 '좋았던'(혹은 '의미 있는') 질문은 무엇입니까? 그 이유도 같이 적어보세요.**

상담자가 하는 질문의 중요성에 대해 이야기하다 보니, 자연스레 상담의 본질을 고민하게 됩니다. 상담 시간은 내담자에게 집중하여 귀를 기울이는 시간이고, 이 시간은 내담자의 내면을 깊이 바라보는 시간입니다. 이렇게 질문을 하고 답을 하면서, 내담자는 스스로의 감정에 대해 더 잘 이해하게 되고, 자신이 느꼈던 감정의 원인을 재경험하며 이를 표현하는 과정을 통해 문제를 구체화할 수 있게 됩니다.

프로이드는 인간이 말을 하면서 자신의 감정을 진정시키고, 안정시킬 수 있다고 했습니다. 사실 누군가가 말을 한다는 것은 들어줄 사람이 있다는 것입니다. 자신의 속마음을 이야기한다는 것은 믿을 만하고, 자신에게 진정으로 관심을 가지는 사람을 대상으로 하는 것입니다. 그러므로 상담자는 잘 듣기 위해 그리고 제대로 듣기 위해 끊임없이 좋은 질문과 함께 해야 할 것입니다.

공통 질문과 개별 질문

사진 치료에서는 프랑스의 철학자 롤랑 바르트의 스투디움(studium)과 푼크툼(punctum)이라는 개념이 널리 사용되고 있습니. 이것을 상담자의 질문으로 옮겨오면, 누구에게나 객관적이고 일반적으로 공유되는 스투디움과 같은 공통 질문이 존재합니다. 반면 특정한 내담자에게 '표적이 되어 찌르는 듯한' 느낌을 불러일으키는 푼크툼과 같은 질문은 개별 질문이 될 수 있습니다.

많은 분들이 이미 그렇게 하고 있을지도 모르겠지만, 저는 가능한 1교시를 공강으로 비워두고 그날의 '상담 계획 시간'을 확보하려고 합니다. 바쁜 학교 일정에 휩쓸리다 보면, 내가 목표한 제대로 된 상담을 하기 어려울 때가 많기 때문입니다. 어느 순간, 상담을 해치운다는 느낌이 들 때도 있습니다. 이렇게 허둥대는 경험을 하면서, 미국의 작가 제임스 보트킨이 소개한 15:4의 법칙을 만나게 되었습니다. 무언가 일을 시작하기 전 15분을 계획하면, 4시간을 절약할 수 있다는 내용입니다.

대부분 학교의 쉬는 시간은 10분인데, 사실 이는 내 시간이 아닐 때가 많습니다. 아이들이 다양한 사연들로 방문하고, 선생님들도 상담 의뢰나 긴급한 업무 논의 등으로 이 시간을 활용하기 때문에 10분은 금세 흘러가 버리기 십상입니다. 제가 만난 어떤 선생님은 학교에서 정신없이 지내느라, 퇴근하고 나서야 화장실에 가고 싶다는 생각이 들었다는 분도 계셨습니다.

따라서 1교시에는 업무 준비와 함께 오늘 예약된 내담자의 상담기록지를 살펴보고, 상담회기에 따른 진행 상황이나 목표 점검, 지난 시간에 놓치거나 더 들어보고 싶었던 내용들에 대해 미리 준비하는 시간으로 사용해 보는 것은 어떨까요? 내담자 한 사람, 한 사람의 이야기는 얼핏 비슷해 보이는 것 같지만, 당연히도 각각의 내담자는 전혀 다른 결을 삽습니다. 하나하나의 사연이 다 특별하기 때문에 절대 헷갈리지 않을 것 같지만, 인간의 기억력은 그리 신통하지 못하다는 것을 알고 계실 것입니다. 이렇게 미리 내담자의 상담 기록지를 점검하다 보면, 상담자가 아주 기본적인 사항을 놓치고 있거나 이 내담자민의 개인적인 상황에서 호기심이 생기는 부분이 있을 것입니다. 이때 공통 질문과 개별 질문을 활용하여 내담자에게 조금 더 깊이 다가갈 수 있을 것입니다.

공통 질문의 예시

- "지금 같이 살고 있는 가족은 어떻게 되나요?"

'가정은 최소한의 사회'라고 합니다. 아이와 함께 얼굴을 맞대고 살아가는 가족 구성원을 알고 있다면, 내담자의 실제 삶을 이해하는데 많은 도움이 됩니다. 생각보다 다양한 가족의 형태가 있으므로, 실제 가족란에 적었어도 같이 살지 않는 가족이 있을 수 있고, 기록에 생략된 동거 가족이 있을 수도 있습니다.

- "가족의 나이와 성별은 어떻게 되나요?"

기본적으로 형제자매의 수와 출생 순서 등에 따라 겪을 수 있는 감정과 가족 역동 등에 대해 미리 예측해 보는 데 도움이 됩니다. 또한 아이들이 부모님의 나이를 정확하게 아는 경우가 거의 없다는 것도 확인할 수 있을 것입니다. 정확한 정보가 있다면 좋겠지만, 어림잡아 부모님의 연령 차이와 첫 출산 시기 등을 예상하며, 내담자의 양육 과정에 대해 가늠해 볼 수 있습니다.

- “가족 중 누구와 가장 마음이 잘 통하나요?”

가족 구성원 간의 친밀도를 통해, 내담자의 정서적인 지지체계와 자원, 가족만의 분위기 등을 구체화하는데 도움이 됩니다. 가족 중 중요한 애착 대상과의 관계를 통해 내담자의 발달과 강점 등을 이해할 수 있습니다. 또한 상담실 밖에서 펼쳐지는 내담자의 삶과 시간을 상상해 보는데도 도움이 되었습니다.

위 내용은 접수 면접지에 기본적으로 내담자가 적게 되는 것들입니다. 접수 면접지에 있는 것들을 모두 질문할 필요는 없지만, 간혹 내용이 비어 있거나 상담자가 의문이 생기는 것들에 대해서는 다시 물어볼 수 있습니다. 이런 공통 질문은 대략적으로 내담자의 상황에 대한 사실들을 파악하고 큰 그림을 그리는 데 도움이 됩니다.

예전에는 이런 경우가 거의 없었지만, 최근에는 아이들이 가족 구성원 칸에 반려동물의 이름을 적는 경우도 종종 있습니다. 내담자가 반려동물을 가족으로 생각하는 것은 그만큼 애정을 가지고 있거나 다른 이유가 있을 수 있기 때문에, 몇 가지 추가 질문으로 이어질 수도 있겠지요.

개별 질문의 예시

다른 내담자와는 달리 특정 내담자에게 꼭 해야 되는 질문이 있을 수 있습니다. 누군가에게는 너무나 평범한 질문이지만, 어떤 내담자에게는 문제나 갈등의 핵심을 이야기하게 하는 열쇠가 되기 때문입니다. 내담자가 진짜 하고 싶었는데, 하지 못한 이야기들을 상담자는 질문을 통해 구체화하고 내담자의 언어로 표현하게 해야 하는데, 이럴 때 개별 질문이 빛을 발하게 됩니다.

- “어떤 상황에서 그렇게 느꼈는지, 조금 구체적으로 이야기

해 주세요."

학교에서 많은 아이들이 또래 관계에서 상처를 받기도 하지만, 친구 때문에 학교에 온다는 경우도 많이 있습니다. 그만큼 또래 관계에서 지대한 영향을 받는 시기라 그런 것 같습니다. 상담실에 있다 보면, 종종 '친구들이 모두 저를 싫어하고, 은근히 따돌리는 것 같아요' 라는 호소를 듣게 됩니다. 사실 '모든' 사람이 특정한 누군가를 '전부' 싫어하는 경우는 거의 없습니다. 대부분은 어떤 상황에서 한순간 혹은 자신의 감정을 누군가에게 투사하거나 오해하는 경우가 많지요. 그래서 이렇게 자신이 느끼고 생각한 것과 실제 일어난 일을 구체적으로 이야기하는 과정에서 생각의 오류나 확대, 혹은 빈 곳이 있음을 스스로 깨닫게 되는 것입니다. 그래서 상담자와 객관적으로 생각을 확인하면서 자신과 주변인의 관계가 관점과 태도에 따라 변할 수도 있고 서로에게 능동적으로 영향을 주고 받을 수 있음을 배워갈 수 있습니다. 이는 상담자가 판단하는 옳고 그름의 문제가 아니라 내담자가 스스로의 언어로 말하는 과정에서 확인해 나갈 수 있는 시간임을 기억해 주세요.

- "지금 이 이야기를 할 때, OO이가 진짜 원하는 것은 무엇인가요?

이 질문은 내담자의 상실과 결핍을 확인하고 실제 가지고 있는 욕구를 탐색할 때 도움이 되는 질문입니다. 이제 중년으로 접어든 나이의 저도, 미해결 과제나 어린 시절의 방어기제를 채 버리지 못한 채 살아갈 때가 많이 있습니다. 내면 아이라고 표현되기도 하지요. 스스로 몸도 마음도 이제 다 컸다고 생각하는 청소년기 아이들에게도, 어린 시절 해결되지 못한 과제들이 남아 오랫동안 감정과 사고에 영향을 미치는 일들이 많이 있습니다. 이런 경우 현재 내담자가 호소하고 있는 불만과 억울함, 다양한 알리바이를 넘어 진짜 원하는 것을 탐색하게 하는 의미 있는 질문이 될 수 있습니다. 모르던 것을 알거나 깨닫는다고 한순간에 마법처럼 문제가 해결되는 것은 아닙니다. 하지만 적어도 반복되는 문제를 자각하는 것만으로도 내담자는 자신을 이해하고 수용하는데 한걸음 다가설 것입니다.

- "이번 시험에서 몇 점 정도를 받으면, OO이가 좀 편안할 것 같나요?"

경험적으로 시험 기간 약 2주 전부터 아이들의 시험 불안이 극에 달하는 경우가 많았습니다. 지필고사도 긴장되겠지만, 그 전부터 시작되는 수행평가에 과목별 선생님이 시험에 대한 여러 가지 요구를 할 때면, 아이들의 부담은 말로 할 수 없을 정도입니다. 자신은 잘 모르는 것 같은데, 친구들은 대답을 잘하거나, 똑부러지는 모습을 볼 때면, 아이들은 더 불안하고 정서적으로 압도되는 경험을 하기도 합니다. 그래서 어떤 선생님은 문제 풀이 퀴즈를 낼 때, 먼저 수행한 아이들이 '다됐다!' 혹은 '풀었다!'는 반응 금지를 내걸기도 합니다. 상대적으로 문제 풀이나 해결이 느린 친구에게 위화감을 줄 수 있기 때문에, 속도가 아니라 해결에 목표를 두어 일정 시간을 주려는 의도지요.

아무튼 이렇게 개인별 성취가 천차만별이고, 시험에 대한 내담자의 목표가 다를 수 있기 때문에, 각 과목마다 희망하는 점수를 물어주면 조금 더 객관적이고 구체적으로 내담자의 기대를 확인하는 데 도움이 되었습니다. 시험을 치르기 전, 이미 이번 시험은 망했다고 호소하는 아이들을 학교 현장에서 꽤 많이 만나게 됩니다. 이런 경우 구체적으로 기대하는 점수를 이야기함으로써 아이들이 미리 포기하지 않고, 어떤 과목은 어렵지만 어떤 과목은 해볼 만하다는 현실적인 감각을 갖게 하는 것이지요. 또한 각 과목에 따라 내담자가 갖는 부담과 노력의 과정을 살펴볼 수 있고, 격려할 수 있어 유용한 질문이 되었습니다.

- "이 어려움을 통해 OO(이)가 배운 것은 무엇일까요?"

흔히들 요즘 아이들은 예전에 비해 참을성이 많이 부족하다고 합니다. 세대 갈등의 역사를 따지고 본다면 인류의 기원 근처까지 거슬러 올라가겠지만, 객관적으로도 시간이 흐르면서 아이들의 인내심이 많이 부족해졌다고 느낍니다. 아마도 아이들이 분별하고 수용하기에 벅찰 만큼 너무 많은 정보와 자극에 노출되면서 이를 천천히 소화할 여유조차 부족해 그런 것은 아닐까 생각해 봅니다. 이런 과정에서 끊임없이 남과 비교하며, 시작도 하기 전에 지쳐 있는 아이들에게 이 질문을 하며 저도 아이들도 처음과는 완전히 달라진 반응을 한다는 것을 알게 되었습니다. 최근 연구에서 주목하는 성장 마인드를 자극하는 질문이 된 것입니다. 잘 될 때가 아니라 오히려 어려움 속에서 헤매고 있을 때, 이 질문은 자신의 삶에 대한 통찰과 의미를 자극하는 질문이 될 수도 있습니다.

▪ **선생님이 내담자에게 했던 질문 중에서 기억나는 좋은 질문을 몇 가지 적어보세요.**

사랑이라는 이름의 두 얼굴:
학대와 의존

아동 학대

평소 개인 상담을 이어가던 남학생이 팔에 깁스를 하고 들어왔습니다. 185cm의 키에 체중은 100kg 남짓. 중학생이지만, 초기 면접 시 헉 소리가 날 정도로 큰 체격에 위압감을 잠시 느끼기도 했던 아이였습니다. 겉으로는 이미 다 큰 어른의 모습이었지만, 상담이 진행될수록 어린 시절부터 이어져 온 방임과 정서적, 신체적 학대로 평소에도 안타깝기만 하던 학생이었지요.

이 학생은 학교 위클래스에 오기 전, 이미 아동보호전문기관과 경찰서, 지역의 상담센터까지 두루 상담 및 치료, 고소와 고발, 재판 등의 경험이 있었고, 짧은 상담 시간에 미처 꺼내지도 못할 만큼 많은 사연과 고통을 소리 없이 온 몸으로 견뎌왔던 학생이었습니다. 그런 학생이 갑자기 팔에 깁스를 하고 오다니.

상담교사는 일단 학생의 내적, 외적 변화에 민감해야 합니다. 어떻게 팔을 다치게 되었냐는 질문에 아이는 눈을 떨구고, 넘어져 다쳤다는 이야기를 했습니다. 일단 무더위에 깁스까지 하다니 너무 불편하겠다고, 자연스레 상담을 이어갔습니다. 그리고 어떻게 넘어졌는지, 팔이 부러질 정도로 넘어지게 된 경위를 구체적으로 질문해 들어갔습니다. 몇 번의 질문과 답이 오가는 사이, 이내 학생은 온몸을 떨며 얼굴을 탁자 바닥에 떨군 채 소리도 내지 못한 채 흐느끼기 시작했습니다.

지난 주말, 아버지의 화를 돋우는 행동으로 여기저기 도망다니다 뒷산으로 끌려갔던 일. 인적이 드문 야산에서 나무에 묶여 아버지에게 다시는 '못된 짓하지 않도록' 맞았던 일. 그 일로 죽음의 공포를 느끼며 빨리 이 고통이 끝나기만을 기다렸다는 비참함을 울음 섞인 증언으로 뱉어 냈습니다.

어떻게 상담이 끝났는지도 모르겠습니다. 상담하는 내내 느껴지던 착잡함과 분노, 허망함과 안타까움은 아마 상담교사가 아니라 누구라도 느꼈을 복잡한 감정일 것입니다. 학생을 진정시키고, 교과 선생님과 담임 선생님께 양해를 구하고, 교실로 들여보내는 대신 1~2시간을 더 쉬게 하고, 아이에게 괜찮아졌다는 이야기를 듣고 나서야 상담을 마무리하였습니다. 담임교사와 함께 진료 의사의 골절 관련 소견을 들었고, 최대한 가족에게 피해가 가지 않도록 둘러대던 학생의 허술한 증언 뒤에 변하지 않는 진실이 드러났습니다.

최대한 객관적인 사실을 파악해 유관부서에 협조를 제공하고 담임교사, 관리자, 경찰 등과 함께 아동 학대 관련 업무 처리를 하면서도 학생이 당시 느꼈을 죽음의 공포와 자포자기의 심정을 복기해 보았습니다. 그리고 다시 내담 학생과의 상담을 이어가며, 힘을 차릴 만한 충분한 시간과 공간을 내어 주었습니다.

최근 코로나19로 인해 가족 이외의 사회 생활이 제한을 받게 되면서, 학교 현장에서도 다양한 형태의 아동 학대와 방임 사건 등을 심심치 않게 접하게 됩니다. 끝내 목숨을 잃게 되는 극단적인 경우가 아니더라도 다양한 종류의 아동 학대는 평생 한 사람의 인생과 잠재력에 엄청난 상처를 남깁니다.

2014년 미국에서 진행되었던 ACE(Adverse Childhood Experience) 연구에 따르면, 한 아이가 학대에 노출된 경험만으로도 벗어나기 힘든 고통스러운 후유증을 겪는다고 합니다. 불안, 조울, 강박을 포함한 다양한 정서장애는 물론 알코올과 약물 등 중독문제, 심혈관질환을 비롯해 심지어는 최대 지능과 기대 수입에까지 부정적인 영향을 미친다는 것입니다. 그리고 이 연구 결과는 많은 후속 연구로 이어지며 세계적으로 아동 학대에 관한 사회적 인식을 변화시키는데 큰 영향을 끼쳤습니다. 따라서 사랑이라는 이름으로 행해지는 아동 학대 문제를 결코 남의 집 담벼락 안에서 이뤄지는 일로 가볍게 여겨서는 안 될 것입니다.

여러분이 학교에서 아동 학대 사안을 접하게 된다면 감정적으로 매우 동요되고, 분노와 함께 두려운 마음이 들기도 하겠지만, 이에 대처하는 매뉴얼이 존재한다는 사실을 먼저 기억해 주세요. 그리고 내담자가 죄책감이나 당황스러움을 느끼지 않도록 최대한 평소와 비슷하게 대해 주세요. 성 학대의 경우는 발견 상태를 최대한 유지하는 것이 객관적인 증거를 확보하는 데 도움이 되므로, 아이를 씻기거나 옷을 갈아입히지 않도록 유의해야 합니다.

이것은 비단 학교 교사뿐 아니라 어린이집이나 유치원 교사, 의사와 간호사, 경찰, 공무원 등 24개 직군의 아동 학대 신고 의무자에게 동일하게 적용되는 내용입니다. 신고자는 법에 의해 자신의 정보와 인적 사항 등에 대한 비밀을 보호받을 수 있고, 경우에 따라 신변 보호 요청도 가능합니다. 따라서 일단 학대 사실을 인지한 순간 먼저 112나 아이지킴콜 어플리케이션, 또는 시군구의 지역아동보호 전문기관 등에 신고해야 합니다. 아동 학대는 사실 눈에 띄는 신체적 외상뿐 아니라, 정서적 학대나 방임 등으로도 이루어질 수 있기 때문에, 평소 내담자의 어려움에 대해 면밀히 관찰하는 것이 중요합니다. 아동 학대를 신고할 때는 명백한 진술이 없을 경우, 가해자를 미상으로 신고할 수 있습니다. 산불 신고와 비슷한 맥락인데, 일단 불이 난 것을 발견한 즉시 신고해 더 큰 피해를 막아야 하기 때문입니다.

그 밖에도 상담 중에 아동 학대 정황을 발견하게 된다면, 사건 자체를 너무 깊이 질문하지 않도록 주의하세요. 발달 단계에 따라 같은 질문을 자주 접하게 되면서 아이들의 진술이 오염될 수 있기 때문입니다. 그리고 관련 사안을 인지하게 되었다면 담임교사, 관리자 등 꼭 필요한 사람들과 주요 정보를 공유하는 한계와 범위를 고민해야 합니다. 이는 아동과 관련인의 안전을 적극적으로 보호하기 위해 상담 비밀 보장에 우선해 예외 상황이 법적으로 허용되기 때문입니다. 이렇게 피해 아동에게 도움을 줄 수 있는 지지체계 속에서 신중하게 협력 관계를 구축하며 상담을 유지한다면 비의도적으로 아동이 방치되는 것을 예방하는데 도움이 될 것입니다.

▪ 만약을 대비해, 선생님이 소속한 학교 및 지역의 아동 보호 전문기관 연락처를 아래에 적어보세요. 그리고 소속 학교의 아동 학대 대응 매뉴얼도 함께 정리해 보시기 바랍니다.

인에이블러(Enabler)

우리 말은 조사 하나만 바꾸어도 전혀 다른 뜻이 될 때가 있습니다. 표현의 사소한 차이가 상당한 해석의 차이를 만들어 낼 수 있다는 것이지요. 이 말을 상담 장면으로 빌려오면, 상담이란 누군가를 '돕는' 일이지만, 때로는 이것을 '도와주는' 일로 혼동할 수 있다는 이야기입니다.

아동 학대와 같은 극단적인 사안이 아니더라도, 상담자는 대체로 인간에 대한 따뜻한 존중과 성장에 관심을 가지는 분들이 많습니다. 그것을 뒤집어 보면, 내 문제를 내담자에게 투사하거나, 빠른 문제 해결을 확인하고 싶어 하는 무의식적인 욕구가 상담자에게 있을 수도 있다는 뜻입니다. 이는 아주 미묘한 감정과 욕구이기 때문에 상담자는 끊임없는 자기 분석과 수련을 통해 내담자 문제와 자신을 분리하는 훈련을 해야 합니다.

인에이블러(Enabler)란 '조력자'가 아니라 '조장자'라는 뜻으로 사용되는 단어입니다. 누군가를 돕고, 헌신하고, 봉사한다는 가치 아래 다른 사람의 자율성을 침해하는 사람을 뜻하기도 합니다. 오은영 박사는 방송을 통해 육아의 목표를 궁극적으로 한 아이가 독립적인 인간이 될 수 있도록 돕는 것이라고 했습니다. 상담의 목표도 크게 다르지 않을 것 같습니다. 어려움에 처한 내담자가 최대한 자신의 능력과 자원을 확인하고, 스스로 건강한 삶을 살아갈 수 있도록 돕는다는 점에서 말입니다.

이는 학교에서 혹은 상담실에서 나의 도움을 필요로 하는 사람이 많을수록, 스스로 유능하다고 착각하지 않도록 경계해야 한다는 뜻이기도 합니다. 심지어 어떤 수퍼바이저는 사석이나 복도에서 내담자를 만났을 때, 인사조차도 먼저 하지 말라고 권합니다. 내담자와 눈이 마주치면, 자연스럽게 가벼운 눈인사로 대체하고 남이 알아차리지 못하게 중간자로서의 태도를 유지하라는 것이지요.

사실 어려운 내담자를 보면, 안타까움과 공감의 경계를 넘어 문제를 대신 해결해 주고 싶고, 실질적인 도움을 주고자 애쓰는 상황들이 생길 수 있습니다. 이럴 때, 상담자는 자신의 욕구를 재빨리 알아차리고, 삶을 변화시키고자 하는 핸들을 내담자에게 다시 넘길 수 있어야 합니다. 돕고자 하는 상담자의 욕구 자체가 잘못된 것이 아니라, 이 감정이나 욕구로 인해 내담자의 자율성 즉 역경을 이겨내고자 하는 자신만의 창조적인 노력을 침해하지 않도록 해야 한다는 의미입니다.

인간은 다른 동물들에 비해 혼자 생존하기 어려울 정도로 무력한 채 태어납니다. 그래서 착취적일 정도로 양육자에게 의존해야 살아남을 수 있습니다. 자신의 욕구에 따라 울고, 웃고, 반응과 학습을 하며 양육자와의 애착 관계를 만들어 가는 것이지요. 이 관계는 상담실에서도 비슷하게 재연됩니다. 자신의 어려움을 호소하면서 상담자에게 의존하고, 상담자에게 안전함을 느끼면서 내담자는 스스로 성장할 수 있는 제2의 기회를 만들어 나가는 것입니다. 이때, 상담자의 역할은 험난한 세상과 완전한 자궁이라는 두 세계 사이에 안전지대(중간지대)의 역할을 넘어서서는 안됩니다.

흔히들 관계에 대한 어려움을 이야기할 때, 호저의 딜레마를 비유적으로 사용하곤 합니다. 고슴도치의 일종인 호저는 혹독한 추위에서 살아남기 위해 옹기종기 모여 지냅니다. 그러면서 자기가 가진 가시로 온기를 나누었던 바로 옆의 누군가를 찔러 고통을 주게 됩니다. 그렇게 가시에 찔린 호저들은 상처를 피해 다시 조금씩 거리를 두어 멀어지곤 합니다. 이러한 일들을 반복하며 호저들은 살아가는 것이지요. 코로나19가 한참 기승을 부릴 때, '사회적 거리 두기'라는 말이 유행했습니다. 이 절묘한 표현은 바이러스의 유행을 막아내기 위해 만들어졌지만, 인간관계에서의 친밀감과 외로움 사이의 적절한 거리 두기가 얼마나 필요한지 이해하게 해주었습니다. 애정과 헌신, 혹은 전문적인 지식으로 내담자를 의존하게 하고, 내담자와의 경계를 무너뜨리게 된다면 이것은 내담자 스스로 성장할 수 있는 기쁨을 빼앗아 가는 것일지도 모르겠습니다.

상담자는 해결하는 사람이 아니라, 들어주는 사람입니다. 그러나 상담자 자신도 알아차리지 못하는 욕구들이 다양한 내담자를 만나며 의도하지 않게 드러나는 경우가 있습니다. 유난히 부담스러운 상담 장면이 있을 수 있고, 말이 많아지거나 인정받고 싶은 상담자의 욕구가 드러날 때도 있습니다. 따라서 상담자와 상담실은 서로의 욕구를 알아차리고, 스스로의 힘을 확인하고, 연습하는 장소와 대상으로 존재해야 할 것입니다.

▪ 누군가와의 관계에서 너무 가까워(경계가 없어) 상처받은 일이 있나요? 이 관계에서 자신이 상대방에게 어떤 욕구를 가지고 있었는지 적어봅시다.

이번 장에서는 사랑이라는 이름으로 행해지는 아동 학대나 자율성의 침해가 상대적으로 정반대의 성격으로 비춰질 수 있지만, 한 개인의 창조성과 온전함을 신뢰하지 못하고 통제한다는 면에서 무섭도록 닮아있다는 이야기를 전하고 싶었습니다.

힘이 약한 상대를 가장 손쉽게 통제하기 위해서는 폭력과 같은 위압이나, 지나친 친절로 의존하게 하는 방법이 있습니다. 아이를 키워본 경험이 있다면 쉽게 공감이 되실 텐데요. 어린 아이의 울음을 그치게 하는 방법은 뚝! 하고 무섭게 소리치거나, 일단 요구를 들어주는 게 가장 빠르고 손쉽다는 것을요.

Do No Harm vs Do Good!

'100명의 내담자를 죽여야 비로소 진짜 상담이 시작된다'는 말이 있습니다. 좋은 상담자로 성장하기에 그만큼 많은 시행착오와 어려움이 있다는 말로 여겨집니다. 또한 상담자는 자신과 내담자를 향해 겸손히고, 신중한 자세를 유지해야 한다는 금언으로 이해되기도 합니다. 많은 지식과 자격증으로 무장한 상담자들도 실제 상담 현장에서 내담자들에게 의도치 않게 상처를 줄 수 있습니다. 자신이 신봉하는 주요 이론이나, 수련 과정에서의 경험이 전부라고 여겨 개별적인 내담자를 정답이 있는 곳으로 이끌어가고 싶은 욕심을 부리기도 합니다.

20여 년간 상담을 하고 있지만, 사람의 변화는 특정 이론이나 기법의 힘으로 가능한 것이 아니라고 생각합니다. 여러모로 서툴고 부족했지만 진심이 닿았던 많은 사례들에서 내담자들이 스스로 길을 찾아가고, 성장했던 모습을 기억합니다. 이론적으로도 수없이 증명되었듯, 인간은 자신이 충분히 안전하고 사랑받고 있고, 신뢰받을 때 비로소 성장의 욕구가 건드려진다고 합니다. 미국심리학회의 창립 100주년 기념 저서에서도 모든 상담에서 최고의 치료 요인은 '상담자와 내담자의 건강한 관계'라고 밝혀진 바 있습니다. 인간중심 상담의 대가인 칼 로저스(Carl Rogers)는 치료적인 관계를 맺는데 갖추어야 할 상담자의 태도로써 공감과 무조건적 존중, 진솔성이라는 구체적인 자세를 제시하며 많은 상담자들에게 영향을 주었습니다.

최근에는 눈부신 과학의 발전으로 여러 심리학 이론이 다시금 인지과학이나 뇌과학이라는 접근으로 설명되기도 합니다. 신경과학의 한 분야인 다미주 이론에 따르면 인간의 사회적 행동이 생리적 상태, 즉 자율 신경계에까지 영향을 미친다고 합니다. 다시 말해 몸과 마음이 충분히 안전한 상태를 보장받을 때 진정으로 내담자의 치유가 시작된다는 것입니다.

그러나 상담에서 이야기하는 무조건적 공감이라는 것이 그것을 표현하는 여러 방법까지 정당화하지는 않습니다. 말갛고 순진한 얼굴로 학교폭력을 저지른 아이들을 만날 때, 자신의 문제를 위장하거나 혹은 자기 만족을 위해 다른 사람을 아무렇지 않게 도구로 사용하는 내담자를 만날 때면 상담자 자신도 얼마나 더 무조건적인 존중을 해야 하는지 혼란스럽습니다. 이럴 때는 내담자의 문제행동이나 비윤리적인 행위 자체를 수용하라는 것이 아니라, 그 의도와 감정의 원인에 대한 공감과 인정이라는 한계를 정합니다. 이렇게 상담자는 내담자와 함께 고민하고 곁에서 내담자를 비추는 거울의 역할을 하게 됩니다.

▪ 나는 어떤 내담자를 만날 때, 필요 이상의 적극성으로 내담자를 도우려고 애쓰는지 적어보세요. 특정 내담자가 아니라, 어떤 문제를 만날 때 상담자의 마음이 움직이는지 확인해 봅시다.

상담자의 가장 중요한 역할은 바로 그 지점에 있는 것 같습니다. 부모가 부모의 바람과 욕구만 주장하거나, 교사가 교사의 의무와 가치관만 중요하다고 여길 때, 여러 사람의 의도와 욕구들이 나에게 부딪힐 때, 내담자는 자신이 온전히 수용되고 있다고 느끼지 않습니다. 라캉은 '아이가 가장 불안할 때는 엄마와 떨어져 있을 때가 아니라, 바로 등 뒤에 있을 때'라고 했습니다. 적정한 거리에서 상담자가 존재하고 있을 때, 내담자는 경계를 확인하고 안전하게 자신의 성장에 집중할 수 있습니다. 그래서 모든 과정에서 상담자는 내담자에게 자신의 욕구와 가치관을 강요할 수 없습니다. 학교의 교사지만, 가르치지 않고 곁에서 들어주며 내담자와 함께 걸어가는 것이지요.

의사들이 환자를 치료할 때, 대 원칙 중 하나가 'Do No Harm'이라고 합니다. 어떠한 명분과 정당성이 있더라도 환자에게 해를 끼치는 행위는 하지 않는다는 것입니다. 어떻게 보면, 열정적인 상담자들에게 이 원칙은 자칫 경직되고, 소극적인 노력만 하는 것으로 받아들여질 수도 있겠습니다. 그러나 적절한 경계가 있다는 것은 사실 상담자 자신과 내담자를 동시에 보호하기 위해 필요한 것입니다. 따라서 정답이 빤히 보이는 것 같은 일들도 결코 상담자가 옳다고 여기는 속도와 방향에 맞춰 끌고 가서는 안됩니다. 아무리 좋은 답이라고 해도 내담자는 자신이 침해받는다거나, 강요받는다고 여길 수 있기 때문입니다.

내담자 스스로 안전하다고 여겨질 때, 충분히 기다려 줄 때, 내담자는 자신의 힘으로 성장의 방향과 문제 해결을 해나갈 것입니다. 학교 현장에 있다 보면 운 좋게도 같은 내담자를 3년 이상 만날 수 있는 기회를 얻게 됩니다. 사설 기관에서는 사실 쉽지 않은 일입니다. 내담자가 충분히 성장할 수 있는 과정을 지켜볼 수 있고, 보이는 곳에서 보이지 않는 곳에서 지지할 수 있다는 뜻이기도 합니다. 그러니 숙련된 상담자가 되기 전까지는 섣불리 경계를 위반하거나 확장하는 시도를 하는 것에 조금 보수적일 필요가 있을 것입니다. 내담자를 위한 적극적인 Do Good을 하다가, 오히려 내담자와의 경계를 무너뜨리고 서로를 혼란에 빠뜨릴 수 있기 때문입니다.

응급상황을 제외하고는 조급함을 버리고 내담자의 속도를 따라가며 진짜 내담자의 욕구와 함께 걸어 주십시오. 학교 상담 현장에서는 명확한 경계를 지킨다는 것이 현실적으로 매우 어려운 일일 것입니다. 그러나 충분히 내담자의 성장을 신뢰하는 것만으로도 이미 치료는 시작된 것이라고 할 수 있습니다. 여러분이 지키고 있는 'Do No Harm'의 원칙과 경계 안에서 내담자는 안전함과 장기적인 관계를 만들어 갈 힘을 기르고 있을 것입니다.

건강한 상담자

상담자 자신에 대한 신뢰

2023년 7월 한 시대를 풍미했던 가수이자 영화배우 제인 버킨이 세상을 떠났습니다. 그녀가 생전에 남긴 음악이나 작품도 훌륭하지만, 전 세계적으로 패션을 사랑하는 사람들에게 '프렌치 시크(French Chic)'라는 스타일이 많은 영감을 주었다고 하지요. 지금도 그녀가 지녔던 삶의 태도와 아름다움은 누구나 선망하는 가방의 이름이 되어 명성을 이어가고 있습니다. 그렇게 많은 사람들에게 뮤즈가 되었던 버킨은 살아생전 '생화와 조화를 구별하는 것은 꽃의 상처다'라는 말을 남겼습니다. 그리고 이어 말합니다. '완벽은 질린다. 나는 상흔에 감동한다'라고요.

삶이라는 여정에서 상처 없이 온전히 살기란 불가능합니다. 그러나 이 자명한 사실을 눈 앞에 두고도, 최근 우리의 삶을 돌아보면 고통 자체를 두려워하는 시대를 살고 있는 것 같습니다. 고통에 대한 터부를 넘어 오히려 혐오에 가깝지 않을까요. 고통과 쾌락의 대립 이론에 따르면, 인간이 더 큰 쾌락을 추구할수록 오히려 더 깊은 허무와 고통을 경험하게 된다고 합니다. 우리 뇌에 있는 고통과 쾌락에 반응하는 중추가 동전의 양면과도 같아 영속적인 쾌락의 상태가 불가능하다는 것이죠. 그래서 고통에 대한 회피는 결국 현대인들을 더 자극적이고 즉각적인 쾌락에 탐닉하게 만들고 다양한 형태의 중독 문제를 가져오는 것입니다. 반복적인 고통의 회피와 쾌락 중독은 마침내 인생을 시들게 만듭니다. 그래서 스스로 선택한 고통과 상처는 오히려 진정한 기쁨과 성숙한 행복을 위해 치러야 할 대가가 아닌가 합니다.

상담자는 수많은 내담자를 만나며 직간접적으로 삶의 고통에 자주 노출됩니다. 공감이란 내가 직접 겪은 상처뿐만 아니라 다른 사람의 상처에 고통과 아픔을 함께 느끼며, 충분히 그럴 수 있다는 반응을 하는 것입니다. 따라서 상담자는 직업의 특성상 필연적으로 더 많은 고통을 경험하며 지속적인 트라우마에 노출될 수 있습니다.

저 또한 상담을 하며 감당하기 어려운 사례들을 접할 때, 상담자로서 무너지지 않으려고 애쓴 일들이 적지 않습니다. 다 큰 어른이고, 자녀를 낳아 키우는 중년이 되었는데도 가슴이 떨릴 정도로 놀랍고 충격적인 이야기들이 상담실 안에서 오갈 때가 있습니다. 이럴 때는 퇴근 후에도 감정의 잔상들이 남아, 마음이 오랫동안 무거운 적도 많았습니다. 그 무거움을 털어내고 감당하느라 혼자 술을 마시기도 했고, 친구들을 만나 떠들기도 했습니다. 그러다 차츰 오랫동안 이 일을 하려면 상담자 자신에 대한 신뢰를 회복하고, 이 일이 가지는 의미를 찾는 것이 반드시 필요하겠다는 생각이 들었습니다. 뉴스를 통해 인생에서 최고의 자리에 오른 사람들이 말도 안되는 실수를 하는 모습을 접할 때가 종종 있습니다. 하물며 상담자로서의 첫발을 내딛는 우리들의 모습이야 어떻겠습니까... 스스로 모순투성이고, 자다가도 이불을 걷어차게 되는 상황들이 많이 있을 것입니다.

그래서 이런 상황일수록 내담자뿐만 아니라, 상담자 자신의 부족함과 열등을 충분히 인정하고 바라봐 주시기를 바랍니다. 그리고 실수와 실패를 통해 배운 것을 되짚어 보세요. 많은 사람들이 실수와 실패를 두려워하고, 이를 피하려고 지나치게 긴장하며 살아갑니다. 이런 상황에서는 자신의 이상이나 포부를 발휘하기 어렵습니다. 천진하게 넘어지며, 걸음마를 배우는 아이처럼 자연스럽기 어렵습니다.

▪ **상담자로 성장하며, 남들에게는 차마 말하지 못한 자신의 부족했던 모습을 고백해 보십시오. 그리고 그때의 자신에게 위로의 말을 건네주세요.**

심리학에는 외상 후 성장(Post-Traumatic Growth, PTG 혹은 Benefit Finding)이라는 개념이 있습니다. 한 사람이 인생을 살며 마주하는 역경에 대처하는 방식에 '정답' 혹은 '오답'이라는 것은 없습니다. 각자의 삶과 적응 방식에 따라 개성적인 반응이 있을 뿐이지요. 그러나 예상치 못한 어려움을 겪으면서, 누군가는 세상 밖으로 나올 수 없을 정도의 공포와 수치심을 경험하는 한편 또 누군가는 더욱 성장하고, 성숙합니다. 그래서 수많은 인간사 가운데 가장 약하고 고통스러운 처지를 딛고 일어나 위대한 드라마를 만들 때, 시공을 초월한 감동과 전율을 경험하게 되는 것일지도 모르겠습니다.

여러분의 첫 상담을 돌아보세요. 안전하기 위해 이 길에 들어온 것은 결코 아닐 것입니다. 성장을 위한 미숙함과 부끄러운 경험이 반드시 필요하고, 이를 통해 더 좋은 상담자로 성숙할 수 있다는 사실을 기억하세요. 그리고 부디 스스로의 서툰 모습에 자비를 베풀길 바랍니다. 상담을 통해 만나는 인간이라는 존재는 참으로 모호하고, 신비롭기 때문에 보다 좋은 길을 찾아가고 만들어 간다는 것은 결코 쉬운 일이 아닙니다. 흐릿한 지도를 가지고 낯선 장소를 찾아가는 것과 같습니다. 그래서 무엇보다 먼저 이 사실을 인정해야만 합니다. 상담의 길은 어렵고 복잡하고, 지름길이 거의 없다는 사실 말입니다.

텔레비전을 보면 노련한 전문가가 문제 상황에 대해 놀랍도록 명쾌한 솔루션을 안내합니다. 그리고 방송 몇 주 만에 마법같이 오랜 문제행동이 개선된 모습을 보여줍니다. 그런데 내가 만나는 내담자들은 왜 저렇게 쉽게 바뀌지 못할까요? 이런 방송을 보고 있자면, 사실 나의 무능함과 열패감에 자신이 하는 일 자체에 회의감이 밀려들 수도 있습니다. 방송에서 보여지는 모습이 전부가 아니라고 스스로 위로하면서도 말이지요. 갓 임용에 합격했을 뿐인데, 나 자신의 인생도 책임지고 살아가기가 벅찰 때가 있는데, 정서적으로 의지하는 많은 학생들을 만나게 되면 아무리 이론과 실습으로 무장했다고 해도 견뎌내기 힘들 때가 있을 것입니다.

이런 상황에서는 상담자 자신도 또 다른 상담자 혹은 멘토를 찾을 수 있습니다. 내가 발전할 수 있고 성장할 수 있다는 것을 믿어주고, 지지해 주는 누군가를 만난다면 위기에서 벗어나 오히려 성장 촉진의 기회가 될 수 있기 때문입니다. 그리고 다른 동료 상담자들과 정보와 사례를 나누며, 전문가로서의 훈련을 지속해 보세요. 그 밖에 상담자 자신의 몸과 마음의 건강을 민감하게 관리하시는 것을 권합니다. 너무 흔한 말이지만, 아무리 유능해 보이는 상담자나 전문가라고 할지라도 첫 시작은 서툴고 실수투성이였을 것입니다. 그러니 다시 한번 힘주어 말씀드립니다. 상담자가 되기로 마음먹은 여러분은 반드시 좋은 상담자로 성장해 나갈 수 있다는 것을 스스로도 믿어 주시라는 것을요.

내담자 성장에 대한 신뢰

상담자의 가장 큰 보람과 기쁨은 내담자가 성장하고, 성숙하는 모습을 지켜보는 일일 것입니다. 그런데 나날이 수많은 사연이 복잡하게 얽혀 있는 그 장대한 이야기를 온 힘을 다해 들어주고, 마음을 내어 주고, 힘껏 공감해 주다가 그 소중한 내담자들이 슬슬 두려워지는 순간들도 오게 됩니다.

실수로 상담 시간을 잊었다는 이야기가 반가워지는 순간. 나도 모르게 스스로를 보호하고 싶은 본능. 이런 감각들이 상담자들이 겪는 일종의 번 아웃의 증상이 아닐까 합니다. 어느 순간 수퍼비전이라는 명목으로 동료 상담자들에게 어린 내담자들의 뒷담화를 하게 되는 경우도 있습니다. '이렇게까지 오래 상담했는데, 왜 같은 문제들로 돌아오는 거지?', '혹시 내가 만나는 이 내담자가 끝내 자기 문제에서 벗어나지 못하는 것은 아닐까?' 이러한 생각 외에도 많은 상담자들이 내담자의 더딘 변화를 자신의 탓으로 돌리는 경우도 많이 있습니다. 그러나 이런 종류의 감정은 결국 내담자를 충분히 신뢰하지 못하는 상담자의 불안과 소진을 반증해 주는 증상일 수 있습니다. 특히나 오랫동안 문제행동이나 부적응 양상을 보이는 내담자를 만나는 것은 상담자에게 부담스러운 일이 될 수 있습니다. 여러 가지 사정상 보호 요인이 약하거나, 비행(非行)이 오래된 내담자, 혹은 상담자에게 역전이를 일으키는 내담자는 웬만한 내공의 상담자가 아니고서는 내담자의 변화에 대한 희망을 갖기 어려울 수 있습니다.

그러나 어린 내담자들은 당신이 생각하는 것보다 훨씬 강하고 유연하다는 것을 알고 계실까요? 고통스럽고, 낯설고 불안한 시간을 잘 견뎌, 상담실에서 꺼내어 놓을 수 있을 만큼. 그리고 자신의 삶에 대해 알고 싶어 하고, 이해하고 싶어 하고, 변화하고 싶다고 간절히 원하는 만큼 말입니다. 상담자가 되겠다고 마음먹었던 그 순간을 기억하시나요? 많은 상담자들이 자신의 문제를 해결하고 싶어 이 분야에 발을 들여 놓는다고 합니다. 미국의 시인 랄프 에머슨은 "사람이 위대한 것은 목적을 가졌기 때문이 아니라, 목적에 이르는 과정에서 겪는 변화 때문이다"라고 말합니다. 여러분의 시작도 이렇게 미약했습니다. 어려운 상황에서 어그러지고, 최선의 선택을 하지 못했고, 무수한 실수와 시행착오를 거쳐 여기까지 오게 된 것입니다.

▪ 마음이 가는 안타까운 내담자를 떠올려 보세요. 그리고 그 내담자에게 기대되는 최고의 모습을 적어보십시오.   선생님과 나눈 시간이 머지 않은 미래에 그 멋진 모습의 내담자에게 좋은 디딤돌이 되어 줄 것입니다.

1950년대 하와이 카우아이 섬의 종단 연구는 이런 점에서 방황하는 상담자에게 좋은 길잡이가 될 수 있을 것 같습니다. 대부분 범죄자와 알콜중독자 혹은 정신질환을 겪던 주민들 중에서 소수의 청소년이 출생과 환경의 영향을 받지 않고, 훌륭하게 성장하게 된 배경을 조사 했던 연구입니다.

그 비밀은 아주 놀랍고도 단순했습니다. 어려운 여건 속에서도 잘 자란 아이들은 부모가 아니더라도 자신을 전적으로 신뢰하고 사랑해 주었던 '한 사람'이 있었던 것입니다. 이 연구를 통해 에미 워너 박사는 회복탄력성이라는 개념을 고안했습니다. 유리로 된 공은 아무리 견고하고 아름다워도 바닥에 떨어지는 순간 산산조각이 납니다. 그러나 고무로 된 공은 바닥에 튕겨 다시 제자리, 그 이상의 높이로 뛰어오를 수 있다는 사실을 설명하고 있지요.

그러니 이 어린 내담자들도 그렇게 성장하고 변화할 수 있다는 사실을 기억해 주세요. 내가 지금 최선의 모습은 아닐지라도 누군가를 돕고 싶은 순수한 열정으로 어려움을 극복하고 힘을 냈듯이, 이 어린 내담자들도 오늘 누군가의 진심 어린 마음에 기대어 회복하고 성장할 수 있음을 말입니다. 운전하다 길을 잘못 들었을 때, 네비게이션은 몇 초 만에 다시 최적경로를 찾아냅니다. 반항도 없고, 운전자를 탓하지도 않아요. 그러나 우리 인간이 그런 존재인가요? 인간의 삶에서 최적경로라는 것은 완전히 허상입니다. 그러니 우리 어린 내담자들도 수많은 오류를 통해 자신만의 방향을 바로 잡아 간다는 사실을 기억하면서, 오늘 여러분이 누군가의 '한 사람'이 되어 주시길 바랍니다.

상담의 종결과 추수 지도

상담 종결 준비하기

앞서 상담의 과정 및 상담자의 자세 등에 대해 많은 이야기를 했지만, 학교 상담은 대개 단회기 혹은 단기 상담으로 종결되는 경우도 적지 않습니다. 40~50여 분이라는 짧은 시간 동안 내담자의 문제가 해결되리라고는 생각하지 않습니다. 다만 상담자에 대한 인간적인 호기심, 상담이라는 경험 자체 등도 갈등을 다루는데 좋은 연습과 대안이 될 수 있기 때문에 단기 상담의 효과를 결코 가볍게 여기지 않습니다. 또한 해결 중심 상담에서 아이들이 겪는 어려움이 단순하거나 표면적일 때, 단기 상담은 매우 경제적이고 효과적인 것이 분명하다고 밝혀진 바 있습니다.

학교의 개인 상담은 대개 10회기 정도를 약속하고 시작하게 됩니다. 문제의 경중에 따라 수년간 지속될 수도 있지만, 학교 상담실은 많은 학생을 대상으로 하는 공공 상담을 지향하기 때문에 내담자와 합의하여 학기 단위의 종결에 대해 사전에 동의를 구하기도 합니다.

내담자가 호소했던 문제가 해결되거나 문제에 대처하는 힘이 어느 정도 길러졌다면, 상담자와 내담자는 합의에 따라 상담의 종결을 준비해야 합니다. 문제가 사라지거나, 완벽한 평안의 상태는 없습니다. 단지 자신에게 닥친 어려움을 어떻게 다루어야 할지 사전 지식이 부족하거나, 부적응적인 방식으로 자신과 주변 사람들에게 어려움을 주었던 것이 서서히 나아지는 과정에서 우리는 새로운 자신감과 함께, 혼자서도 해볼 만하다는 마음의 근력을 갖추게 되는 것입니다.

상담에서의 종결 또한 이별의 한 종류입니다. 상담 경험이 좋았다면 좋았던 대로, 아쉬웠다면 아쉬운 대로 쉽지 않은 과정이 될 수 있겠지요. 아무에게도 드러내지 않았던 자신의 이야기를 들어주고, 약속된 시간에 안전한 공간을 나누었던 그 시간을 이제 떠나보내야 하니까요. 상담을 마무리해야 한다는 것은 정서적으로 단단히 연결되었던 상담자와 내담자 모두에게 깊은 여운을 남길 수 있습니다. 따라서 상담 종결이라는 과정 또한 서로의 동의를 통해 합의하고 준비해야 하는 것입니다.

이 시기에 우리는 초기 상담에서 상담 목표로 삼았던 것들에 대해 점검합니다. 예를 들어 시험 불안이 극심해 노력한 만큼의 성적이 나오지 않는 것을 호소하던 내담자가 있다면, 불안의 원인과 증상을 탐색하고 상담을 통해 어느 정도 시험 불안이 감소했는지, 혹은 구체적인 대처 기술 등이 생겼는지 등에 대해 함께 점검합니다. 대개 리커트 척도(Likert Scale)의 5점 혹은 7점 척도를 사용해 객관적으로 상담에서의 문제 해결이나 만족도 등을 알아볼 수 있습니다. 리커트 척도는 설문조사에서도 광범위하게 사용되는데, 중간값(보통)을 가지고 양극단의 점수를 비교해 볼 수 있기 때문에 상담의 종결 시 내담자의 만족도와 문제 해결 정도를 가늠해 보는 데 도움이 됩니다.

그다음, 앞으로 내담자가 어떻게 새로운 문제를 바라보고 대처하게 될 것인지에 대한 예상을 해보는 것이 좋습니다. 상담 과정 동안 다루고 변화했던 일들에 대해 복기하면서, 내담자가 해왔던 노력과 사고, 행동 등의 변화에 대해 확인하고 긍정적인 부분을 강화하는 일도 중요합니다. 이 과정을 통해 상담자와 함께 했던 일들이 내담자 혼자서도 충분히 해낼 수 있으리라는 확인을 해보는 것이지요. 이렇게 내담자는 의존성을 거두고 자신감을 갖게 될 것입니다.

내담자가 겪었던 갈등과 어려움, 서툰 대처 방식 등은 어쩌면 그 시기, 그 내담자에게 꼭 필요한 것이었을지도 모릅니다. 우리는 이 과정을 보듬어 주고, '그럴 수 있었겠다', '잘 해 보려고 많이 애썼구나'하고 정상화 해주고, 인정해 주며 내담자가 보다 바람직한 행동양식과 대처 기술을 배울 수 있도록 품을 내주었던 것임을 기억해 주세요. 내담자가 필요할 때 다시 상담을 할 수도 있다는 사실을 안내하며 우리는 좋은 이별을 준비해야 합니다.

▪ 상담자로서 성공적인 종결 경험, 혹은 내담자로서 좋았던 종결 경험이 있다면 아래 칸에 간략히 적어보십시오. 상담 종결 이후 지금의 느낌과 생각도 정리해 보세요.

추수 작업

호주에는 지형상 다른 대륙에서는 볼 수 없는 많은 동식물이 있습니다. 그중에서도 호주를 대표하는 동물은 캥거루인데, 그 비밀은 뒷다리에 있다고 합니다. 캥거루는 신체 구조상 뒤로 이동할 수 없는데, 그래서 미래를 위한 진취적인 도약을 상징한다고 합니다.

상담을 종결하고 시작되는 작업을 추수 작업이라고 합니다. 상담을 마치고, 일상생활에서 겪게 되는 많은 일에 대하여 상담자가 내담자를 돕기 위한 활동이 모두 이 과정에 포함됩니다. 상담이 종결되었다고 해서 내담자가 겪는 모든 문제들이 사라지는 것은 아닙니다. 그래서 여전히 같은 학교에 재학하고 있는 경우, 아이들은 다시금 상담자를 찾아 문제의 힌트를 얻어가기도 하고, 자신이 해내고 있는 일에 격려를 받고 가기도 합니다. 이때 상담자는 내담자가 기대하고 있는 격려와 지지를 해주며, 내담자에게 시의적절하게 필요한 책이나 영화를 추천하거나, 삶의 여러 상황에 대한 점검 등을 제공할 수 있습니다. 그 외에도 일기나 일지를 쓰며 내담자가 문제 상황을 직접적으로 관리할 수 있도록 지도하기도 합니다.

다른 사람에게는 완벽한 이상과 기대를 하며 상처받았지만 '어떻게 그럴 수 있어?' 했던 그 문제의 핵심이 나의 이중 잣대에 있었던 것은 아닌지 시간이 지난 뒤 비로소 돌아볼 수도 있습니다. 누구에게나 사정은 있습니다. 다만 그것이 이기적이고 미성숙했던 것은 아닌지, 자신조차도 알아차리지 못했던 것인지를 돌아보는 것은 매우 중요합니다.

상담자와 내담자가 상담이라는 구조 안에서 깊은 관계를 맺고, 자신을 확인하고 생각과 감정을 나누었던 과정들은 과거를 살펴보지만, 과거를 지향하지는 않습니다. 과거의 이야기를 다루고 있지만 그것이 현재 어떻게 내담자에게 영향을 미치는지 탐색하고 미래를 위해 나아가기 위한 돌아봄입니다. 또한 수많은 과거의 삶에서 유독 현재 그 경험이 떠오른 것은 어떤 이유인지를 탐색합니다.

한 대학의 상담실에서 만났던 내담자가 "상담실에 올 때마다 엄마와 아빠 험담만 하다가 끝나는 것 같다"며 허탈해하는 경우가 있었습니다. 자신의 어려움을 이야기하며, 과거 미숙했던 부모 탓을 반복하는 것이 부담스럽고, 죄책감이 느껴졌던 것 같습니다. 상담의 과정은 정반합에 가깝습니다. 아무 힘이 없었을 때 사랑받으려고 애쓴 자신, 그리고 그때 겪은 욕구의 좌절과 상처를 보듬으며, '지금, 현재' 과거의 기억이 떠올랐던 이유를 추적하고 마침내 그 시절의 나와 주변인들을 인정하고 바라보게 되는 것입니다. 조금 더 힘이 생긴 지금 과거를 떠나보내며 새로운 대안을 만들어 갈 희망과 홀가분을 연습하는 것입니다.

칼 융은 '의식되지 않은 무의식은 운명이 된다'고 했습니다. 우리의 과거를 돌아보는 것은 이처럼 현재의 삶을 자연스럽고 자유롭게 해주기 때문에 중요한 작업일 수 있습니다. 따라서 우리는 추수 작업을 통해 인생 어느 시기의 문제를 봉합하고, 남아 있는 여운을 정리하게 됩니다. 상담 과정에서 준비된 이별과 성숙한 애도 작업은 앞으로 내담자를 더 '자신'이 될 수 있도록 안내할 것입니다.

가끔 졸업한 제자들이 선생님을 찾아 학교로 인사하러 올 때가 있습니다. 시험 기간이라던가 스승의 날 등을 포함하여 아이들이 정들었던 선생님께 안부와 감사를 전하러 오는 것이지요. 그런데 상대적으로 상담교사를 다시 찾는 경우는 그리 많지 않습니다. 저는 그 이유를 상담자의 부족함 때문이라기보다 '헤어진 옛 연인'을 다시 만나는 것과 비슷한 감정이 상담자와 내담자 사이에 있기 때문이라고 생각합니다. 복잡다단한 감정을 겪어내고 이별했던, 생의 한 페이지를 의미 있게 지냈던 누군가와 시간이 흐른 뒤 다시 만난다는 것은 아무리 쿨한 성격이라도 약간의 이색함과 부담이 있을 수 있기 때문입니다. 다시 만나서 반갑게 인사하면 좋겠지만, 교과교사나 담임교사에게처럼 제자들이 찾아오지 않는다고 너무 서운하게 생각하지 않기를 바라는 마음에서 귀띔해 드립니다.

▪ 학교를 옮기거나, 시간이 한참 지난 뒤에야 내담자가 "진짜" 이해되었던 경험이 있을까요? 그 당시에는 잘 만나지지 않았지만, 이제야 느껴지는 내담자의 이야기가 있었다면 기록해 보세요.

변하는 것과 변하지 않는 것

현재 과학과 기술의 발전은 예상하기 어려울 정도로 고도화되고, 그만큼 인간 삶의 변화도 어지러울 정도입니다. 사실 학교에서 만나는 아이들의 변화도 예측하기 어려울 정도입니다. 선생님들은 작년 신입생과 올해 신입생 사이에서도 세대 차이를 느낀다고 말씀합니다. 스마트폰의 보급과 유튜브, SNS 등과 같이 인간의 사고와 관계의 패러다임을 바꾸는 시류를 겪으며, 교실에서 만나는 아이들의 변화를 실감하는 데서 나오는 표현일 것입니다.

이러한 변화의 시대에 유발 하라리는 그의 저서 <사피엔스>에서 '인간은 새로운 힘을 얻는 데는 극단적으로 유능하지만, 이것을 더 큰 행복으로 전환하는 데는 매우 미숙하다. 우리가 전보다 훨씬 더 큰 힘을 지녔는데도 더 행복해지지 않은 이유가 여기에 있다.'라고 말하고 있습니다. 이렇게 전례 없는 기술의 혁신과 인공지능의 등장으로 인류는 변하는 것과 변하지 않는 것에 대해 더 깊이 고민할 기회를 얻었는지도 모르겠습니다.

상담실에서 만나는 부모님들이 가장 많이 하는 이야기가 "저는 아이에게 크게 바라는 것이 없어요. 그저 아이가 원하는 것을 지지해 주려고 합니다"라는 말입니다. 그러나 여전히 아이들은 여러 갈등과 어려움 속에 직면해 있고, 다양한 문제를 경험합니다. 과거와 달리 생존을 위한 가난과 질병도, 가족을 먹여 살리기 위한 희생과 출세의 부담도 없이, 그저 지지와 사랑을 해주는 것 같은데도 말이지요. 상대적으로 풍족하고 잘 교육받았는데 완벽을 추구한 나머지 나도 모르게 다른 모양의 일그러진 환경을 만들고 있는 것은 아닐까요?

앞선 장에서 이야기했듯 사람들은 저마다의 해석과 방식으로 사랑을 표현하고, 요구합니다. 그렇게 개성들이 충돌하는 지점에서 많은 상처와 오해가 생기게 됩니다. 약간의 이기심과 성격 차이, 서툰 표현과 무의식적인 욕구의 충돌 같은 것들이 관계에서 걷잡을 수 없는 간극을 만들어 내기도 합니다. 사랑이라는 이름으로 대를 이어 가족만의 비극적인 신화를 만들어 내기도 하고, 서로를 비난하며 부모 세대의 숙제를 반복하기도 하는 것입니다. 어찌 보면 인간은 이렇게나 미욱한 존재입니다. 그래서 각 분야의 전문가들은 무언가를 새로 배우는 것보다 잘못된 습관을 고치는 것이 훨씬 힘들다고 입을 모아 이야기합니다. 조금씩 편향된 운동 자세, 연주 습관, 나쁜 버릇, 딱딱하게 굳어버린 사고방식 등등 그 예는 셀 수 없이 많습니다.

처음 상담을 시작하며 저는 사람의 마음은 가슴에 있다고 생각했습니다. 따스하고, 인정 넘치는 마음으로, 희생과 헌신을 통해 누군가의 슬픔과 외로움을 도울 수 있다고 생각했습니다. 그러다 시간이 좀 흐른 뒤에는 정확한 판단과 책임감, 성실함과 유능이 누군가를 돕는데 최고의 미덕이라고 생각했지요. 요즘에는 또 생각이 조금 바뀌었습니다. 그 모든 것을 포함해 '사람의 마음은 온 몸에 있고, 몸과 마음이 다르지 않다'라는 것을 깨달은 것이지요. 잘 먹고, 잘 쉬고, 잘 자는 것이 그 어떤 유능보다 소중하고 위대한 자기 돌봄의 시작이라고 생각하게 되었습니다. 그런 자기 돌봄의 바탕 위에서 공감과 유능성도 안정적으로 빛을 낼 수 있다고 생각하게 되었습니다. 그렇게 상담에 대한 시선을 조금씩 수정해 가며, 제가 내담자를 대했던 마음도 달라지고 있다는 것을 깨달았습니다.

열정적인 초보 상담자에게 감수성이 없는 사고형의 내담자는 어렵기만 했습니다. 그리고 유능성을 지향하던 상담자 시절에는 같은 실수를 반복하고 자신감이 부족한 내담자가 답답하게만 여겨졌습니다. 이런 과정을 숱하게 반복하며, 완벽하고 완전한 상태가 아니라 내담자를 따스한 눈길로 불안감 없이 기다려주고 적정한 경계를 유지하는 것을 조금씩 감각적으로 배워가고 있습니다. 완벽한 상담자가 아니라 충분히 좋은 상담자가 되려고 노력하고 있습니다.

우리는 모두 공평하게 한 치 앞도 알 수 없는 인생을 살고 있습니다. 하지만 시대와 장소를 초월해 행복의 비결이 정직, 인내, 겸손, 사랑 등과 같이 대체로 단순하고 간결할 때가 많지요. 얼마나 많은 사람들이 단지 솔직하고 진실하지 못해 고통을 겪고 있는지 모릅니다. 그럴듯한 체면과 핑계, 거짓으로 자신과 주변을 속이면서 까지요. 호스피스 병동에서 죽음을 목전에 둔 사람들은 생의 마지막 순간에 자신의 인생에서 더 많은 성취와 소유가 아니라 더 많이 사랑하지 못한 것에 대한 후회가 가장 크다고 합니다. 여전히 인간은 사람 사이의 관계와 갈등에서 가장 큰 만족감과 어려움을 느끼고, 생존과 안전이라는 기본 욕구에서 벗어나기 힘들며, 인정과 사랑, 따스한 정서적 지지를 통해 한계 없는 성장을 경험하는 존재이기 때문입니다.

▪ 여러분의 삶을 돌아보며, 변한 것과 변하지 않은 것들을 적어보세요. 그 삶의 여정에서 꼭 실현하고 싶은 자신의 가치를 찾아보시기 바랍니다.

유구한 역사를 자랑하는 그리스가 자랑스러워하는 인물이 두

명 있는데, 그 중 한 명은 소크라테스이고 나머지 한 명이 니코스 카잔차키스라고 합니다. 단순하고 소박한 삶에서 당당하고 열정적으로 자신을 실현하는 것. 이것이 인간을 진정한 자유인으로 살게 한다는 것을 누구보다 간결하게 이야기한 작가라서 그런 것일까요?

사람은 자신에게 없는 것을 타인에게 주기 힘든 존재입니다. 따라서 여러분이 '상담자로서 나는 행복한가?'라는 질문에 스스로에게 좋은 답을 줄 수 있기를 바랍니다. 타 교과에서 전과해 상담교사로 정년을 맞은 선배님께 어떻게 마지막까지 열정적으로 상담을 할 수 있었냐고 물었던 적이 있습니다. 선배님께서는 겸손하게 "나는 내가 믿는 신이 있잖아..."라고 이야기를 시작하셨습니다. 그리고 여전히 지치지 않고 현역에 계실 때 못지않게 상담 봉사 및 연구를 지속하고 계십니다. 이렇듯 삶을 통해 자신만의 고유성을 발견하고, 스스로 인정해 주는 것. 인간에 대한 근본적인 애정과 신뢰를 회복하고 자신이 가장 중요하게 여기는 가치를 추구해 간다면 좋은 상담자를 넘어 성숙하고 풍성한 인생을 살아갈 수 있으리라 생각합니다.

Burn-out(소진)에 빠진 상담교사들

임은미

번아웃증후군(Burnout Syndrome)이란?

소진? 번아웃증후군(Burnout Syndrome)?!

요즘의 업무 상황에 대한 일상적인 물음과 요구들이 여러분에게 불편함을 느끼게 하거나 짜증을 일으키는 일이 있나요? 무슨 일인지 명확하게 이해하기 어려운 상황에서도 불편함과 힘듦을 느끼시나요? 여대까지 잘 해왔던 일들이 어느 순간 너무 버거워지거나 하기 꺼려지며 짜증만 나는 경우는 없었나요? 평소에는 상관하지 않았던 말과 일들이 갑자기 신경을 거스르게 하여 짜증과 슬픔을 동시에 느끼게 하는 일이 있을까요? 자신이 무엇 때문에 힘들어하는지 정확히 파악하기 어려운, 미묘한 불편함이 여러분을 괴롭히는 순간이 있을지도 모릅니다. 이런 감정들은 종종 너무 피곤해서 "그래, 잠깐 지쳤어!" 혹은 "피곤해!"라는 말로 감추곤 합니다. 여러분은 현재의 열정과 최선을 다해 현실을 살아가는 자신에게 어떤 변화가 일어나고 있는지 생각해보셨나요? 그렇지 않다면, 번아웃증후군의 가능성을 고려해보는 것이 좋을지도 모릅니다. 이 증후군은 생각보다 흔하며, 우리 주변에서도 많이 발생하는 문제 중 하나입니다.

번아웃은 지속적인 과로와 스트레스로 인해 발생하는 정신적, 감정적 및 물리적 피로를 의미합니다. 번아웃의 반대말로는 '회복' 혹은 '웰빙'이 될 수 있고, 이는 행복과 건강 그리고 에너지가 있는 상태를 나타냅니다. 번아웃증후군은 지속적인 스트레스로 인해 발생되는 정신적, 감정적 및 물리적 피로의 집합으로 소진이 누적될 시 번아웃증후군으로 발전될 수 있다고 할 수 있습니다. 본 글에서는 소진과 번아웃이 동일한 의미로 사용되었습니다.

번아웃증후군 이름에서 알 수 있듯이, '불타서 없어진다. 소진되다.'라는 말에서 유래된 용어입니다. 번아웃증후군 혹은 탈진 증후군이라고도 쓰기도 합니다. 한국에서는 만성피로로 오해받기도 하지만 WHO에서 당당하게 인정받은 증상입니다.

그럼 번아웃증후군을 누가 처음 언급하였을까요?

미국 심리학자 허버트 프로이덴버거(Herbert Freudenberger)가 1974년에 과학 저널에 번아웃증후군이라는 연구를 최초로 게재하였고 번아웃(burnout) 이라는 용어를 처음 사용했습니다. 허버트는 논문에서 무료 약물 중독 클리닉에서 자원봉사 직원들과 자신이 직무에 과도한 요구는 물론 두통, 불면증, 화를 잘 냄, 폐쇄적 사고와 같은 신체 증상에서 유래한 소진을 포함한 증상들을 번아웃증후군이라고 정의했습니다. '피곤함, 지침'이라고 생각했던 일상적인 모습들이 짧은 기간 회복됨 없이 연속된 업무 속에서 나타나는 증상들, 바로 번아웃증후군입니다.

번아웃증후군은 심리학자 한두 명에 의해서 언급된 증상은 아닙니다.

세계보건기구(WHO)에서는 2019년에 번아웃증후군에 대해서 '의학적 질병은 아니지만, 만성적 업무 스트레스'에서 유래되었다고 보았습니다. 업무에 대한 에너지 고갈 혹은 소진의 느낌, 일에 대한 심리적 거리가 생기거나 일에 대한 부정적 생각(negativism) 혹은 냉소(cynicism), 직무 효능 감소 등을 특성으로 하는 증상이 동반된다고 보았습니다. 즉 질병은 아니지만 정확히 제대로 알고 관리해야 하는 직업 관련 증상이라고 정의했습니다.

그런데, 직장에 다니지 않는 주부들이나 일반인들은 번아웃증후군에 안 빠질까요? 그렇지 않죠! 주부들도 일반인도 그리고 학생들도 번아웃증후군에는 빠질 수 있다고 생각합니다. 물론 WHO에서는 만성 직장 스트레스라고 정의했지만 소진되어 있는 사람들에게 찾아올 수 있는 증상이라고 생각합니다.

저도 상담교사로 근무하면서 번아웃증후군에 빠져 힘들었던 경험이 있습니다. 피곤함, 짜증, 분노 등 정서적 어려움과 신체적 증상까지 겹쳐서 헤어 나오기가 힘들었습니다. 저뿐만 아니라 주변에도 힘들고 지쳐서 번아웃증후군 증상을 보이는 사람들이 많이 있습니다.

번아웃증후군에 빠질 가능성이 큰 사람들은 어떤 특징을 가질까요?

일반적으로 열정적이며 일에 책임감이 강하고 성실한 사람들일수록 번아웃증후군에 빠질 가능성이 큽니다. 특히 고객 서비스나 영업과 같이 사람들과 빈번하게 상호 작용하는 직업에 종종 발생합니다. 이러한 사람들은 자기 일을 최선을 다하려고 하므로 자신을 돌보지 못할 수 있으며, 이로 인해 번아웃증후군이 발생할 가능성이 커집니다. 자신을 더 잘 이해하고 관리하면 번아웃증후군을 예방하고 극복하는 데 도움이 될 것입니다. 이러한 증상을 무시하지 않고 주의 깊게 대처하면, 더 건강하고 균형 잡힌 삶을 살아갈 수 있을 것입니다. 여러분은 번아웃증후군에 빠지기 쉬운 성향 혹은 소진되는 환경인가요? 이번 기회에 점검해 보세요.

▪ 나의 정서 및 신체 증상을 점검해 본적이 있나요? 최근 나의 정서 혹은 신체 증상을 적어보세요.

번아웃증후군(Burnout Syndrome)의 원인은?

많은 심리학자가 번아웃증후군의 원인에 대해서 공통으로 언급하는 것은 '기대 수준 미충족'과 '지속적인 직무수행 실패'를 원인으로 보고 있습니다. 책임감 강하고 성실하게 일해왔던 사람이 평소와 다르게 직무를 제대로 수행하고 있지 못하다고 느끼거나 평가를 받을 때 엄청난 좌절감을 느낍니다. 게다가 한 번이 아니라 계속된 직무수행 실패는 자신을 무능력하게 바라보게 되고 모든 업무에서 큰 좌절을 느끼게 됩니다. 이로 인하여 신체적 정서적 무력감을 느끼며 공허감, 공감 능력 저하, 회의감, 자기혐오 등 다양한 증상들에 빠지게 됩니다.

좀 더 구체적으로 번아웃증후군의 원인을 살펴보면 개별적 취약 요소인 개인적인 요소와 환경적인 요소로 구분해서 볼 수 있습니다. 번아웃증후군에 잘 빠지는 개인적 요소가 많은가요? 혹은 현재 나의 환경이 소진되는 환경인가요?

<개인적인 요소>

연번	항목	V
1	완벽주의적 성향: 기준이 높고, 만족이 적음	
2	무엇이든 진지하고 성실한 태도	
3	높은 성취 욕구	
4	일과 사람에게 통제 욕구가 높음	
5	나와 주변에 비판적 시각이 많음	
6	직무와 나를 구분하지 못함 (직장 생활과 사생활의 구분이 없음)	

7	직무상 평가를 나를 향한 비판으로 받아들이고 고민	
8	다른 사람의 도움은 NO!, 일은 내가 처리해야 직성에 풀림	
9	역량보다 많은 일과 책임을 맡음	
10	휴식 시간이 부족, 그럴 시간이 없음	
11	생활 습관이나 삶이 일에 초점이 맞춰 침	
12	나를 지지해주는 가족이나 주변이 없거나 적음	
13	하나에만 몰두하고, 충분한 수면을 하지 못함	

<환경적인 요소>

연번	항목	V
1	불분명한 업무 성격과 근무 환경	
2	명확하지 않은 업무 형태	
3	경계가 없거나 통제가 거의 또는 전혀 없는 업무	
4	지나치게 높은 성과와 까다로운 기대치가 주어진 업무	
5	고압적이고 강압적인 근무 환경	
6	강도 높거나 과중한 업무를 강요받는 환경	
7	지나치게 많은 업무량과 과도한 목표 혹은 할당량이 주어짐	

8	단조롭거나 단순하며 도전적이지 않은 업무	
9	업무 성과에 따른 적절한 보상이나 인정이 부족한 환경	
10	정규 일정뿐만 아니라 야근, 휴일 등 추가 근무가 빈번	
11	적은 인원이 사람을 돕는 직군 - 의료진 등	
12	정신적 에너지를 요구하는 서비스업, 교사 등	
13	시간 및 공간의 경계가 모호한 환경	

출처: https://healthhabit.tistory.com/20(파워해빗)

몇 개나 해당하시나요? 해당하는 요소가 많을수록 취약하다고 할 수 있지만 몇 개만 해당하더라도 번아웃증후군에 취약하다고 할 수 있습니다.

개인적 요소들은 자신이 인지하고 통제하기 위해서 노력할 수 있는 부분들이 있을 수 있습니다. 그러나 내가 속한 환경적 요소들은 그것들을 조절하거나 통제하기가 쉽지 않습니다. 힘든 업무 환경에서 부정적인 피드백까지 있다면 더욱 힘든 상황이 될 수 있습니다. 사람들은 쉽게 '절이 싫으면 중이 떠나야지!', '이 정도 일은 눈감고도 할 수 있지 않나?' 등의 핀잔으로 환경에 적응 못 하는 사람을 만들 때가 있습니다. 이것은 일종의 폭력으로 더 큰 어려움에 빠지게 만들고 큰 좌절과 번아웃증후군에 빠지게 만들기도 합니다.

나의 개인적 요소와 환경적 요소가 결합하여 부정적 시너지를 낼 때 번아웃증후군에 빠지기 쉽습니다. 번아웃에 대한 원인을 제대로 파악한다면 번아웃증후군을 예방하거나 치료하는데 도움을 받을 수 있습니다. 이제는 나의 소진 요소의 점검이 필요한 시기입니다.

<번아웃증후군(Burnout Syndrome) 점검표>

표 1. 번아웃 증후군 체크리스트

번호	증상	체크	영역 (순위)
1	업무를 생각하면 무기력해진다.		감정적·정서적 고갈 ( )
2	업무를 생각하면 결근을 하고 싶다.		
3	업무 때문에 가슴이 답답하다.		
4	퇴근할 때쯤이면 녹초가 된다.		
5	업무 스트레스로 인해 수시로 피곤함을 느낀다.		신체적·생리적 고갈 ( )
6	업무 스트레스로 인해 두통이 심해진다.		
7	업무 스트레스로 인해 신체적인 이상이 생긴 것 같다.		
8	업무 스트레스로 인해 소화불량이 심해진다.		
9	더 이상 직장 내 구성원들과 대화하고 싶지 않다.		조직갈등 ( )
10	직장 내 구성원들과 감정싸움에 지친다.		
11	업무를 생각하면 이직을 하고 싶다.		
12	구성원들과 함께 일하는 것에 스트레스를 받는다.		
13	업무상 만나는 사람을 물건처럼 대하고 있다.		비인격화 ( )
14	나는 직무를 기계적으로 처리하고 있다.		
15	업무를 생각하면 이직을 하고 싶다.		
16	내 자신이 조직의 부속품(쯤)으로 느껴진다.		

출처: 박수정 외(2019). 한국형 번아웃 증후군 자가진단 척도개발 및 타당도 검증 연구. 일부 발췌

다양한 번아웃증후군 점검표가 있지만, 번아웃증후군을 점검할 수 있는 한국형 번아웃증후군 자기진단 점검표 일부입니다. 현재 번아웃증후군이 의심된다면 전문가를 찾아 점검해 보시는 것을 제안 드립니다.

정신장애와 번아웃증후군 (Burnout Syndrome) 구분하기

번아웃증후군(Burnout Syndrome) 구분하기

최선을 다해 일상에 몰두하다가 자신을 제대로 돌볼 여력이 없을 때가 있습니다. 그러다 어느 날 너무 힘들어 뒤돌아보면 번아웃증후군에 빠져있는 경우가 종종 있을 수 있습니다. 많은 사람이 자신이 속한 상황에서 성심껏 열심히 일하는 것이 가장 중요하다고 생각합니다. 그러다가 긴장감과 예민함이 어느 한계를 초과하면 치료를 받아야 하나? 혹시 불안장애인가? 우울인가? 아니면 다른 이상이 있나? 등 다양한 생각들이 들게 됩니다. 이처럼 번아웃증후군은 정서적 문제 혹은 만성 스트레스로 인해 피로감이 쌓인 것으로 생각하기도 쉽습니다. 저도 번아웃증후군으로 인식하기 전에는 그저 일이 많아서, 오래 일해서 지치고 힘들다고만 생각했습니다. '그냥 조금 쉬면 좋아질 거야!', '피곤해서 그래!', '나만 이런 것 아닌데 뭘~ 유난 떨지 말자.' 등으로 감정을 표현하면서도 번아웃증후군은 생각하지 못했습니다. 대부분 사람이 저와 같은 경험을 하면서 자신들이 겪고 있는 것들이 어떤 증상들인지 구체적으로 인지하지 못하는 경우가 많습니다. 특히 상담교사들은 자신보다는 타인들이 우선이 되어 자기 돌봄이나 자기 이해를 기대하기 어려운 경우가 많습니다.

많은 사람이 번아웃증후군을 만성 스트레스나 우울증 등으로 혼동해서 잘못된 치료적 접근을 하는 경우가 종종 있습니다. 나에게 나타나는 증상들을 잘못된 방식으로 해결하려고 할 때 어떤 일이 벌어질까요? 특히 학교 상담실에서 소진되어 번아웃증후군에 빠져 힘든 상황을 만성 스트레스나 우울증으로 오해한 상담교사가 있다면 어떤 일이 생길까요? 정확하게 자신의 증상을 이해하지 못하는 경우는 번아웃증후군을 다른 증상들과 혼동하기도 합니다. 특히 번아웃증후군을 만성 스트레스나 우울증 등으로 혼동해서 관련 치료나 자신만의 방법으로 해결하려고 하는 경우가 많이 있습니다. 저조차도 제 증상을 우울감이나 스트레스로 넘겨버렸습니다. 나의 증상들을 제대로 이해하려면, 번아웃증후군이 무엇인지 정확히 이해해야 합니다. 그런 다음 번아웃증후군과 혼동되는 증상들이 무엇이 있을지 알아보고 구분할 줄 알아야 합니다.

번아웃증후군과 유사한 증상들은 무엇이 있을까요? 번아웃증후군 증상들과 혼동하는 증상들의 대표적인 예로 스트레스와 우울증이 있습니다. 그 밖에도 무력감이나 불안장애 등이 있을 수 있습니다.

스트레스 vs 번아웃증후군(Burnout Syndrome)

많은 사람이 번아웃증후군과 스트레스를 혼동합니다. 물론 여러 가지 면에서 유사한 점들이 많이 있습니다. 오랫동안 스트레스를 받게 되면 번아웃증후군이 발생할 수 있는 것은 맞지만 그렇다고 번아웃증후군과 스트레스가 같은 것은 아닙니다. 번아웃증후군은 복합적인 원인에 의해서 발생합니다. 그 한 요인이 스트레스라고 볼 수 있습니다. 스트레스는 스스로 통제할 수 있는 상황이 되거나 제거하게 되면 기분이 나아지고 좋아질 수 있습니다.

번아웃증후군은 어떨까요? 번아웃증후군의 경우는 단순히 스트레스 요인이 제거되는 것만으로 없어지거나 사라지지 않습니다. 정신적으로 매우 지쳐 있고 무력감에 빠져있는 상태여서 자신의 상황이 긍정적으로 변화할 수 있다는 희망의 메시지를 전달할 수 없는 소진 상태입니다. 스트레스 요소는 받는 사람이 알아차리고 제거하거나 통제할 수 있는 상황입니다. 번아웃증후군의 경우 알아차리기가 쉽지 않고 긍정적인 상황으로 전환하는 것이 어려워서 신체적, 정서적 위험한 상황으로 발전할 수 있습니다. 스트레스는 소진을 일으키는 큰 요인이에요. 평소 스트레스 관리나 해결하지 못하면 심각한 번아웃증후군에 빠질 수 있다는 점 잊지 말아야 합니다. 자신만의 스트레스 관리가 매우 중요하겠지요?

▪ 나만의 스트레스 관리법을 적어보세요. 없다면 나를 위한 스트레스 관리법을 찾아보세요.

우울증 vs 번아웃증후군(Burnout Syndrome)

번아웃증후군에 빠진 사람들이 자신의 번아웃 증상을 인지하였을 때 사람들이 자신의 증상을 우울증으로 착각한다고 합니다. 우울한 감정과 무력감으로 우울증과 혼동하기도 합니다. 게다가 실질적으로 우울증과 번아웃증후군은 유사한 부분들이 많고 명확하게 구분하여 설명되어 있지도 않습니다.

우울증과 번아웃증후군에 대해서 전문가들은 무엇이라 했을까요? 우울한 감정이 압도하고 과도하게 작용하지만, 자신이 겪는 감정에 대해서 느끼며 감정은 살아있습니다. 하지만 번아웃증후군을 겪는 사람들은 온 감정이 소진되어 타 없어진 경우를 말합니다. 감정을 느낄 수 없는 무감정의 상태, 타서 없어져버린 상태라고 할 수 있습니다.

또한 일반인들이 겪는 우울증은 우울한 감정에 압도되어 기분이 지속해서 침체하여 있습니다. 자기 자신을 탓하고 비난하며 벌을 주고 있다고 생각하는 경우도 많습니다. 하지만 번아웃증후군의 우울감은 일반 우울증처럼 자기 자신을 탓하고 비난하지만 더불어 분노의 대상을 가지고 있습니다. 특히 죄책감보다는 절망감과 상실감이 더 커서 일반적인 우울증과는 구분할 수 있습니다. 번아웃증후군과 유사한 증상들을 제대로 이해하면 나의 번아웃증후군도 이겨낼 수 있습니다.

▪ 현재 나는 우울감이 있나요? 내가 느끼는 우울감은 무엇인가요?

상담교사들은 왜 번아웃증후군
(Burnout Syndrome)에 빠지는가?

상담교사는 번아웃증후군(Burnout Syndrome)에 더 취약한가?

학교에서 전문상담교사로 일하는 것은 어떤 것일까요? 저는 특성화고등학교에서 교과교사로 근무한 경험이 있습니다. 특성화고등학교에서 만난 많은 학생이 가정적으로나 정서적으로 힘든 학생들이 많았습니다. 다양한 도움이 필요로 하는 학생들에게 교과교사로 근무하면서 힘든 학생들에게 제대로 된 도움을 주거나 정서적 지원을 하고자 하는 것에 한계를 느끼는 경우가 많았습니다. 단순한 위로나 지지보다 전문적인 도움을 주고자 상담을 공부하게 되었고 전공을 바꿔 상담교사가 되었습니다.

교과교사가 상담교사가 된다는 것은 쉽지 않았지만, 상담교사가 되면서 상담교사다움을 미리 정해 놓고 그렇게 보이는 삶에 한동안 집중했습니다. 저에게 상담교사다움으로 보이는 삶은 '늘 좋은 모습을 보여야 해. 항상 돕는 사람이어야 해. 갈등은 만들지 말아야 해. 누구와도 잘 지내야 해. 성실하고 모범이 되어야 해. 먼저 나서야 해.' 등이었고, 그 틀 안에서 생활했습니다. 혹여 조금 실수하거나 감정이 드러나는 경우 주변에서 '상담교사가 왜 이래? 상담교사도 화를 내? 친절해야 하는 것 아냐?' 등의 반응이 저의 상담교사다움의 틀을 강화했습니다. 좀 더 친절해지고, 갈등은 없이 조용히 순응하며 지내는 삶, 남들에게 좋은 모습으로 비치는 보여주는 삶에 집중했습니다.

학교 현장에 상담이라는 분야가 정착해 가는 과정에 요구되는 희생정신과 함께 저의 보여주는 삶이 결합하여 '자기 돌봄'은 없이 시간이 흘러갔습니다. 힘들었지만 내색하지 않고, 갈등이 있었지만 표면화하지 않고 꾹꾹 누르며 상담교사로의 삶을 살았습니다. 그렇게 사는 것이 좋은 상담교사가 되는 방법이라고 믿고 지냈습니다. 나를 중심으로 두지 않고 모든 에너지를 외부로 향하면서 지내왔습니다. 보이는 삶에 집중하면 더 많은 번아웃과 어려움이 찾아올 수 있습니다. 우리가 모두 가지고 있는 나만의 보이는 삶은 무엇이 있을까요?

▪ 나만의 보이는 삶은 무엇이 있나요?

심리학에서 인정욕구, 즉 타인으로부터 인정받고 싶어 하는 욕구는 매슬로의 욕구 이론에 중요하게 연결될 수 있습니다. 매슬로의 욕구 이론은 인간의 필요성을 다섯 가지 수준으로 나누고, 이러한 욕구들이 계층적으로 나타나며 만족하여야 다음 단계의 욕구로 나아갈 수 있다고 주장합니다. 이러한 관점에서 인정욕구는 매슬로의 욕구 이론에서 사회적 소속성과 자아실현의 한 부분으로 볼 수 있습니다. 사람들에게 인정받는다는 것은 인간의 욕구 중 중요한 부분이라 할 수 있습니다.

상담교사 성향에 따라 주변의 평가에 민감하지 않은 사람도 있을 수 있습니다. 저 같은 경우 처음 학교에서 상담교사로 근무하면서 가장 어려웠던 점 중의 하나가 인정욕구였습니다. 교과교사로 근무할 때는 수업 시간, 보충시간 및 담임으로서의 업무 등을 굳이 주변에 알리지 않아도 인정받았습니다. 하지만 상담교사로 지내면서 점심시간이나 쉬는 시간도 없이 열심히 상담하고 있으면서도 편하겠다는 주변의 평가에 힘들었습니다. 상담교사로서 잘하고 있음을 인정받고 싶은 욕구가 충족되지 않아서 자존감도 떨어지고 점점 일에 대해서 회의감도 들었습니다. '나만 잘하면 돼. 난 잘하고 있어!'라는 말을 끊임없이 반복해도 채워지지 않는 점들이 자존감을 떨어뜨리고 무기력하게 했습니다. 쉼이 필요했던 시기였지만 더욱더 일에 집중했습니다. 수업 전 상담부터 늦은 저녁까지 상담을 진행하고 다양한 프로그램을 운영하면서 인정받으려고 노력했습니다. 충족되지 않는 감정들과 무한 반복되는 일들은 저를 소진하게 만들고 번아웃증후군에 빠져 무력하게 만들었습니다.

▪ 나의 인정욕구는? 무엇을 인정받고 싶은가요?

상담교사다움과 인정욕구의 불균형은 자존감을 떨어뜨리고 번아웃을 가중하는 경향이 있습니다. 상담교사는 근무 환경 특성상 상담 활동뿐만 아니라 다양한 요구와 관계에 대한 압박을 느끼는 경우가 있습니다. 이런 부분들이 누적되었을 때 정서적 불편감과 더불어 소진을 느낄 수 있고, 그 번아웃들이 결국 번아웃증후군을 가져올 수 있습니다. 상담교사들의 근무 환경과 업무 특성들이 상담교사들을 소진에 취약하게 하는 경향이 있습니다.

수업 시간? 업무시간? 놀이시간?

번아웃증후군에 상담교사가 더 취약한 또 다른 이유는 무엇일까요? 중이 제 머리 못 깎는다는 말이 있습니다. 정서를 다루고 상담하는 상담교사들은 본인에게 초점을 맞추기보다는 내담자나 상대편에게 온통 신경이 몰두하여 있는 경우가 많습니다. 게다가 좋은 상담자가 되어야 한다는 신념과 고정관념도 소진을 촉진하게 됩니다.

1997년도에 전문상담교사로 임용되어 근무할 당시에는 상담교사가 수업을 하지 않는 것에 대한 부정적인 인식이 많았습니다. 학교에서 상담교사의 상담 활동은 교과교사들의 수업과 같은데 그것을 제대로 인식하지 못하는 것이 현실이었습니다. 수업 시간에 상담하는 것이 수업받아야 하는 학생들의 수업권을 방해하는 것이라는 의견도 있었습니다. 게다가 상담하는 것 자체를 상담이 아니라 놀이시간이나 훈육 시간으로 여기는 분들도 많았습니다. 그런 인식 속에서 '수업 없어서 편하겠다'라는 평가도 많이 듣곤 했습니다.

교과 교사와 상담교사의 가장 큰 차이는 수업 시간의 차이라고 볼 수 있습니다. 겉으로 보이는 모습은 '수업 없는 상담교사, 상담 시간을 자율적으로 정할 수 있어서 편할 수 있겠다.' 입니다. 하지만 정작 상담교사들은 출근 후부터 퇴근까지 명확한 시간이 없습니다. 상담 시간인지 업무시간인지 충전을 할 수 있는 휴식 시간인지 구분하기 어려운 경우가 많습니다. 갑작스럽게 의뢰되는 상담이나 사건 등으로 모든 시간이 업무시간이고 긴장의 시간인 경우가 많습니다. 이런 환경 속에서 상담교사는 번아웃에 더 취약할 수밖에 없습니다. 최근에는 상담에 대한 인식이 바뀌어서 상담 활동이나 근무 환경 등이 많이 개선되고 달라지고 있습니다. 상담의 필요성과 중요성이 점차 제대로 인식되고 있지만, 여전히 문제점은 남아 있습니다. 학교 현장에서 상담 활동에 전념할 수 있는 분위기로의 변화가 상담 교사들의 번아웃증후군을 예방하는 데 도움이 될 수 있습니다.

학교 상담에 대한 긍정적인 인식 변화 속에서도 상담교사들은 왜 점점 힘들어질까요? 인식은 변화했어도 완전히 인정받지 못하는 학교 분위기도 원인이라고 할 수 있습니다. 그리고 기본적으로 업무의 양이 많고 영역이 분명하지 않습니다. 게다가 최근에는 상담에서 다루는 일들의 심각도가 깊어지고 있습니다. 상담뿐만 아니라 다양한 업무를 해야 하는 상황 등도 상담 교사들의 업무를 가중하고 있습니다. 최근에는 자살 및 자해 등 심각한 상담사례가 늘어나고 다양해지는 업무 등이 상담교사를 지치게 만듭니다. 상담 활동에 활용되는 시간이 놀이시간이나 쉬는 시간이 아닌 온전히 인정되는 것이 중요합니다. 다르게 이런 요소들이 상담교사들의 소진을 가중하는 요소들이라 할 수 있습니다.

▪ 내가 생각하는 상담교사의 업무는 무엇인가요?

상담교사들의 번아웃을 막는 중요 요인은 긍정적인 인간관계들 속에서 상담 활동을 유지하는 것입니다. 동료 교사들과 친밀하고 유대감 있는 생활을 하는 것은 매우 중요합니다. 힘든 직장 생활에 힘이 되는 요소입니다. 심리적 위기나 업무적 어려움은 동료들과 함께하면서 이겨나갈 수 있습니다. 간혹 동료

들과 지나친 친밀감은 상담 활동에 방해가 될 때도 있습니다. 전문가로서 의견을 제시하거나 상담을 진행할 때 친한 동료의 조언 정도로 받아들이는 경우가 종종 있을 수 있습니다. 이런 경우 상담교사로서의 한계를 느끼기도 합니다. 어느 선이 적절한 관계 유지인지 고민하다가 자존감이 떨어지기도 하고 번아웃이 오기도 합니다.

간혹 상담실이 상담의 공간이 아니라, 친교의 공간이 되기도 합니다. 학교에서 편안하게 이야기할 수 있는 공간이 찾기 어려울 수 있습니다. 이때 많은 사람이 상담실을 찾기도 합니다. 하지만 상담실 공간을 친교의 장으로 사용하다 보면 상담실의 역할이 퇴색되는 경우가 생기고 다른 문제가 생길 수도 있습니다. 처음에는 좋은 마음으로 상담실을 개방하지만, 시간이 흐른 후 상담실이 사적인 장소로 변할 수도 합니다. 다시 상담실을 공적인 장소로 바꾸는 것은 경험상 매우 힘든 일입니다. 학교 상담을 해야 할 때 사용하지 못하는 경우 조절하지 못한 자신에 대한 실망감 등으로 짜증이나 우울감이 올 수 있어 번아웃 증후군과 가까워질 수 있습니다.

관계에서 오는 번아웃의 원인은 또 있습니다. 동료 교사, 학생 및 학부모님들은 다양한 부탁과 요구를 해 올 수 있습니다. 작은 요구부터 큰 요구까지 일일이 열거할 수 없는 내용들입니다. 성격상 거절과 조절을 잘할 수 있다면 별문제가 안 되겠지만, 저에게는 아주 힘든 일이었습니다. 몸이 먼저 반응하고 응대하는 습성을 가진 저는 한동안 다양한 요구와 상담실 사용이나 부탁 등에 대한 고민이 많았습니다. 경계를 제대로 세우지 못하거나 거절과 조절을 제대로 못 하는 문제들도 번아웃을 일으키는 주요 원인이 될 수 있습니다.

상담실을 사적인 공간으로 사용하면서 친교의 공간이 되는 문제를 해결하기 위해서 제가 쓴 방법은 '이 공간은 학생을 위한 공간이다. 상담을 위한 공간이다.'라는 원칙을 세우는 것이었습니다. 간혹 동료 교사들이 개인적인 문제를 가지고 와 학생들과의 상담에 지장을 받을 때 매우 유용한 원칙입니다. 그리고 동료 교사, 학생이나 학부모님들의 요구에도 저만의 원칙을 세워 놓았습니다. 처음에는 무조건 들어주고 수용하지 못할 때는 죄책감마저 들었습니다. 부탁과 요구를 무작정 받아들이고 나니 업무량은 늘어나고, 해결되지 못하는 문제들이 쌓여서 갈등이 생기기도 했습니다. 문제 해결을 위해서 내가 할 수 있는 일, 필요한 일 그리고 도움 제공의 한계 등을 정하고 나니 저뿐만 아니라 주변 분들에게도 도움이 되었습니다. 나에게 맞는 나만의 원칙을 세우는 것도 번아웃을 막는 데 도움이 될 수 있습니다.

▪ 내가 세운(세워야 할) 나만의 원칙은 무엇일까요?

번아웃증후군(Burnout Syndrome) 증상, 상담교사들은?

학자들은 일반적으로 감정 소모가 많은 남성보다 여성이 번아웃증후군에 취약하다고 합니다. 여성의 비율이 상대적으로 높은 상담교사들의 경우 번아웃증후군이 발생할 확률이 다른 직종에 비해 높다는 것을 알 수 있습니다.

번아웃증후군의 일반적인 증상들은 위에서 언급했듯이, 에너지 고갈과 피로감, 업무에 대한 거부감, 부정적 사고, 냉소주의 및 직무 효율의 감소 등을 들 수 있습니다. 번아웃증후군을 많이 경험하는 상담교사와 다른 직종에 속한 사람들이 경험하는 번아웃증후군 증상이 다르진 않을 수 있습니다. 하지만 직군의 특성상 좀 더 도드라지는 것들이 있을 수 있습니다. 관계에 지치면서 학교에서는 친절하지만, 가정이나 편안한 장소에서 다른 모습을 보일 수도 있습니다.

저의 경우에는 오랫동안 번아웃증후군에 빠졌다는 것을 인식하지 못했습니다. 만성적인 피로와 지침은 일이 힘들어서라고 넘겼고, 우울감이나 짜증이 심해지는 것도 피로해서 그렇다고 당연한 것으로 생각했습니다. 하루가 어떻게 지나가는지 모르고 집에 와서는 시체처럼 누워서 가족과도 교류하지 않았습니다. 외출이나 외식을 희망하는 가족에게도 나를 제외하고 활동하도록 하는 것이 일상이었습니다.

특히 저에게 나타난 가장 큰 변화는 학교에서는 나름대로 그 역할을 잘 수행하고 최선을 다해서 업무를 수행하는데, 가정에서는 전혀 다른 모습을 보이기 시작했다는 것입니다. 다정한 남편과 착한 딸들에게 이유 없는 짜증을 내기 시작하고, 다가오는 것에 대해 극도로 예민한 반응을 보였습니다. 말은 거칠어지고, 행동은 거침없이 난폭해지기도 했습니다. 그리고 시간 대부분을 누워서 보냈습니다. TV가 나의 유일한 친구이고, 리모컨과 내가 누울 수 있는 한 평 정도의 공간만이 필요했습니다.

다정했던 아내, 다감했던 엄마는 사라졌습니다.

남편과의 갈등, 주눅 든 자녀들은 덤으로 제 삶을 차지했습니다. 그런데도 저는 제 변화를 인지하지 못했습니다. 나에게만 민감하게 구는 것 같고, 왜 이렇게 귀찮게 하는지 불만만 늘었습니다. 그렇게 오랜 시간 학교에서는 다정한 상담교사로 집에서는 짜증 넘치는 아내이자 엄마로 지냈습니다. 쥐어짜듯 에너지를 발휘해서 학교에서 좋은 상담교사로 지내다가 최종 한계점이 도달하게 되었습니다.

한계점에 도달하기 전까지 그런대로 전문적으로 역할을 잘 수행하면서 상담교사로 지냈습니다. 힘듦을 참아내고 불편감을 이겨내면서 지냈습니다. 그러던 어느 날부터인지 학교에서도 점차 짜증이 늘고, 학생들을 대할 때도 집중력이 떨어지기 시작했습니다. 행정 업무에 실수도 잦아졌습니다. 학생들과의 상담 시간이 지루하고 짜증도 나기 시작했습니다. 빨리 문제를 해결하고 싶어서 해결책을 남발했습니다. 지적하는 상담 선생님, 화내는 상담 선생님 그리고 무서운 상담 선생님으로 평가되기 시작했습니다. 동료 교사들과도 삐걱대기 시작했습니다. 다 내 탓 같기도 했지만, 남 탓으로 돌려 버리고 싶었습니다. 어느 날 갑자기 저의 소진 즉 번아웃을 인지했지만 이미 오랜 시간 동안 서서히 무너져 내리기 시작했던 것입니다.

친절하고 공감력 뛰어난 상담 선생님은 사라졌습니다.

직장과 가정에서 나의 모습이 무너질 때는 이미 번아웃증후군 중심에 서 있을 수 있습니다. 이때라도 알아차리고 점검할 수 있다면 다행이지만, 대부분은 번아웃이 심각한 후에 이상 있음을 감지합니다. 직장과 가정에서 작은 변화를 본인은 잘 모를 수 있습니다. 주변에서의 반응이나 피드백이 달라질 때 알아차릴 수 있지만, 그 또한 쉽지 않았습니다. 그래서 의도적인 점검이 필요합니다. 정기적으로 나의 일상을 점검하고, 부정적인 요소들이 증가하고 있지는 않은지 살펴볼 필요가 있습니다. 나의 변화에 민감할 때 행복한 삶을 만족스럽게 지낼 수 있습니다.

나에게 일어나는 변화들은 무엇이 있을까요?

▪ 나에게 일어나는 부정적 변화들 1) 직장에서   2) 가정에서

나의 일상이 점차 뒤틀리고 있는지, 조금씩 어긋나고 있는지 점검해보셨나요? 나에게 일어나는 번아웃증후군 증상들이 많이 있나요?

번아웃이 최절정에 도달했을 때 저는 학교에 출근하는 시간이 점점 늦어지고, 자기 꾸밈이 적어지고, 어제와 오늘의 시간 구분이 어려워지고, 상담 내용과 사람들에 대한 기억들이 명확하지 않거나 혼잣말이 많아지는 저 자신을 발견했습니다. 우울증으로 의심되고, 관련 상담이나 치료가 필요한 시기라고 인식했습니다. 위에서 언급했듯이 번아웃증후군은 우울증과 함께 비슷한 증상들을 보일 수 있습니다.

번아웃증후군을 예방하기 위해서는 자신이 속한 환경 점검과 소진을 점검할 수 있는 검사지를 주기적으로 해보는 것이 많은 도움이 될 수 있습니다. 더불어 동료 교사들이나 학생들과의 관계에 주의를 조금 기울여 보세요. 특히 가족들과 나의 목소리에 귀 기울이세요. 주변에 최근 나의 달라진 모습에서 부정적인 모습이나 힘들어 보이는 모습이 있는지 점검한다면 작은 변화도 알아차릴 수 있습니다. 나의 변화를 알아차릴 때 번아웃증후군에 속절없이 빠지는 것을 예방할 수 있습니다.

입혀진 옷에서 벗어나는 것이 어려워

사람들은 자신들의 위치와 역할에 맞는 옷 입기를 선호합니다. T.P.O는 시간을 의미하는 TIME, 장소를 의미하는 PLACE, 상황을 의미하는 OCCASION의 머리글자로 옷을 입을 때의 기본원칙을 나타내는 패션 용어가 있을 정도로 겉으로 드러나는 착용이 중요합니다. 심리적인 옷은 어떨까요? 심리적인 옷은 자신의 신념이나 고정관념과도 연관이 깊습니다. 내가 어떤 생각을 하고 있는지 무엇을 중요시하는지 그리고 주변에서 나를 어떻게 바라고 있는지 등 다양한 요인들이 작용합니다.

직업군마다 입혀진 옷들은 다양합니다. 우리가 흔히 알고 있는 직업군들을 바라보는 고정된 시각들이 있습니다. 그 시각들에 익숙해져 있고, 그 시각에 맞추려고 노력하기도 합니다.

상담교사에게 입혀진 옷, 즉 기대감은 무엇이 있을까요? 인자한 인상?, 친절한 태도?, 너그러운 마음? 어떤 모습이 평소 상담교사의 모습이었나요? 상담교사에 대한 심리적인 옷, 어떤 심리적인 옷이 떠오르세요? 주변에서 상담교사를 바라보는 시각은 어떨까요? 학교에서 상담교사로 지내면서 주변과 절대 갈등을 만들지 말자. 좋은 사람으로 평가되자. 속상한 마음이 들거나 화가 나도 감정을 제대로 표현하지 못했습니다. 처음에는 나의 타고난 성향이고, 착한 사람 콤플렉스때문에 불편한 마음이 드는 것으로 생각했습니다.

▪ 상담교사에게 입혀진 옷은 무엇인가요?

동료 교사들에게 간혹 '상담교사가 왜 이래? 인자해야 하지 않나? 다 아시는 것 아니에요? 등'이라는 말을 듣곤 합니다. 게다가 주변에서 '상담교사니까 잘하겠지?', '상담교사도 애들을 혼내나?' 등 상담교사에 대한 고정관념을 가진 다양한 이야기들을 듣기도 합니다. 상담교사에 대한 부정적 이야기나 고정관념을 들을 때 아무렇지 않은 듯 멋지게 대응하지만, 마음 한편으로 뜨끔하고 답답한 마음이 들곤 합니다. 혼자 있을 때 중얼거리면서 항변하기도 하지요. '상담교사가 뭐~, 왜?, 어쩌라고.' 그러면서도 내가 잘못한 건가? 라는 죄의식이 들어 괴롭습니다.

왜 찜찜한 마음이 들고 죄의식이 드는 걸까요? 제가 가지고 있는 나만의 고정관념의 옷 때문일까요? 꼭 그것만이 이유가 아닌 것 같습니다. 주변에서 무의식적으로 입혀진 옷과 내가 입은 옷 때문에 불편하고 힘든 마음이 드는 것 아닐까 싶습니다. 점점 지쳐가고 번아웃되어 가는 과정일 수 있습니다.

특히 학교에서 상담교사에게 바라는 기대는 교사와 더불어 상담가입니다. 어느 한쪽에 초점을 맞춰 생활하면 갈등이 생기기 시작합니다. 교사와 상담가 사이의 적절한 중심을 찾아 생활해야 하는 교사이면서 상담가라고 할 수 있습니다. 상담교사들 스스로 그 위치를 정하고 조절해 가는 것이 매우 중요합니다. 학교에 있는 근무하는 한 상담가로서만 생활하기는 어렵고, 상담자가 아닌 교사로만 생활하기는 어렵습니다. 그 적절한 역할을 찾아내는 것이 지치지 않고 번아웃증후군에 빠지지 않을 수 있는 팁일 수도 있습니다.

자신에게 맞는 적절한 옷을 찾지 못한 사람들은 심각한 피로감을 느낄 수 있습니다. 심리적 불편감으로 정서적 위기를 맞이할 수 있습니다. 일하면서 불편하고 업무를 잘못 수행하고 있진 않나 하는 불안감에 시달릴 수 있습니다. 현실적으로 입혀진 옷에서 벗어내는 것은 힘들 수 있습니다. 어떤 옷을 입고 있는지 자각하지 못하고 있을 수 있습니다. 지금 내가 입고 있으면서 나를 힘들게 하는 고정관념의 옷은 무엇이 있을까요? 그 옷을 점검할 시기입니다. 제대로 된 점검이 나를 번아웃증후군에 빠지지 않게 하고 학교 상담가로서 오랫동안 건강한 삶을 사는 데 필수적 요소라 할 수 있습니다. 결국 나에게 입혀진 옷은 내가 입은 옷이라는 것을 잊지 마세요.

▪ 나에게 입혀진 고정관념 정리해보기 1) 나의 고정관념   2) 주변의 고정관념

다시 한번 점검, 나의 소진!

상담교사인 내가 '번아웃증후군? 우울? 어떻게 하지?'라고 막막할 수 있습니다. 전문가를 찾아가 도움을 받는 것은 가장 기본적인 해결책임을 알지만, 그 또한 쉬운 결정은 아닙니다. 전문의를 만나 관련 질병에 대한 정확한 진단을 받고 치료를 받는다면 효과적인 개선을 볼 수 있습니다. 하지만 번아웃증후군을 질병으로만 보고 전문의와의 치료에만 매달린다면 치료에는 한계가 있을 수 있습니다. 언급했듯이 번아웃증후군 치료를 위해서는 나에게 찾아온 번아웃증후군의 원인이 무엇인지 점검이 필요합니다. 지나치게 높은 업무량일까요? 과도한 업무 처리 시간일까요? 역량을 넘어선 업무량과 잘 해내고자 하는 완벽주의적 성격 때문일까요? 다양한 원인이 산재하여 있을 겁니다.

다양한 번아웃증후군 원인 중에 특히 나를 지치고 힘들게 하는 요인들이 있을 수 있습니다. 그 요인들로 인하여 나에게 부정적으로 영향을 주지 않았던 요소까지도 나에게 나쁘게 작용할 수 있습니다. 그런 요소들이 있나요?

점검표를 통하여 나의 번아웃증후군 원인이 무엇인지 적어보는 것도 원인을 파악하는 데 효과적입니다.

▪ **일반적 번아웃증후군 원인**
1) 과도한 업무량
- 상담
- 행정 업무
- 기타
2) 근무 환경 내 지나친 업무 요구

3) 근무 조직 내 대인 관계적 갈등
4) 불명확한 업무 내용
5) 부적절한 지원과 보상
6) 기타

▪ **나의 번아웃증후군 원인 (내용을 적고 순위를 정해보세요)**
1)
2)
3)
4)
5)
6)
7)

나를 소진시켜 번아웃증후군에 빠지도록 하는 요소를 찾을 수 있다면 해결할 수 있는 것부터 변화시키는 것이 좋습니다. 개인적으로 조절할 수 있는 부분부터 우선순위를 정하는 것이 효과적일 수 있습니다. 나부터의 변화, 내가 조절할 수 있는 것부터 시작해 보세요. 몸이 피곤하면 그 어떤 처방과 명약도 효과를 볼 수 없습니다. 몸이 피곤하다고 상담교사가 상담을 피할 수는 없습니다. 하지만 나의 역량을 넘어서는 상담은 내담자에게도 상담자에게도 독이 될 수 있습니다. 그래서 나의 역량을 알고 조절하는 힘이 필요합니다. 평소 건강할 때 내가 할 수 있는 양의 50~60%로 조절하는 것이 필요합니다. 한 번에 해내려고 하는 일을 우선순위를 정하여 진행하는 것이 번아웃증후군을 극복하는 것에 도움이 됩니다. 업무를 조정하고 분산시키는 것만으로도 답답했던 가슴이 트일 수 있습니다.

앞서 번아웃증후군이 무엇인지, 번아웃증후군의 수준은 어떻게 되는지 알아보았습니다. 번아웃증후군이라는 글을 쓰는 것으로도 지치고 우울감이 들기도 합니다. 그만큼 번아웃증후군이 일상에 주는 영향과 힘이 큰 것 같습니다. 대부분의 현대를 사는 사람들은 다양한 사회적 이슈와 문제들로 그 상황에 적응하는 것에 에너지를 많이 쓰고 있습니다. 직장에서도 사회 흐름과 발맞춘 변화에 적응하기만으로도 어려움을 호소하는 경우가 많습니다. 그러다 보면 저는 또 소진에 빠져있게 되는 경우가 자주 있습니다. 나의 부정적인 변화를 인지하지 못한다면 의도적인 작업이 필요한 시기입니다.

모든 사람이 자기 점검이 필요한 시기입니다. 주기적인 건강검진으로 큰 병을 예방할 수 있습니다. 개인적으로 점검하기 힘든 부분은 국가에서 책임지고 의무적으로 점검하도록 합니다. 나의 건강도 국가에서 책임져주고 점검해 주는 시대입니다.

번아웃증후군의 경우는 어떤가요? 건강검진처럼 2년에 한 번 혹은 1년에 한 번 주기적인 점검을 하고 계신가요? '일하다 보면 누구나 다 그렇게 지치고 힘든 거야.'라고 넘겨버리시나요. 번아웃증후군은 정서적 소진을 가져오고, 정서적 소진은 육체적 소진과 더불어 일상을 부정적으로 망가트릴 수 있습니다.

평소 번아웃증후군이 무엇인지 관심을 두고 증상들에 대해서 민감할 필요가 있습니다. 증상들을 명확히 알고 있을 때 나에게 일어나는 변화에도 유연하게 반응하고 대처할 수 있습니다. 그러기 위해서는 정기적인 번아웃증후군 점검이 필요합니다. 소진으로 인한 번아웃증후군이 무엇인지 알고, 증상들을 점검하고 나를 바라본다면 위기에 빠짐을 예방할 수 있지 않을까요? 직장과 가정에서 나의 모습이 무너질 때는 이미 번아웃증후군 중심에 서 있을 수 있습니다. 이때라도 알아차리고 점검할 수 있다면 다행이지만, 대부분은 번아웃증후군이 심각한 후에야 이상 있음을 감지합니다. 이런 위기를 사전에 막기 위해서는 정기적 점검, 의무적 점검 및 일상의 점검이 필수적으로 필요합니다.

번아웃증후군(Burnout Syndrome) 치료

번아웃증후군(Burnout Syndrome)의 치료 시작은?

문제가 발생하는 것은 쉽지만 그것을 해결하고 고쳐나가는 것은 무척 어렵습니다. 특히 정서적인 질병은 언제 찾아왔는지 모르지만, 한 번 찾아오면 그것에서 빠져나오기가 쉽지 않습니다. 그렇다고 저절로 치료되기를 기다릴 수만도 없습니다. 번아웃증후군의 경우 나에게 일어난 변화들이 나의 일상을 망치고, 직장과 가정에 매우 부정적인 영향을 발현할 수 있습니다. 특히 나 자신에게 치명적인 악영향을 미칠 수 있습니다. 함께 하기에는 너무 버겁고 떨쳐내기에는 한계가 있습니다.

번아웃증후군의 치료, 어떻게 해야 할까요? 먼저, 나의 상태를 인정하고 이해하는 것에서부터 번아웃증후군은 치료될 수 있습니다. 번아웃증후군에 대해서 잘 안다고 모든 것이 해결되지는 않습니다. 하지만 충분한 이해가 있다면 예방과 해결에 도움이 됩니다. 번아웃증후군을 치료하기 위한 다양한 방법들이 여러 학자에 의해서 제시되고 있습니다. 흔히 알려진 번아웃증후군을 치료하는 방법들을 제시한다면 다음과 같습니다.

대부분 전문가는 번아웃증후군이 발생한 경우, 그 치료의 목표를 개인의 정신적, 신체적, 사회적 복원이라고 말합니다. 가장 대표적으로 소진으로 인한 번아웃증후군을 관리하거나 치료하는 방법에 아래와 같이 이야기하고 있습니다.

첫 번째, 혼자 해결하지 말고 전문가의 도움을 받는 것이 중요합니다. 심리전문가를 통한 상담 치료 및 인지행동치료(CBT)를 활용하여 관련 문제를 해결법을 찾는 것을 추천하고 있습니다. 두 번째는 꾸준한 자신만의 스트레스 관리를 제안하고 있습니다. 명상이나 운동 및 자신만의 스트레스 해소법을 찾아 불안감을 낮추고 신체활동과 휴식으로 건강함을 유지하는 것을 제안하고 있습니다. 세 번째는 자신을 이해해 주고 지지해 주는 가족, 친구 및 동료 등과의 소통의 중요성에 말하고 있습니다. 함께 헤쳐 나갈 사회적 지지가 매우 중요합니다. 네 번째는 업무와 멀어지기 일환으로 휴식이나 여가 시간의 필요입니다. 나만의 취미나 휴가 등은 스트레스 해소나 불안을 낮추고 번아웃증후군으로부터 회복하는 데 큰 도움이 될 수 있습니다. 마지막으로 신체 리듬 회복을 위한 수면 관리, 영양 관리 및 건강한 생활 습관을 유지하는 것이 좋다고 합니다. 이 밖에도 혼자 해결하지 않고 필요하다면 의사와 상의해서 약물치료를 병행해 볼 수도 있습니다. 제시된 다양한 방법 중에 자신에게 맞는 방법을 통하여 번아웃증후군에서 회복하여 일상을 건강하게 살 수 있도록 도움받는 것도 좋습니다.

▪ 나에게 맞는 일상회복 방법은 무엇이 있나요?

나만의 레시피를 찾아봐

번아웃증후군을 해결할 방법과 치료법이 다양하게 제시되어 있습니다. 다양한 방법을 무작정 나에게 적용하는 것보다는 나에게 맞는 나만의 레시피를 찾아보는 것이 도움이 됩니다. 나의 특성과 환경에 맞는 방법을 찾아낸다면 번아웃증후군을 예방할 수도 있고, 치료할 수도 있습니다.

번아웃증후군을 이겨내기 위해 업무를 조절하고 주변의 조력자와 함께하는 등 다양한 노력을 꾸준히 한다면 큰 효과를 볼 수 있습니다. 그러나 뭔가 빠진 것 같은 답답한 마음이 드는 이유는 무엇일까요? 지금까지는 업무에 관련된 조절 가능한 것들을 해보았다면 이제는 자기 돌봄을 강화할 시간입니다.

자기 돌봄은 번아웃증후군을 극복하는 데 매우 중요한 요소입니다. 업무를 조절하고 근무 환경을 바꾸는 것만으로 도는 충분하지 않습니다. 이미 지치고 힘든 자신에게 충전과 휴식이 필요한 시간입니다. 많은 사람이 삶에 지친 노년기에 해야 할 것 중에 취미 생활과 관심을 두고 할 일들을 찾아보라고 권유합니다. 지치고 우울해지기 쉬운 노년기는 번아웃증후군과 많이 닮았습니다. 번아웃증후군에 빠진 사람들은 자기 돌봄에 매우 취약합니다. 나를 살피기에는 해야 할 것들이 많아 시간과 마음 씀이 부족하다고 느끼기 때문입니다. 전문가들이 제시한 치료법 중에 상담교사들의 긍정적 변화를 위한 방법들에 대해서 제시하면 다음과 같습니다.

충분한 휴식

쉰다는 것은 단순하게 노는 것을 의미하는 것은 아닙니다. 자기 돌봄의 핵심인 쉼은 생각을 멈추고 마음을 가라앉혀 일상에서 벗어나는 것을 의미하는 것입니다. 일이 있고 가정이 있는 사람들에게 온전한 쉼은 쉽지 않을 수 있습니다.

온전한 쉼을 위해서 충분한 수면을 취하는 것이 좋습니다. 누구에게도 방해받지 않는 쉼이 쉽지 않을 때는 명상을 활용하면 좋습니다. 하루 삼십 분 혹은 십 분의 꾸준한 명상만으로도 피로에서 벗어나는 데 도움이 됩니다. 꾸준한 명상은 긍정 강화에 효과를 볼 수 있습니다. 온전한 쉼을 위한 의도적인 자기 노력이 필요합니다.

환경의 변화

정체된 나의 업무를 다양하고 새롭게 변화시키는 것이 좋습니다. 내가 선호하는 상담기법을 다른 상담법으로 변화를 시키는 것도 좋습니다. 상담 도구를 활용하는 것도 효과적입니다. 새로운 것에 대한 것은 긴장감과 설렘을 가져와 뇌에 긍정적인 신호를 줄 수 있습니다. 현재 하는 것이 무한 반복되고 있는 것이라면 지금 바꿔 보세요.

더불어 근무하는 상담실 환경을 바꿔 보는 것도 좋습니다. 책상 배치를 바꾸거나 액자를 걸어두는 것도 좋습니다. 혼자 하기 힘들다면 학생들과 함께하는 집단프로그램으로 운영해도 좋습니다. 상담실 환경을 변화하는 것으로도 큰 성취감을 얻을 수 있습니다. 시각적인 변화가 침체하여 있는 나를 긍정적으로 변화시켜 긍정 강화의 효과를 얻을 수 있습니다.

관심 분야 찾기

소진으로 인해 눌려있던 성취 욕구나 자기 성장 욕구를 채워줄 요소들을 찾아보세요. 평소 상담하면서 느꼈던 한계점들이 자존감을 떨어뜨려 번아웃증후군에 빠지는 것을 가속화시킬 수 있습니다. 관심 분야를 학습하고 그 분야에 대해 깊이 있게 이해하고 상담에 적용한다면 큰 성취감을 얻을 수 있습니다. 그 성취감은 자존감을 높이고 소진으로 인한 번아웃증후군을 날리는 데 도움이 됩니다.

'난 공부하는 것 싫어. 지금도 벅찬데'라고 생각하시는 분들도 계시죠? 그렇다면 하지 않으셔도 됩니다. 그 대신, 나를 즐겁게 할 수 있는 취미활동을 찾아보세요. 운동, 악기, 동호회 등 다양한 분야들이 있습니다. 어떤 것을 해야 할지 망설여지세요? 이것저것 맘 편히 해보세요. 그중에 한 가지 꼭 여러분의 마음을 사로잡는 것이 있을 겁니다. 그것이 바로 여러분의 스트레스를 푸는 키가 될 수 있습니다.

혼자 하는 것을 좋아하는 사람들은 혼자서, 함께 하는 것을 좋아하는 사람들은 함께, 그 어떤 것도 좋습니다. 꼭 해내야지 하는 부담은 가지실 필요 없습니다. 이것은 업무가 아닙니다. 내가 무엇인가를 배울 때 긍정적인 스트레스가 아닌 부정적 스트레스가 느껴진다면 STOP 하시고 다른 것을 찾아보세요. 나를 단순화 시키는 것이 좋습니다.

나눌 사람 찾기

업무적인 일들을 나누면서 업무뿐만 아니라 정서적인 부분에도 많은 지지를 받을 수 있습니다. 특히 나와 비슷한 소진으로 인한 번아웃증후군을 경험한 사람들과 내용을 공유하고 나눔을 한다면 심리적으로 큰 도움을 받을 수 있습니다. 나의 힘듦과 스트레스 상황이 나 혼자만의 문제가 아니고 다른 사람들도 겪고 있는 문제라고 느낄 때 보다 큰 안정감과 안심감을 느낄 수 있습니다. 함께 나눌 사람들은 동료 교사가 될 수도 있고, 같은 일에 종사하는 상담교사가 될 수 있습니다. 그 누구도 괜찮습니다. 나눔이 중요합니다. 저는 학교 내 동료 교사들의 지지와 상담교사의 전문적 지원이 큰 도움이 되었습니다.

많은 경우, 위와 같이 하면 좋아지지만, 번아웃증후군의 증상이 지나치게 지속되거나 심각한 상태라면 전문가의 상담이나 심리치료가 도움이 될 수 있습니다. 불안 및 우울감 등을 동반할 수 있으므로 정확한 진단과 치료가 필요합니다. 간혹 상담교사들이 외부 상담을 받는 것에 대해 의아하게 생각하는 사람들이 있지만 자기 돌봄과 치유를 위해 중요한 부분이라고 생각합니다. 함께 해결하면 더욱 효과적으로 이겨낼 수 있습니다.

이것저것 다 해봐도 소용없는 경우가 있습니다. 부정적 사고가 나를 장악하고 지배하는 경우들도 있습니다. 포기하고 아무것도 안 하고 싶을 때도 있습니다. 그렇다고 번아웃증후군에 깊이 빠져들도록 방관하지 마세요. 긍정적인 변화를 위한 활동을 멈추지 마세요. 지금까지 했던 것들이 하나도 효과가 없다고 느껴지세요? 절망적으로 느껴지세요?

멈추지 마세요.

함께 어려움에서 극복해 나갈 사람들이 주변에 반드시 있습니다. 너무 극단적인 변화와 목표를 생각하고 있는 것은 아닌가요? 생각보다 변화하기가 쉽지 않고 좋은 결과가 쉽게 나오지 않을 수 있습니다. 조금만 더 시간을 가져보세요. 번아웃증후군을 극복하기 위해서는 지나치게 높은 목표와 큰 변화를 바라는 마음은 독이 될 수 있습니다. 다시 한번 나를 점검하고 내가 할 수 있는 부분을 세워나가는 것이 중요합니다. 새롭게 시작하는 것만으로도 동기부여가 될 수 있습니다. 좋아질 수 있습니다. 함께 나눌 사람들이 있습니다. 잘했고, 잘하고 있고, 잘할 수 있습니다.

위에서 전문가들이 제시한 다양한 번아웃증후군 치료법을 알아보았습니다. 그리고 상담교사들에게 적절한 방법도 살펴보았습니다. 제시된 방법들이 겹치고 반복적으로 느껴질 수 있습니다. 하지만 그만큼 중요한 내용이기에 다시 강조하고 있습니다. 다양하게 제시된 방법 중 제가 학교에서 번아웃증후군을 경험하면서 어떻게 이겨냈고 이겨내고 있는지 저의 경험을 토대로 추천해 드리고 싶은 번아웃증후군 탈출 팁을 몇 가지 제시하고자 합니다.

먼저, 하루 중 꼭 나의 시간 확보하기

하루 한두 시간은 교과 교사들의 교재 연구 시간처럼 역량 강화를 위한 나만의 시간이 꼭 필요합니다. 머리와 마음을 비워내고 안정화하는 시간이 꼭 필요하고 그 시간에는 응급 상황을 제외하고 방해받는 요소를 최소화하는 것이 중요합니다.

식사는 정해진 시간에 제대로 할 것.

도시락이든, 급식이든 상관이 없습니다. 특별한 사유가 없으면 정해진 시간에 맛있는 식사를 하세요. 밥도 제대로 못 먹고 일하고 있는 자신을 발견하면 일에 대한 능률도 떨어지고 우울감에 빠질 수 있습니다. 균형 잡힌 건강한 식사, 그리고 식사 시간에 동료들과의 작은 대화가 번아웃증후군에서 멀어지는 팁입니다. 나에게 중요한 시간 챙김이 번아웃증후군과 멀어지는 지름길입니다.

나만의 취미활동 혹은 배움을 유지할 것

업무와 관련 없는 나만의 취미활동을 갖는 것은 매우 중요합니다. 상담교사로 근무하는 처음 몇 년은 업무에 적응하는 것만으로도 벅찰 수 있습니다. 그 시기에는 업무 능력 향상을 위한 노력이 우선되어야 할 것입니다. 그러나 지침이 시작되고 나의 돌봄이 필요한 시기에는 나를 위한 업무와 관련 없는 배움이 필요합니다. 여행, 책 읽기, 운동, 악기 배우기 혹은 동호회 활동 등 나에게 맞는 것을 찾는 것이 도움이 될 수 있습니다. 저는 운동을 시작했습니다.

동료들과 꼭 함께할 것

같은 학교에 근무하는 동료 교사도 중요합니다. 나의 마음을 이해해 주고 서로 의지가 될 수 있는 동료가 필요합니다. 하지만 쉽지 않은 때도 있을 수 있습니다. 이럴 때 좌절하지 마세요. 주변에 함께할 동료 상담교사들이 많이 있습니다. 그분들과 함께하는 것을 놓치지 않으시길 바랍니다.

- 나만의 팁을 찾아보세요.

누구와 무엇을 나눌까?

여러 번 언급했듯이 번아웃증후군에 빠지는 사람들의 특징 중 하나가 일 중독이나 완벽주의적 성향이 있을 수 있다고 합니다. 더불어 거절을 못 하거나 관계에서 오는 업무를 정리하지 못해서 버거워지는 경우도 많습니다. 하던 업무의 양이 줄어들거나 범위가 좁아지지만 '내가 요즘 일을 너무 안 하나? 남들이 뭐라고 하면 어떡하지? 내가 나태해진 건가?'라는 두려움에 빠질 수도 있습니다. 늘 일이 많고 시간에 쫓기듯 살았기 때문에 여유로워지는 환경이 어색하게 느껴질 수 있습니다. 그 어색함은 바로 번아웃증후군을 일으키는 환경과 점차 달라지고 있다는 신호입니다. 이렇게 나를 둘러싼 업무 환경을 변화시키면서 번아웃증후군을 탈출할 초석을 쌓는 것이 중요합니다.

그리고 이때 나의 상황을 함께 나눌 사람들이 매우 중요합니다. 번아웃증후군에 빠진 사람들은 지치고 힘들지만 나만 그런 것이 아닌 것 같고 나의 문제인 것 같아서 혼자 해결하려는 경향들이 많습니다. 혼자 해결하기에는 여러 한계가 있습니다. 함께 나눌 사람이 필요합니다.

그럼 누구와 나눌까요?

저는 학교 동료들 그리고 동료 상담교사와의 나눔도 중요하지만, 관리자분들과의 소통이 중요하다고 생각합니다. 상담 활동을 하면서 도움이 필요한 경우나 한계를 느낄 때 관리자분들의 경험도 큰 도움이 될 수 있습니다. 더불어 상담교사로서의 힘듦이나 소진으로 인한 번아웃증후군에 대해서 나눈다면 번아웃증후군 회복에도 큰 도움을 받을 수 있습니다. 좋은 관계를 유지하고 소통을 해나간다면 정서적 지지와 위로를 받을 수 있습니다. 관리자분들도 선생님들과의 소통을 기다리고 계실지 모릅니다.

학교 상담실에는 다양한 업무와 업무량이 있습니다. 관련 업무와 비관련 업무를 나누고 학교 내에서 조절할 필요가 있습니다. 나의 업무에 대해서 꼭 해야 하는 업무, 관련 업무, 지시나 선의로 받은 업무 등으로 분류하여 재조정해야 할 시기입니다. 그러나 업무를 재조정하기에는 어려움과 갈등이 있을 수 있습니다. 이해관계자와 충분한 논의 후 상담교사의 상황을 이해시켜야 가능한 일들이라 쉽지는 않습니다. 하지만 잊지 마세요. 모든 것을 끌어안고는 번아웃증후군을 해결하는 데 한계가 있을 수 있습니다. ‘내가 힘들어서 할 수 없어요. 내 일이 아니라서 할 수 없어요.’라는 것은 책임회피로 들릴 수 있습니다. 갈등이 어려워 회피하거나 강요하는 것은 더 큰 문제를 일으킬 수 있습니다. 시간을 충분히 가지고 이해시켜 조절하는 것이 좋습니다. 이해 당사자 간의 조절은 혼자 해내기 어렵습니다. 상담 선생님들에게는 든든한 조력자들이 있다는 것 아시나요? 살짝만 고개를 돌려보면 동료 교사들도 든든한 조력자가 될 수 있습니다. 학교 내 문제들은 학교 내 조력자와 함께한다면 좀 더 수월하게 해결할 수 있습니다.

또한 상담교사의 고유 업무나 영역에 관해서는 나와 함께 하는 상담교사들의 도움을 받으면 큰 힘이 됩니다. 다른 학교 교사들과 나눈 것에 대한 부담감이 들 수 있습니다. 하지만 제 경우에는 업무 조정 관련하여 근거자료나 다른 학교 상황을 참조하는데 타 상담 선생님들의 도움이 컸습니다. 업무량과 업무 영역 등에 대한 도움을 받을 수 있습니다. 혼자가 아니고 함께라는 것이 큰 힘이 됩니다. 나의 어려움과 힘듦을 나누는 것만으로도 번아웃증후군에서 조금씩 멀어지는 계기가 됩니다.

동료의 힘

저의 지난 상담교사로서의 삶을 돌아보면 참 다양한 경험들이었던 것 같습니다. 처음 상담교사로 임용되어 기뻤고 설렜던 하루하루였습니다. 아침 일찍 주부로서 해야 할 역할을 해내고 출근해서 7시부터 학생들과 상담했습니다. 상담교사인 저도 학생들도 상담 활동에 목말라 있었고 열정이 있었습니다. 어느 누구도 이른 시간이라고 거부하지 않았습니다. 아침 일찍 조용히 상담하는 것을 더욱더 선호했었습니다. 시간이 지나면서 등교 시간이 8시에서 8시 40분으로 변경되었습니다. 초등학교부터 늦은 등교를 경험한 학생들은 일찍 학교에 오는 것을 버거워했습니다. 이른 상담은 어느 순간부터 나와 학생들에게 벌처럼 느껴졌습니다. 특별할 경우가 아니면 학생들을 이른 시간에 상담실에 부르는 것도 조심스러워졌습니다. 그렇게 아침 상담은 사라져갔습니다.

아침 상담이 사라진 일상은 가정에 좀 더 충실할 수 있어서 오히려 여유로운 생활을 할 수 있었습니다. 이른 아침부터 바쁘게 시작하고 온종일 쉼 없는 상담으로 지쳤던 몸이 편안해졌습니다.

그렇게 여유로운 아침을 맞던 저는 편함을 느낌과 동시에 몸과 마음의 이상도 느끼기 시작했습니다. 그동안 너무 바쁘고 시간 여유가 없어서 나를 돌아볼 시간이 없다가 갑작스러운 여유로운 아침이 한순간 모든 긴장의 끈을 끊어버렸습니다. 팽팽하게 잘 당겨져 있던 줄이 누군가에 의해 잘린 것처럼 '탕'하고 끊어졌다는 생각이 들었습니다. 물풍선에 가득 담긴 물이 벽에 부딪혀 팍하고 터지는 것처럼 그동안 미처 알지 못했던 심신의 고통이 한순간에 터져 나왔습니다. 몸도 여기저기 아프기 시작했습니다. 이른 출근과 점심시간 상담으로 규칙적인 식사를 하지 못하고 일과를 마친 늦은 저녁 폭식으로 몸은 비균형적으로 변해서 과거의 나를 찾아볼 수 없게 되었습니다. 그때는 몰랐지만, 번아웃증후군의 중심으로 가고 있었던 것입니다.

쉼 없이 달려오던 어느 순간 문뜩 학생들에게도 집중하지 못하고 동료와도 불편감이 들기 시작했습니다. 문뜩 '참 외롭다.'라는 생각이 들었습니다. 그런데도 저는 이런 상황이 위기인 것을 인지하지 못했습니다. 그저 주변 사람들이 이상하고 학교가 이상하고 관리자가 이상하고 모든 것이 황당하다고 생각했습니다. '왜 자꾸 나에게 이상한 일이 일어나지? 왜 내 주변 사람들은 한결같이 나쁘지?' 등등 부정적인 신념과 흑백논리로 세상을 바라보게 되었습니다.

그렇게 지치고 버거운 일상을 살던 어느 날, 오랜 시간 함께 해온 선생님이 따뜻한 커피 한잔을 상담실로 가져오셨습니다. 나는 친절한 미소를 장착하고 일상적인 대화를 시작하였다. 마치 '저는 아무 문제 없어요.'라는 갑옷을 입은 것처럼. '아주 맛있는 로스터리 커피집이 있어서 선생님 생각이 나서 사 왔어요.' ' 감사합니다. 진짜 향이 좋네요.' 이런 일상적인 대화 속에 선생님은 커피를 건네며 아무 말 없이 미소 지으며 나를 바로 보았습니다. 순간 당황하고 어색해서 어찌할 줄 몰라 하던 나에게 선생님께서 건넨 뜻밖에 말 한마디.

"힘들지? 괜찮아?"

그 말을 듣는 순간 온몸에서 피가 전부 빠져나가는 듯한 느낌을 받았습니다. 억지로 서 있다가 풀썩 주저앉은 느낌이었습니다. 그리고는 어린아이처럼 엉엉 울었습니다. 누군가가 나를 진심으로 바라봐 주고, 따뜻하게 안아주는 듯했습니다. 나를 진심으로 염려해주고, 위로해주는 말 한마디에 목 놓아 울어버리게 되었습니다. 혼자 모든 것을 견뎌내어야 한다고 생각했었습니다. 나의 힘든 상황이나 어려움을 주변에서 알게 해서는 안 된다고 생각했던 것이었습니다. 그래서 더욱더 씩씩한 척, 좋은 척, 행복한 척 그리고 밝은 척을 했었습니다. 그런 나의 모습이 너무 안쓰러워 보였다며 너무 애쓰지 말고 편하게 있는 그대로의 선생님 모습으로 지내라고 진심 어린 염려를 보내주셨습니다.

그 일이 있고 난 뒤 저를 돌아보게 되었습니다. 너무 애쓰지 않고 완벽하게 해내려 하지도 않았습니다. 마음이 편해지니 오히려 학생들을 바라보는 시각과 공감도 나아졌습니다. 게다가 관계나 일도 쉽게 잘 풀려나갔습니다.

동료의 힘! 내 옆에 있는 좋은 사람들의 선한 영향력이라 할 수 있습니다. 멀리 찾지 않으셔도 됩니다. 그리고 단단하게 자신을 감출 필요도 없습니다. 나를 알아주고 이해해 주는 단 한 사람 주변에 힘이 되는 동료들이 있습니다.

▪ 내가 경험한 혹은 경험하고 싶은 동료의 힘은 무엇인가요?

두뇌 해킹까지 되는 세상

세상의 변화는 늘 빨라서 따라가기 힘들고 버겁다는 생각이 듭니다. 아이들의 변화도 너무나 빨라서 매년 아이들과의 상담 시 '어떻게 접근해야지?'라고 고민하기도 합니다. 이렇게 빠른 변화의 시기 우리는 어떻게 적응할 수 있을까요?

오래전부터 인간의 뇌에 관해서 다양한 연구가 진행됐습니다. 최근에는 여러 분야에서 적용되는 두뇌 연구들이 많습니다. 과학 분야에서 뇌를 해킹해서 기억을 지우거나 새로운 기억을 넣거나 혹은 재조직화하는 것이 가능하여 연구되고 있는 것이 현실입니다. 뇌의 연구에 대한 긍정적 부분을 상담 분야에 적용하여 상담의 효과성을 높이는 방법들을 지속해서 연구하고 있습니다.

상담을 하다 보면 뇌를 해킹해서 학생들이 원하는 방향으로 변화시켰으면 좋겠다는 생각이 들 곤 합니다. 더불어 번아웃증후군에 빠져 힘든 우리의 뇌를 해킹해서 좀 더 안정적으로 바꾸고도 싶지만, 현실적으로 어렵습니다. 그러나 우리의 뇌는 속이기 쉽습니다. 현재 나의 상태를 행복한 뇌로 만들면 지치거나 소진되지 않고 생활할 수 있습니다. 현재 나의 상태가 어려운 상황이라도 나의 뇌를 속을 수 있다면 행복한 상태를 유지할 수 있다는 이야기입니다. 상담교사로서 행복한 뇌를 유지하는 것은 소진으로 인한 번아웃증후군을 막을 수 있는 주요한 키가 될 수 있습니다. 과학적인 힘을 빌리지 않고도 우리의 뇌를 행복하게 하는 방법은 다양할 수 있습니다. 나에게 행복감을 주는 것들이 무엇인지 나를 돌보는 것이 무엇인지 꾸준히 알아가는 것이 중요합니다.

한 발도 내딛기 어려울 때, 우리는 절망감을 느낍니다. 아무

것도 할 수 없다는 두려움에 무력감과 절망감에 쌓이기도 합니다. 하지만 염려하지 마세요. 한 발도 내딛기는 어려워도 이미 우리는 그 선에 서 있습니다. 아무것도 안 하는 것처럼 보여도 우리는 그 선위에 서서 나아갈 준비를 하고 있습니다. 아무것도 하지 않는 것보다, 무엇인가를 하는 것이 중요합니다. 이는 번아웃증후군을 예방하고 나를 힘이 나게 하여 행복한 삶을 살 수 있는 에너지를 줄 수 있습니다. 내가 스스로 나의 뇌를 해킹해서 재조직화하듯 긍정적인 에너지로 뇌를 속이다 보면 어느 순간 뇌는 긍정적으로 변화되어 있을 것입니다.

▪ 나의 뇌는 어떤 해킹을 원하는가 생각해 보세요.

앞으로 우리는

모든 일을 내려놓고, 혼자만의 삶에 집중할 수 있다면 번아웃증후군과는 멀어질 수 있을지 모릅니다. 하지만 그런 생활을 선택할 수 있는 사람들은 극소수이겠지요. 현재 나의 삶을 유지하고 소속된 직군에서 생활할 때 어쩌면 번아웃증후군은 언제든지 반복적으로 생길 수 있을 것입니다.

우리는 어떤 선택을 해야 할까요? 번아웃증후군을 친구인 양 그저 옆에 두는 삶에 만족해야 할까요? 이미 우리는 번아웃증후군을 경험하였고, 경험한 사람들에 대해서 알고 있습니다. 정보 없이 어려움을 겪었던 시기와는 다르겠지요. 우리는 번아웃증후군에 대한 많은 정보를 가지고 있습니다. 게다가 나 자신과 업무 환경 등을 정비할 수 있고 위기를 함께 이겨나갈 든든한 지원군도 있습니다. 혹시 모를 일에 대한 두려움과 막연한 공포는 도움이 되지 않습니다. 주기적으로 의도적인 점검과 관리가 있다면 속절없이 어려움에 빠지지 않을 것입니다.

학생들에게 자존감을 높여주고 행복한 학교생활에 도움이 되고자 사용하는 방법으로 '칭찬 프로그램'을 주기적으로 활용하고 있습니다. 칭찬으로 샤워하고, 칭찬 릴레이를 통해 서로 격려하는 것은 번아웃증후군을 회복하는데 도움이 됩니다. 번아웃증후군으로 인한 자존감 하락과 우울감이 높아 도움이 필요한 시기 칭찬의 힘을 경험했습니다. 동료 상담교사들과의 공동체 프로그램을 진행하던 중 칭찬을 통해 자존감 회복에 도움을 주는 '칭찬 샤워' 프로그램을 같이해보기로 한 적이 있습니다. 학생들과는 다양한 방법을 통하여 칭찬 프로그램을 진행한 경험은 있었지만, 진행자로서의 경험이지 참여자로서의 경험은 없었습니다. '칭찬 샤워' 진행에 별다른 기대가 없었습니다.

두둥!!!~~

한 명, 한 명 칭찬할 내용을 고민하고 정성껏 표현하면 나를 향한 칭찬의 기대로 설렜습니다. 다른 사람들이 나를 바라보는 시각과 나의 강점들이 무엇이 있을지 궁금하기도 했습니다. 내가 이미 알고 있던 부분들과 미처 인지하지 못한 부분들에 대한 칭찬을 듣고 있는 순간에는 쑥스럽고 민망했지만, 마음속 깊숙이 행복한 기분이 들게 되었습니다. 나의 무능력함과 무기력함에 대해서 자기 비하를 하던 저에게 동료 교사들의 칭찬은 나 자신이 나를 다시 돌아보게 되는 계기가 되었습니다. 나의 강점과 긍정적인 부분들을 찾아내고 인정받을 때 자존감 뿜뿜, 상승에 도움이 되었습니다. 물론 칭찬 샤워 한두 번으로 자존감이 수직으로 상승하진 않습니다. 하지만 나의 긍정적인 부분들을 보는 계기가 되고 그것을 발판으로 번아웃증후군에 빠지지 않게 도움을 받을 수 있습니다.

자존감을 높이는 방법에는 여러 가지가 있습니다. 관련한 다양한 서적들도 많이 있습니다. 나에게 맞는 방법을 통해서 의도적인 자존감 회복에 힘쓰는 노력이 필요합니다. 자존감이 회복되면 업무 환경에서 받는 스트레스에 대한 타격감도 감소할 수 있습니다. 그만큼 번아웃증후군에서 벗어날 수 있습니다. '칭찬 샤워'를 계기로 제가 매일 긍정의 한 줄 쓰기를 시작했습니다. 학생들에게 '긍정일기' 쓰기를 통해서 자존감 회복하기 프로그램을 진행했지만, 그 효과에 대해서 직접 경험하고 싶었습니다. 명상을 통해서 하루를 정리하고 긍정의 한 줄 쓰기로 나를 도닥이는 작업을 진행했습니다.

더불어 '나는 잘했고, 잘하고 있고, 잘할 거야. 나는 소중한 사람이야'라는 마법의 주문을 매일 매일 적고 입으로 말했습니다. 여러분도 함께해보시면 어떨까요? 지금 지치고 힘들고 어려울 때 이 마법의 주문은 여러분을 위기에서 벗어나게 하는데 도움이 될 수 있습니다.

마지막으로 유머는 삶에 심리적 여유와 정서적 안정을 가져올 수 있습니다. '나는 유머러스 한 사람이 아닌데, 난 웃긴 것 싫은데.'라고 생각하는 사람들이 있을 수 있습니다. 유머는 단지 웃기는 것이 아니라 여유와도 관련 있습니다. 생각하지 못한 장면에서 유머는 심신의 이완을 가져옵니다. 호르몬에도 변화를 가져와 긍정적으로 변화하게 됩니다. 지금 당장 유머러스 한 상황이 힘들다면 의도적으로 입꼬리를 올려 뇌를 속이는 것만으로도 도움이 될 수 있습니다. 책을 읽고 있는 이 순간 한번 해보세요. '스마일~~'

평소 유머감과 거리가 있는 사람이라면 특히 의도적인 활동이 필요합니다. 긍정적인 사진, 내가 좋아하는 글, 내가 좋아하는 음식 등 여러분을 웃음 짓게 할 수 있는 것들을 주변에 가까이 두세요. 평소 가고 싶었던 장소, 함께하고 싶은 사람과의 것들을 계획해 보는 것만으로 힘이 될 수 있습니다. 안되면 즐기라는 말이 있지만, 번아웃증후군은 함께 하고 즐길 수 없습니다. 번아웃증후군이 생기지 않도록 자기 점검을 통해 예방하고 치료해 가는 것이 중요합니다.

상담교사로서의 삶은 일반 교사와는 다른 시각이 늘 함께합니다. 자칫 착한 사람 콤플렉스에 빠지거나 거절하지 못해서 쌓여가는 업무로 나를 괴롭힐 수 있습니다. 이는 나 자신뿐만 아니라 주변도 힘들게 할 수 있습니다. '세상의 중심은 나' 나를 돌봄은 이기적인 것이 아니라 나와 주변을 위한 기초입니다. 나의 일을 사랑하고 행복하게 수행할 수 있도록 번아웃증후군에서 자유로운 그날을 응원합니다.

인생은 샐러드 볼

한때는 매시트포테이토(으깬 감자요리)처럼 한곳에 섞이고 엉켜 있는 것이 이상적이라고 여겨졌던 때가 있었습니다. 다 같이 엉키고 하나 되어 각각의 개성이나 특성이 인정되기보다는 함께 더불어 같이해야 하는 것이 인정받던 시기입니다. 지금은 어떨까요?

▪ 나의 매시트포테이토는 무엇인가요?

흔히 이야기하는 MZ세대들의 특징은 매시트포테이토가 아니라, 샐러드 볼이라고 합니다. 샐러드 볼 속에는 다양한 채소들과 과일 그리고 소스들이 있습니다. 사과, 딸기, 오렌지, 양상추, 양배추, 로메인 등 다양한 것들이 한 곳에 함께 있습니다. 신기한 것은 매시트포테이토 속의 우유, 버터, 설탕 및 감자처럼 뒤엉켜 있는 것처럼 보이지만 사실은 각각의 것들이 본연의 개성을 뽐내며 당당히 있습니다.

MZ세대를 보면 그들은 개성이 강하며 표현력이 뛰어납니다. 그런데도, 이들은 사회와 조화롭게 어우러지며 자신만의 개성을 존중하는 방식으로 삶을 즐깁니다. 이러한 자세는 현대사회에서 강조되는 중요한 가치 중 하나일 것입니다.

학교 상담실을 찾는 학생들도 예전과는 다르게 자신만의 독특한 개성을 표현하려고 합니다. 그러나 이를 이해하지 못하고

'매시트포테이토'처럼 일률적인 시선으로 보면 학생들의 본질을 파악하기 어려울 것입니다. 대신, '샐러드 볼' 안의 과일과 채소처럼, 각각 학생의 개성을 인정하고 존중한다면 그들을 더욱 잘 이해할 수 있을 것입니다. 학교 상담자로서 우리도 학교 내에서 화합하고 조화롭게 생활하는 것이 매우 중요합니다. 하지만 일과 관계 등에서 매시트포테이토처럼 엉키고 섞여 있다면 건강한 상담자로서 거듭날 수 없을 것으로 생각됩니다. 우리가 원하는 욕구, 스트레스, 업무 영역, 관계 등에 대해서 각각을 인정하고 살펴볼 때 온전한 샐러드 볼이 되지 않을까요?

번아웃증후군에서 벗어나 건강한 상담자로서 행복한 학교생활을 하기 위한 건강한 샐러드 볼이 되어보시면 어떨까요?

▪ 나만의 샐러드 볼은 무엇일까요?